LA SYMPHONIE DU HASARD

DU MÊME AUTEUR

L'Homme qui voulait vivre sa vie, Belfond, 1998, rééd. 2005 et 2010 ; Pocket, 1999

Les Désarrois de Ned Allen, Belfond, 1999, rééd. 2005 ; Pocket, 2000

La Poursuite du bonheur, Belfond, 2001 ; Pocket, 2003

Rien ne va plus, Belfond, 2002 ; Pocket, 2004

Une relation dangereuse, Belfond, 2003 ; Pocket, 2005

Au pays de Dieu, Belfond, 2004 ; Pocket, 2006

Les Charmes discrets de la vie conjugale, Belfond, 2005 ; Pocket, 2007

La Femme du Ve, Belfond, 2007 ; Pocket, 2008

Piège nuptial, Belfond, 2008 ; Pocket, 2009

Quitter le monde, Belfond, 2009 ; Pocket, 2010

Au-delà des pyramides, Belfond, 2010 ; Pocket, 2011

Cet instant-là, Belfond, 2011 ; Pocket, 2013

Combien ?, Belfond, 2012 ; Pocket, 2013

Cinq jours, Belfond, 2013 ; Pocket, 2014

Murmurer à l'oreille des femmes, Belfond, 2014 ; Pocket, 2014

Des héros ordinaires, vol. 1, Omnibus, 2015

Mes héroïnes, vol. 2, Omnibus, 2015

Mirage, Belfond, 2015 ; Pocket, 2016

Les Fantômes du passé, vol. 3, Omnibus, 2016

Toutes ces grandes questions sans réponse, Belfond, 2016 ; Pocket, 2017

La Symphonie du hasard, livre 1, Belfond, 2017

Vous pouvez consulter le site de l'auteur à l'adresse suivante :
http://www.douglas-kennedy.com

DOUGLAS KENNEDY

LA SYMPHONIE DU HASARD

Livre 2

*Traduit de l'américain
par Chloé Royer*

belfond

Titre original :
THE GREAT WIDE OPEN

Ouvrage publié avec le concours de Françoise Triffaux.

Retrouvez-nous sur www.belfond.fr
ou www.facebook.com/belfond

Éditions Belfond,
12, avenue d'Italie, 75013 Paris.
Pour le Canada,
Interforum Canada, Inc.,
1055, bd René-Lévesque-Est,
Bureau 1100,
Montréal, Québec, H2L 4S5.

ISBN : 978-2-7144-4638-1
Dépôt légal : mars 2018

Belfond | un département **place des éditeurs**

place
des
éditeurs

1

QUAND ON VIENT À DUBLIN pour la première fois, mieux vaut éviter le mois de janvier. À moins d'aimer vivre dans l'obscurité permanente et le froid pénétrant, sous la grisaille, dans une ambiance morose à vous donner des envies de suicide. La ville, déjà morne et oppressante la majeure partie de l'année, devient encore plus lugubre pendant cette sombre période.

Le chauffeur de taxi m'a regardée charger mes valises dans son coffre.

« C'est la première fois que vous venez en Irlande ?

— Oui, je me suis inscrite à Trinity.

— Ah, une Yankee friquée. C'est ça ?

— Je suis américaine, en effet.

— Et futée, il faut croire. Alors, qu'est-ce que vous fichez dans un trou comme Dublin, en cette foutue saison ? »

Je ne m'attendais pas à un vocabulaire aussi fleuri – même de la part de ce chauffeur bedonnant en veste de faux cuir marron et casquette de tweed. Au cours du trajet depuis l'aéroport, durant lequel il n'a pas cessé de me parler et de fumer, je me suis vite rendu compte que à Dublin comme dans le reste de l'Irlande, tout était « *ce foutu ceci, ce foutu cela* ». Critiquer l'état du pays faisait aussi partie du jeu, du moins jusqu'à ce qu'un étranger ait l'audace de proférer une petite remarque négative : un fervent nationalisme reprenait alors le dessus. Et malheur à qui osait mentionner les Anglais – sauf, bien sûr, dans les cercles anglo-irlandais raffinés, où régnait toujours une certaine nostalgie pour l'esprit *british*, renforcée par l'influence encore prégnante de siècles d'histoire.

« Vous savez, il y a quelques années, les catholiques n'étaient pas admis à Trinity, a dit le chauffeur.

— Je l'ignorais. Ils n'auraient pas voulu de moi, alors.

— Oh si, ils ont trop besoin de ces foutus Yankees et de leur foutu argent. Et puis, de toute façon, c'était un peu plus compliqué que ça. Jusqu'en 1970, il fallait une dispense spéciale de l'Église pour aller là-bas.

— Quelle Église ?

— À votre avis ? L'Église catholique, pardieu. L'archevêque de Dublin devait donner son accord à tous les catholiques qui voulaient y étudier.

— Alors ce n'était pas vraiment Trinity qui refusait d'admettre les catholiques ?

— Peut-être pas officiellement, mais avec leur foutu protestantisme, c'était un sacré calvaire pour les catholiques là-bas. »

J'ai tout de suite compris que cet homme me racontait des histoires. Et qu'il ne serait pas avisé de le lui faire remarquer.

« Vous avez bien choisi votre moment, en tout cas, a-t-il poursuivi. Il n'y a pas plus déprimant que le mois de janvier. Même un vieux chien aveugle et à moitié fou aurait envie de se jeter dans la Liffey.

— C'est très évocateur.

— Vous me mettez en boîte ?

— Pardon ? Je ne comprends pas.

— Vous vous fichez de moi ?

— Pas du tout.

« — Je ne laisserai pas une foutue Yankee se payer ma tête.

— Ce n'était pas mon intention.

— Ben tiens. »

Il s'est tu. J'ai allumé une cigarette en regardant la monotonie au-dehors, une place du nom de Mountjoy, jonchée d'ordures. Les maisons de style georgien, autrefois imposantes, affichaient toutes un état de délabrement plus ou moins avancé. Un peu plus loin, elles laissaient place à des immeubles d'habitation modernes, gris et massifs, très similaires aux cités bâties à la va-vite autour de New York. La pluie tombait sans discontinuer. La vue se faisait plus déprimante chaque fois que je regardais par la vitre, et le chauffeur avait recommencé à parler.

« Vous venez d'où, aux États-Unis ?

— Je suis née à New York.

— Une sacrée ville, y a pas à dire. Dublin va sans doute vous paraître petit, à côté. Mais pour le *craic*, on s'y connaît. »

Je n'avais aucune idée de ce qu'était le *craic*.

« Par contre, vous ne verrez pas beaucoup de Noirs ici. »

Sujet sensible.

« Ça ne m'étonne pas beaucoup, ai-je dit.

— Normal, on ne les laisse pas entrer chez nous. »

Hilare, il a observé dans le rétroviseur comment je réagissais à sa provocation. Le moment était venu de mettre fin à toute possibilité de conversation : j'ai fermé les yeux et fait semblant de dormir. Et j'ai réellement sombré dans l'inconscience.

« On y est. »

Le chauffeur m'a réveillée en me tapotant l'épaule. Je tenais encore une cigarette fumante entre mes doigts. Le taxi s'était arrêté devant une maison à étage en briques rouges et dont la porte d'entrée était peinte d'un brun fade. J'ai jeté un coup d'œil au compteur : le prix de la course était de quatre-vingts pence. J'ai tiré un billet d'une livre de mon portefeuille.

« Gardez la monnaie.

— Ces vingt pence me paieront ma première pinte ce soir. Alors merci bien. »

Il m'a aidée à sortir mes bagages du coffre et m'a serré la main.

« Bonne chance à vous. »

Seule face à la porte, j'ai hésité quelques minutes. Je me trouvais sur Oswald Road, dans un quartier appelé Sandymount. Deux rangées de maisons identiques, étroites et austères, entre lesquelles j'apercevais au loin des reflets d'eau et une centrale électrique. La pluie était faible, insidieuse, une bruine glacée qui me trempait jusqu'aux os. Je n'avais qu'une envie : traîner mes valises jusqu'à la première rue passante, héler un taxi et battre en retraite, direction l'aéroport. Mon père avait accepté de payer un supplément pour que j'achète un billet d'avion échangeable et ainsi pouvoir choisir la date de mon retour l'été suivant. Il y avait forcément un vol pour New York dans la matinée, il n'était que neuf heures et quart. J'étais toujours inscrite à Bowdoin, il me serait donc facile d'y retourner – et de passer le reste de l'année à regretter d'avoir lâchement battu en retraite dans le confort du familier, avant même d'avoir accordé sa chance à Dublin.

J'ai levé le heurtoir et frappé deux coups sonores. Après un moment, la porte s'est ouverte sur une femme d'environ soixante ans, en robe de chambre, le visage sévère, les cheveux d'un gris bleuté. Elle m'a fait la grâce d'un sourire.

« Vous devez être Alice. »

C'était Mme Brennan, ma logeuse. À mon inscription à Trinity, la directrice des résidences (une certaine Mlle Scanlon, à en croire les deux lettres que j'avais reçues d'elle avant mon départ) m'avait prévenue que je ne pourrais pas vivre sur le campus, parce que toutes les chambres étaient prises pour les trimestres de Lent et de Whitsun, ainsi qu'on appelait ici le second semestre de l'année universitaire. Par conséquent, il me faudrait loger chez l'habitant – à moins de trouver moi-même une colocation –, et j'avais été informée juste après Noël que j'habiterais chez Mme Brennan, 23, Oswald Road, à Sandymount. Je n'aimais pas beaucoup l'idée d'avoir une logeuse, mais, comme je ne connaissais personne à Dublin, il m'était impossible de trouver un appartement. Il n'y avait pas d'alternative.

« Je vais vous faire visiter », a dit Mme Brennan.

L'entrée, exiguë et tapissée d'un papier peint à fleurs défraîchi, donnait sur une petite pièce meublée d'un vieux canapé en paisley marron, de deux fauteuils recouverts d'une espèce de vinyle vert sombre et d'un assortiment de guéridons en bois. Dans un coin trônaient un vieux poste de télévision à oreilles et une énorme radio ancienne.

« Voici le salon. Je laisse mes filles lire ici le soir, et même regarder la télévision quand je suis là. »

J'ai espéré de tout cœur avoir mal compris.

« Combien de... "filles" habitent ici ? ai-je demandé.

— Juste vous et Jacinta. Elle vient du comté de Laois. Son papa est gardien principal de la prison de Portlaoise. Elle fait ses études à Trinity, elle aussi, en sciences de l'éducation, pour retourner enseigner chez elle. Une fille très gentille. Je n'ai jamais eu de problème avec elle.

— Si son père travaille dans une prison, j'imagine qu'elle a dû apprendre à se tenir. »

Mme Brennan m'a lancé un regard méfiant.

« Votre chambre est en haut. »

J'ai hissé péniblement mes valises dans l'escalier étroit. La première pièce du palier était une salle de bains : un cagibi blanc avec une cuvette de toilettes, une baignoire et un lavabo. Rien d'autre.

« Vous aurez sûrement envie d'un bain, après votre voyage. J'autorise mes filles à en prendre un par semaine.

— Il n'y a pas de douche ?

— On ne peut pas se permettre ce genre de luxe, par ici. Pour prendre un bain, il faut allumer le chauffe-eau, et l'électricité coûte cher. Mais vous aurez assez d'eau chaude pour vous débarbouiller le matin et le soir. Et si vous me dites tout de suite quel jour de la semaine vous prenez votre bain…

— D'habitude, je me douche… enfin, je me lave tous les jours. »

Mme Brennan a secoué la tête.

« Je ne peux pas accepter ça. En revanche, vous pourrez prendre un deuxième bain par semaine pour cinquante pence supplémentaires. »

Elle a ouvert une porte en face de la salle de bains.

« Nous y voilà. »

La pièce devait mesurer trois mètres sur deux, avec un lit de la taille d'un cercueil, une minuscule table de nuit, une chaise branlante en bois cintré et une petite table munie d'une lampe, qui, ai-je supposé, me ferait office de bureau. Sur l'un des murs couleur crème, à l'aspect grumeleux, était accroché un crucifix affublé d'un Jésus à l'expression très torturée. Enfin, dans un coin au-dessus du lit se trouvait une petite lampe représentant le Sacré-Cœur : sa lumière rouge était la seule touche de couleur de cette chambre plus adaptée, selon moi, à une nonne qu'à une étudiante.

« D'habitude, je ne sers jamais le petit déjeuner à mes filles après huit heures et demie, mais, comme vous avez fait tout ce chemin depuis New York, je vais faire une exception. J'en ai pour un quart d'heure. Vous préférez du thé ou du Nescafé ? »

Du café instantané ? Non merci.

« Du thé, s'il vous plaît.

— Très bien, très bien. »

Elle avait à peine quitté la pièce que je m'effondrais sur le lit. Dans quoi m'étais-je fourrée ? Pour ne rien arranger, la maison était glaciale. Il y avait un foyer électrique dans ma chambre, à l'emplacement de la cheminée, mais impossible de l'allumer. J'ai essayé plusieurs fois, sans succès. En désespoir de cause, j'ai rouvert la porte et crié :

« Madame Brennan, comment marche la cheminée ?

— Il faut y mettre cinq pence. Ça l'allume pour une demi-heure.

— C'est tout ce qu'il y a, comme chauffage ?

— Oui, c'est tout ce qu'il y a. »

Je ne sentais presque plus mes doigts – entre le jet-lag, le manque de sommeil, le choc culturel de plus en plus violent, sans parler de l'humidité qui régnait dans cette chambre... J'ai déniché quelques pièces irlandaises au fond de mon sac, j'en ai choisi une de cinq pence que j'ai insérée dans la fente du foyer électrique, et j'ai tourné l'interrupteur. Bingo : les barres ont commencé à rougir lentement. Le temps que je termine de vider mes valises, dix minutes plus tard, la chambre avait retrouvé une température largement plus supportable. Mes vêtements étaient pendus dans l'armoire de bois brut, mes sous-vêtements rangés dans la minuscule commode, et ma machine à écrire Olivetti rouge vif semblait beaucoup trop moderne et déplacée sur le bureau de fortune. Mme Brennan a frappé vigoureusement à la porte – je m'attendais presque à entendre : « Police ! Ouvrez ! »

« Le petit déjeuner est servi. Venez vite manger avant qu'il refroidisse. »

En sortant, je l'ai vue jeter un coup d'œil furtif dans la chambre.

« Qu'est-ce que c'est, cette chose sur le bureau ?

— Ma machine à écrire.

— Elle est rouge.

— Oui, elle est italienne.

— Je comprends mieux. Enfin, je dois vous prévenir que c'est trop bruyant pour être utilisé le soir.

— Vous voulez dire que je n'ai pas le droit de taper à la machine ?

— Pas après vingt heures, non.

— Et pourquoi ?

— Parce que c'est la règle. Et je vous demanderai de rentrer avant vingt-deux heures.

— Vous plaisantez ?

— Je suis très sérieuse, Alice. Chez moi, c'est comme ça que ça marche. »

J'ai pris une grande inspiration pour me retenir de répondre, et je suis descendue manger : deux œufs au plat, du bacon, du très bon pain noir irlandais, et une tasse du thé le plus fort et le plus énergisant que j'aie jamais bu.

« Vous allez sans doute dormir un peu, après ce long vol ? a supposé Mme Brennan en s'installant en face de moi.

— En fait, je pensais plutôt aller voir l'université. »

Ça ne lui a pas plu.

« Comme vous voulez.

— Je peux y aller en bus d'ici ?

— Le 7A longe le Strand jusqu'à College Green. L'entrée de Trinity est juste là.

— Merci.

« — Mlle Scanlon a dû vous prévenir que la chambre et le petit déjeuner coûtent sept livres la semaine. Si vous voulez dîner ici le dimanche, il y aura un supplément de cinquante pence. En général, je cuisine quelque chose de spécial, comme des côtes d'agneau ou un peu de steak… Vous irez à la messe le dimanche matin, n'est-ce pas ?

— Je ne vais pas à la messe, madame. »

Elle m'a fixée, les yeux ronds.

« Vos parents sont au courant que vous n'irez pas à l'église ?

— Ils n'y vont pas non plus.

— Ils ne sont pas pratiquants ?

— Mon père, non. Ma mère est juive. »

Comme je l'avais pressenti, cette information a achevé de la désarçonner.

« Juive ? Une vraie Juive ?

— Oui, comme ses deux parents. Et ses deux tantes qui ont émigré après la Nuit de cristal. »

Mme Brennan a soudain paru très intéressée par le fond de sa tasse.

« Si vous sortez, il faut que vous soyez rentrée avant vingt-deux heures, a-t-elle répété au bout d'un moment, les lèvres pincées. Sinon, j'aurai verrouillé la porte et vous devrez dormir dehors. »

En quittant la maison, une dizaine de minutes plus tard, je n'avais qu'une idée en tête : comment trouver un appartement dans une ville que je ne connaissais pas ?

J'ai marché jusqu'à Sandymount Strand, une longue file de maisons basses en brique et béton qui faisaient face à une plage. Stephen Dedalus ne passait-il pas par là dans l'*Ulysse* de Joyce ? La pluie s'était muée en une bruine très fine. J'ai attendu le bus du mauvais côté de la route. J'allais devoir m'ancrer dans la tête que les voitures roulaient à gauche dans ce pays. Quand un bus beige à deux étages est arrivé avec un panneau au-dessus du pare-brise indiquant *Dun Laoghaire*, je suis montée et j'ai demandé au chauffeur s'il allait bien à Trinity.

« L'université, vous voulez dire ?

— Oui.

— Vous n'avez pas lu ce qu'il y a écrit ? Dun Laoghaire ? »

Il le prononçait *Deun Léari*.

« Désolée, j'arrive juste des États-Unis. Je suis perdue.

— Je vois ça. C'est de l'autre côté de la rue. Le bus que vous devrez prendre indiquera *An Lar*. Ça veut dire "centre-ville". »

Je l'ai remercié avant de redescendre. Une fois sur le trottoir d'en face, je me suis assise sous le petit abribus en songeant qu'il allait me falloir investir dans un parapluie dès que possible. J'ai regardé la plage derrière moi : ce serait sans doute agréable d'habiter si près d'un endroit aussi propice aux promenades... Cela dit, il y avait bien peu de chances que je reste chez Mme Brennan plus de quelques jours.

Le bus est arrivé. Je n'étais jamais montée dans un bus à impériale. En haut du petit escalier, j'ai été happée par un nuage de fumée de cigarette : de toute évidence, l'étage supérieur était réservé aux fumeurs invétérés dans mon genre. Le sol était couvert de mégots, et sur le siège à côté du mien se trouvait un journal taché de graisse, à l'odeur assez agressive – je finirais au bout de quelques jours par reconnaître ces détritus comme des emballages de *fish and chips*, servis dans une de ces gargotes puant le vinaigre et l'huile de friture que les Dublinois appellent un *chipper*. J'ai allumé une cigarette pour me calmer les nerfs. Tout était si étrange, si rétrograde... Un contrôleur est venu vers moi : la vingtaine, boutonneux, vêtu d'une chemise sale, avec une barbe de trois jours et des dents cariées. Son uniforme était taché de cendre.

« Vous allez où ?

— Trinity College.

— Ça fera trois pence », a-t-il répliqué en tapant quelque chose sur le petit distributeur de tickets suspendu à son cou par une lanière de cuir, avant d'actionner la manivelle pour me tendre un reçu.

Trois pence le trajet en bus. Une misère.

J'ai essayé de distinguer quelque chose du paysage derrière la vitre trempée. Beaucoup de vieilles briques. Beaucoup de coins à l'abandon. Des ordures jetées çà et là dans la rue. Sans cesse de tirer sur ma cigarette, je me suis dit : *Ce sera mieux quand j'arriverai à l'université.*

Le contrôleur a crié : « College Green ! » et je me suis retrouvée sur le trottoir, devant un grand immeuble arrondi qu'un panneau indiquait être la Bank of Ireland. Quand je me suis retournée, j'ai fait face à de hauts murs noircis par ce qui m'a semblé des siècles de suie. En m'approchant des monumentales portes de bois verni, j'ai vu qu'elles étaient gardées de part et d'autre par des statues de bronze représentant le dramaturge Oliver Goldsmith et le philosophe Edmund Burke. Un portier était assis dans sa guérite juste à l'intérieur des murs, et j'avais bien l'intention de lui demander où se trouvait le bureau de la directrice des résidences… Mais mon attention a été distraite. Je venais de franchir les grandes portes et j'avais pénétré dans le majestueux Trinity College de Dublin.

Pour moi, qui n'avais jamais mis les pieds à Oxford ni à Cambridge – ni où que ce soit à l'étranger, d'ailleurs –, les universités du XVIe siècle se résumaient jusque-là à des photographies aperçues dans des magazines, et à quelques images de films. Bien entendu, au cours de mes recherches sur Trinity College, j'avais déjà vu des photos des bâtiments. Mais rien ne m'avait préparée à son élégance formelle, à la solennité esthétique de sa cour intérieure encadrée de bâtisses vénérables, au campanile érigé tel un monument dédié à l'inéluctable passage du temps – et qui sonnait effectivement chaque heure de son carillon menaçant. Des portes par dizaines donnaient accès aux différents bâtiments, et une longue volée de marches menait à une structure d'aspect roman que j'ignorais encore être le réfectoire. À l'arrière se trouvait une petite extension moderne en béton : le bureau des étudiants. Je m'y suis réfugiée, car la pluie, qui tombait maintenant violemment, mettait à l'épreuve la résistance de mon imperméable. Il y régnait une odeur de nourriture et de tabac. J'avais atterri dans un véritable pub : à onze heures et quart, un certain nombre d'étudiants et de professeurs étaient déjà en grande conversation devant leurs pintes de Guinness ou de ce qui ressemblait à une bière ambrée, cigarette aux lèvres. J'ai remarqué un jeune homme en veste de tweed usée et large pantalon de velours côtelé, la barbe bien taillée, avec des lunettes à monture métallique, attablé devant une théière fumante et un cendrier. Muni d'un stylo-plume à l'ancienne, il écrivait à toute vitesse dans un carnet, et sa main libre tenait une cigarette allumée. Je me suis aussitôt sentie attirée par lui – mais je n'avais le temps ni de lui parler ni même de m'appesantir sur la question. Il a levé les yeux, croisé mon regard, et m'a adressé un sourire avant de retourner à son carnet, me laissant légèrement troublée par ce bref contact visuel.

Je venais de prendre le petit déjeuner, et je n'avais pas faim du tout. Avec le jet-lag dont je souffrais déjà, il n'aurait pas été raisonnable de boire – mais c'était mon premier jour à Dublin, et je brûlais de goûter une authentique Guinness. Je me suis approchée du comptoir, derrière lequel se tenait une femme d'aspect un peu rude, aux cheveux d'un noir de jais et aux yeux très rouges et profondément cernés.

« Qu'est-ce que je te sers ?

— Une Guinness.

— Pinte ou verre ?

— Lequel est le plus petit ? »

Elle a levé les yeux au ciel.

« Le verre, enfin.

— Désolée, je suis nouvelle. »

En cette occasion, il m'a été donné de voir comment on servait une Guinness à la manière irlandaise. Positionnant le verre sous la tireuse, la barmaid y a versé un liquide brun tourbillonnant jusqu'à quelques centimètres du rebord, puis a posé le tout sur le comptoir et l'a laissé reposer pendant deux bonnes minutes tandis qu'elle vaquait à d'autres tâches. Le liquide a progressivement cessé de tourbillonner et s'est assombri jusqu'à virer au noir, cependant qu'un col de mousse crémeuse caractéristique se formait sur le dessus. La barmaid est alors revenue le remplir complètement jusqu'à ce que la mousse atteigne le rebord.

« Ça fera onze pence. »

J'ai fait glisser une pièce de cinquante pence, à la forme heptagonale caractéristique, dans sa direction, et elle m'a rendu la monnaie.

« Alors tu viens d'arriver ?

— Oui.

— Je me disais bien que tu avais l'air paumée. Et seule.

— Je ne peux pas dire le contraire.

— Tu vas vite trouver tes marques. Moi, c'est Ruth.

— Alice.

— Avant que tu boives, je vais te donner un petit truc pour voir si une Guinness est servie comme il faut. Penche un peu ton verre. »

J'ai obéi, constatant au passage que la surface de la mousse demeurait intacte.

« On appelle ça le "col du prêtre", a expliqué Ruth. Dans un verre bien servi, le col reste plat et ferme même quand on le penche. S'il se délite, c'est du travail de cochon. Mais tant que c'est moi qui te sers, tu n'as rien à craindre.

— Merci pour cette précieuse information. »

J'ai levé mon verre et pris une gorgée. La bière avait une texture visqueuse et un goût amer, fortement teinté de malt. Malgré son apparence de milk-shake gothique, j'avais plutôt l'impression d'avaler de la mélasse alcoolisée. Je me suis immédiatement sentie revigorée ; ce n'était pas seulement dû à la Guinness, mais aussi au fait de discuter avec quelqu'un d'autre que Mme Brennan.

J'ai sorti mes cigarettes sous l'œil de Ruth.

« Viceroy, a-t-elle lu. Des américaines ? Je peux t'en piquer une ? »

Je lui ai tendu le paquet, tout en essayant en vain de faire fonctionner mon briquet.

« On vend des allumettes, si tu veux, a-t-elle dit en posant une petite boîte jaune devant moi. C'est deux pence.

— Chez moi, elles sont gratuites…

— Tu ne vas pas te lancer dans le couplet "Chez nous, c'est mieux" ? J'ai passé un été à Boston, dans un bar. La bière là-bas est dégueulasse. Les clopes aussi. Même les pochettes d'allumettes sont nazes. Et je ne te parle pas des types d'origine irlandaise que j'y ai rencontrés.

— En toute objectivité, bien entendu. »

Elle m'a décoché un sourire canaille tout en tirant une allumette de la boîte.

« Contente de voir que tu supportes un brin de chicane.

— Un brin de quoi ?

— De chicane. De provoc, si tu préfères. Tu n'as pas pris la mouche, c'est comme ça qu'il faut réagir.

— La chicane, ça va. Ce que je ne vais pas supporter, c'est ma logeuse. »

Je lui ai raconté mon arrivée chez Mme Brennan, et mon couvre-feu obligatoire à vingt-deux heures.

« On dirait qu'ils t'ont refilé une vieille bigote. Dès que tu la verras demain, fiche-lui ton préavis et tire-toi de là.

— Mais comment je fais pour trouver un appartement ?

— Il y a un panneau d'affichage dans le couloir, juste là. Va voir, c'est plein d'annonces de colocations. Il te reste un peu de temps avant le début des cours, c'est le moment de t'occuper de ça.

— C'est ma seule priorité, crois-moi. Même ma mère ne m'a jamais forcée à me coucher à vingt-deux heures… pas depuis mes treize ans, en tout cas.

— Tant que tu seras coincée à Sandymount, tu n'auras pas beaucoup de *craic*.

— Encore ce mot… Je ne sais pas ce que ça veut dire.

— C'est comme ça qu'on dit "prendre du bon temps" en Irlande. Et on en a bien besoin, dans ce foutu pays. »

J'ai terminé ma Guinness, et j'ai dit à Ruth que j'allais jeter un coup d'œil au panneau d'affichage – avec un peu de chance, je dénicherais un logement du premier coup. Mais j'aurais bien besoin de son aide pour savoir où se situait tel ou tel quartier, et si c'était une bonne idée de vivre là-bas.

« Je veux bien t'aider si tu m'offres une autre de tes clopes, a-t-elle répondu. Elles ont un sale goût, mais ça me rappelle Boston et le bouge un peu moisi où je bossais, vers Tremont, là où il y a tous ces Irlandais racistes.

— Je connais le coin. Je vois très bien de quoi tu parles. Tiens. »

J'ai posé mon paquet sur la table.

« Garde-les.

— C'est sympa.

— Je te dois bien ça.

— Tu veux un deuxième verre ? Je ne peux pas te l'offrir, c'est contraire au règlement, mais je peux faire en sorte qu'il t'attende quand tu reviendras.

— Bah, autant me saouler dès le premier jour.

— Avec deux verres ? Aucune chance. Et on ne dit pas "se saouler", ici. Essaie "se cuiter". »

Je suis sortie dans le couloir. Le panneau d'affichage était couvert de petites annonces en tous genres, par exemple des billets d'avion pour Paris à dix-sept livres ou des trajets vers Londres à six livres cinquante : de sacrées aubaines pour quand je voudrais voyager en Europe. Une association du nom de The Well Women's Centre proposait des conseils en contraception et des préservatifs gratuits sur le campus. En dehors de tout ça, j'ai trouvé une bonne demi-douzaine d'offres de colocation dont j'ai noté tous les détails dans mon carnet. Ensuite, j'ai rejoint Ruth. Elle était en train de servir d'autres étudiants, mais mon verre de Guinness m'attendait sur le comptoir. Je l'ai penché sur le côté, et le col de mousse est resté intact.

« J'espère que Madame est satisfaite de mon service, a-t-elle lancé.

— Tu es la meilleure. J'ai besoin de nouvelles cigarettes, tu me conseilles quoi ?

— Si tu aimes les Viceroy, essaie les Carrolls. Elles sont fabriquées à El Paso, mais je les aime bien.

— El Paso au Texas ?

— El Paso à Dundalk. Un trou paumé à cent bornes au nord.

— Pourquoi ça s'appelle El Paso ?

— Parce que c'est juste au sud de la frontière. »

Je lui ai fait la liste des offres que j'avais trouvées. J'étais tombée sur la bonne personne pour me guider dans Dublin.

« Non, vivre à Sutton, ce n'est pas génial. Northside, c'est juste au bord de la mer, mais il n'y a pas grand-chose dans le quartier… Dun Laoghaire » – encore cette prononciation fascinante –, « c'est joli, avec la jetée, il y a de belles promenades et de bons pubs. Mais c'est à une demi-heure en bus, et beaucoup trop loin à pied. Mieux vaut rester près d'ici… Ah, Ranelagh, c'est un village tout mignon à trois kilomètres de Stephen's Green. Et celui-là, Pearse Street, ça ressemble à un vrai gourbi, mais c'est la rue juste derrière, par là. Tu vivrais littéralement de l'autre côté du mur. »

Cette perspective me plaisait. J'ai demandé à Ruth s'il y avait un téléphone quelque part, et elle m'a indiqué une grosse boîte noire à l'autre bout du comptoir. Il me fallait une pièce de deux pence pour passer un appel : on la glissait dans la fente marquée A, on tapait le numéro, puis on pressait le gros bouton B quand ça décrochait à l'autre bout du fil.

« Et pas la peine de me dire que c'est un système foutrement compliqué par rapport à chez toi. Je suis au courant. »

Le téléphone de Pearse Street a sonné longtemps. Ruth m'avait prévenue que la plupart des gens n'avaient pas de téléphone chez eux, parce qu'il fallait attendre près d'un an pour se faire installer une ligne, mais presque tous les immeubles avaient un téléphone public sur le trottoir près de la porte, qu'il fallait laisser sonner entre vingt et trente fois, le temps que quelqu'un l'entende et vienne décrocher. J'ai compté trente-six sonneries avant de renoncer.

« Vas-y et laisse-lui un message, m'a conseillé Ruth. Et, tiens, essaie ce numéro. C'est un copain à moi qui loue des studettes.

— Qu'est-ce que c'est ?

23

— Une chambre avec cuisine. Comme un studio, mais en encore plus spartiate. Mon pote s'appelle Padraig. Un foutu baratineur. D'ailleurs, je vais lui téléphoner avant pour lui dire que je te connais et que, s'il essaie de t'arnaquer, il aura affaire à moi. Rappelle-toi, pas plus de sept livres par semaine.

— C'est ce que me fait payer la vieille bigote, ai-je répondu, assez contente de ce nouvel ajout à mon vocabulaire.

— À ce prix-là, Padraig te trouvera quelque chose de bien plus près d'ici. Tu sais quoi ? Va faire un tour à Pearse Street, et ensuite balade-toi vers Westland Row et Merrion Square, c'est joli par là. Si tu reviens avant seize heures, quand je finis mon service, j'aurai peut-être du nouveau. »

Avant de partir, je lui ai donné trente et un pence pour ma deuxième Guinness et deux paquets de Carrolls – qui, à ma grande surprise, se vendaient par petits paquets de dix. Elles n'étaient pas mauvaises du tout. Je ferais sans doute mieux de me limiter à dix par jour, mais les cigarettes étaient les meilleures amies à ma disposition, et m'avaient déjà aidée à traverser tant d'épreuves… Ne serait-ce que la veille, lorsque ma mère m'avait accompagnée à JFK. Nous n'étions que toutes les deux. Mon père était retourné au Chili où il supervisait sa mine fraîchement reprivatisée, tout en nous assurant que mon frère Peter se portait comme un charme, alors même que nous n'avions aucune nouvelle depuis au moins trois mois. Il neigeait à New York et tous les vols étaient retardés, à l'exception de celui d'Aer Lingus pour Shannon puis Dublin. Je crois bien que je ne m'étais jamais sentie aussi anxieuse, et ma mère n'avait rien arrangé en se mettant à pleurer alors que nous nous avancions vers la zone d'embarquement.

« La maison sera complètement vide quand je rentrerai ce soir, a-t-elle gémi, les joues baignées de larmes. Vous m'avez tous abandonnée.

— Maman, ça fait un an et demi qu'on a tous quitté la maison.

— Mais j'avais au moins Peter à New Haven, et toi, dans le Maine, tu n'étais qu'à six heures de route...

— On ne peut pas rester toujours au même endroit.

— Tu te prends pour une philosophe, maintenant ?

— Non, c'est juste l'ordre des choses.

— Pourquoi est-ce que tu fumes autant ?

— Parce que j'aime ça. Grand-mère aussi fumait comme un pompier, ça ne l'a pas empêchée de vivre jusqu'à soixante-quatorze ans.

— Et elle aurait vécu dix ou quinze ans de plus sans ça.

— Est-ce que ça en aurait vraiment valu la peine ? Je t'ai toujours entendue dire que c'était une vieille bique manipulatrice.

— Ce n'est pas parce que je le dis que, toi aussi, tu peux te le permettre.

— Et pourquoi pas ?

— Parce que c'était ma mère, pas la tienne. De toute façon, je sais que tu penses la même chose de moi. Tu me détestes.

— N'importe quoi. C'est juste que tu rends la vie impossible à tout le monde, y compris toi-même. »

On aurait dit que je l'avais frappée en plein estomac.

« Tu avais vraiment besoin de me dire ça juste avant de partir ?

— Rends-toi service, maman : retourne vivre à New York. Papa n'est jamais là, tes trois enfants font leur vie, tu détestes Old Greenwich, tu es encore jeune...

— Quarante-huit ans, ce n'est pas jeune.

— Ce n'est pas vieux non plus.

« — Facile à dire pour toi. Tu es encore une enfant. Promets-moi que tu ne feras rien d'imprudent. Comme aller à Belfast, par exemple. C'est la guerre, là-bas.

— Juste au Nord, maman, pas à Dublin.

— Dublin n'est pas très loin du Nord. C'est un petit pays.

— À mon avis, Dublin est moins dangereux que la 8e Avenue à deux heures du matin…

— C'est pour cette raison qu'on vit en banlieue. Pour échapper à tout ça.

— Mais la banlieue n'est pas sans danger, elle non plus. »

Ma mère avait poussé un long soupir.

« Figure-toi que j'ai rencontré Kristen Cohen hier. Quelle triste affaire ! »

Une triste affaire en effet. Carly Cohen, une de mes amies de lycée, avait disparu brusquement quelques années plus tôt. Personne ne savait ce qui lui était arrivé.

« Si elle avait vécu à New York, ai-je dit, elle n'aurait pas eu à subir tout ça.

— Cette petite était fragile. Il lui serait arrivé la même chose n'importe où.

— Tu défends Old Greenwich, maintenant ? Mais tu hais cette ville.

— Tu ne comprends rien, Alice. Tu ne sais pas comment fonctionnent les gens.

— Je sais une chose : c'est à toi de choisir ce que tu fais de ta vie.

— Tu te rends compte à quel point ce que tu dis est naïf ? On dirait que tu n'as aucune idée de ce qu'est le monde.

— Tu te fiches de moi ? »

Sans m'en rendre compte, j'avais haussé la voix.

« Tu ne crois pas qu'après ce que je viens de vivre, j'ai une vision plus précise de ce à quoi ressemble la vraie vie ? L'homme que je respectais le plus au monde s'est pendu. Et mon petit ami a tout foutu en l'air à force de se comporter comme un con...

— Pas la peine d'être aussi grossière.

— Tu sais quoi ? Ça me fait du bien. Parce que tu ne m'écoutes jamais. Tu penses toujours que tu es la seule qui souffre, tout ça parce que tu es enchaînée à une vie que tu ne supportes pas, et que tu refuses d'y changer quoi que ce soit. Et après, tu viens me dire... »

Je n'avais pas pu terminer ma phrase : ma mère avait brusquement fait volte-face et s'était éloignée à grands pas en me plantant là, à la porte d'embarquement, bouillante de rage. Je ne l'avais pas rappelée. Je ne l'avais pas poursuivie. Elle n'attendait que ça, et je le savais. Alors, à la place, j'avais trouvé un siège en plastique libre et j'avais écrasé ma cigarette pour en allumer une nouvelle, les mains légèrement tremblantes sous l'effet de ce cocktail détonant de colère et de culpabilité que seule ma mère savait provoquer en moi. En regardant autour de moi, j'avais remarqué que plusieurs personnes de l'âge de ma mère me toisaient avec dédain, comme si entendre les dernières secondes de notre conversation leur avait suffi pour me condamner. J'avais fermé les yeux. Vivement qu'un Boeing 707 m'emporte de l'autre côté de l'Atlantique, loin de tout ce qui me faisait du mal... Au lieu de ça, moins de trois minutes plus tard, ma mère s'asseyait à côté de moi.

« Tu ne te débarrasseras pas de moi aussi facilement. »

Non contente de faire comme si notre dispute n'avait jamais eu lieu, elle m'avait passé un bras autour des épaules.

« Je n'allais pas partir sans te donner tes cadeaux. Tiens, je n'ai pas eu le temps de l'emballer. »

Elle m'avait tendu une longue boîte plate tirée de son sac à main. En soulevant le couvercle, j'avais découvert un stylo-plume rouge, avec un capuchon rouge et noir et un fermoir doré.

« Le Parker Big Red de ton grand-père. C'est son propre père qui le lui avait acheté en 1918, à son retour de la guerre. Je sais qu'il aurait voulu que ce soit toi qui l'aies. Tu étais sa préférée, et il espérait que tu ferais de grandes choses. Alors vas-y, va écrire le grand roman américain avec le stylo de ton grand-père.

— Je ne serai jamais écrivain.

— Alors pourquoi emporter la machine à écrire que je t'ai offerte ?

— Je suis étudiante. J'aurai des devoirs à taper.

— Ça ne devrait pas t'empêcher de rêver, tu sais.

— Tu as fumé quelque chose, maman ?

— Tu es injuste. On peut se séparer sur une note positive, pour une fois ? Je t'en prie... »

Tandis qu'elle ravalait un sanglot, j'avais posé ma main libre sur son épaule.

« Je t'aime, tu le sais bien. »

Dans un nouveau sanglot, elle m'avait étreinte brièvement avant de se dégager.

« Ma propre mère ne me l'a jamais dit, tu te rends compte ?

— C'est triste.

— Non, c'est juste comme ça que ça marchait, à l'époque. »

Une femme en uniforme et calot verts était apparue derrière le comptoir d'embarquement et avait pris le micro pour annoncer que le vol Aer Lingus 107 pour Dublin, avec escale à Shannon, était prêt à l'embarquement. Ma mère avait plongé la main dans son sac et m'avait tendu une enveloppe.

« Un autre petit cadeau d'au revoir.

— Tu me gâtes.

— Pas du tout. Et puis tu n'es pas le genre de fille qui se laisse facilement gâter. »

Dans l'enveloppe se trouvaient dix billets de cinquante dollars.

« Maman, c'est de la folie.

— C'est comme ça qu'on dit "merci", chez toi ?

— Merci, merci… Mais c'est une fortune !

— Dès que tu seras à Dublin, va à la banque les échanger contre des chèques de voyage. Ça financera tes aventures de l'été prochain. »

Je l'avais prise dans mes bras.

« C'est trop gentil.

— Ça m'arrive, parfois. »

Elle s'était levée.

« Bon, je te laisse. Promets-moi de rester loin des zones de guerre et des gauchistes tarés.

— Même l'Espagne de Franco ?

— La guerre est finie depuis longtemps là-bas. Et arrête de fumer, s'il te plaît.

— Mais c'est justement ça qui m'aide à éviter les zones de guerre… »

Elle avait ri, ce qui était tout à son honneur.

« Appelle-moi dans quelques jours.

— Si tu insistes.

— Oui, j'insiste. »

En traversant la deuxième cour de Trinity, je suis passée devant la nouvelle bibliothèque, assez hideuse comparée à toute cette architecture élisabéthaine qui l'entourait, puis devant un terrain de sport. Maintenant que la pluie avait cessé, un soleil timide pointait ses rayons entre les nuages et des hommes en tenue blanche s'adonnaient à un jeu auquel je ne comprenais rien. Les équipes étaient positionnées près de trois bâtons plantés dans le sol et surmontés de deux plus petits ; un joueur courait le long d'un sentier de terre battue rectiligne et lançait une balle au sol, après quoi un autre, muni d'une grande batte aplatie, essayait de la repousser au rebond. Je me suis arrêtée, fascinée, pour profiter de ma première rencontre avec le cricket. Puis j'ai quitté l'université par le portail de derrière, dépassé un pub appelé Kennedy's, et emprunté Westland Row, une rue bordée de maisons basses aux façades plates, un peu décrépites, qui – à en croire les plaques sur leurs portes – appartenaient pour la plupart à Trinity. Il y avait une petite gare au bout de la rue, là où Westland Row croisait Pearse Street.

L'une des nouvelles expressions inscrites à mon registre, « c'est un vrai gourbi », m'est tout de suite venue à l'esprit quand j'ai aperçu Pearse Street. Parler de déla-brement aurait été un grossier euphémisme : c'était un concentré de déréliction, un lieu que rien ne donnait l'impression de pouvoir sauver. Parmi les maisons sor-dides, un cinéma plus que miteux passait un mauvais film de Burt Reynolds – *Fuzz*, sorti deux ans plus tôt aux États-Unis. Comme partout ailleurs, le sol était jonché d'ordures. L'ensemble respirait la misère, et le bâtiment de trois étages où se trouvait l'appartement de l'annonce, le 75a, ne faisait pas exception, avec sa porte écaillée et ses rebords de fenêtre pourrissants. Ça n'annonçait rien de bon, mais j'ai tout de même gravi le perron, pressé la sonnette au nom de Sean Treacy, patienté, sonné à nou-veau, patienté encore… J'étais en train de gribouiller un message sur un morceau de papier quand la porte s'est enfin ouverte. Un homme d'une quarantaine d'années, aux longues boucles noires, vêtu d'une chemise, d'un gilet et d'un bas de pyjama taché, m'a dévisagée d'un air méfiant.

« Je peux t'aider ?

— C'est toi, Sean ?

— Oui, c'est moi. Et toi, tu es qui ? »

Je me suis présentée, ajoutant que je venais pour l'appartement.

« Eh bien, Alice Burns de New York, la mauvaise nouvelle, c'est que j'ai trouvé un locataire avant-hier. Mais la bonne nouvelle, enfin, si on veut, c'est que j'ai une studette à louer. Ce n'est pas bien grand, et elle aurait bien besoin d'un petit rafraîchissement, mais si, par hasard, elle te convenait…

— Quand est-ce que je pourrais la voir ?

— Entre, entre. »

On a traversé un hall minable, avec son papier peint défraîchi représentant des maisons à la campagne, pour monter un escalier à la moquette usée jusqu'à la trame. Il y avait une radio allumée quelque part, et des effluves de cuisine se mêlaient à l'odeur d'humidité. Au premier étage, une porte s'est ouverte à la volée sur une jeune femme en peignoir molletonné, cigarette aux lèvres, accompagnée d'un nuage de vapeur indiquant que cette pièce devait être la salle de bains.

« C'est qui, ça ? a-t-elle demandé.

— Une Américaine qui vient d'arriver », a répondu Sean.

Il s'est tourné vers moi.

« Tu es inscrite à Trinity, à tous les coups.

— C'est ça.

— Eh bien, bon courage », a lancé la femme d'une manière tout sauf encourageante avant de disparaître derrière une autre porte au bout du couloir.

« C'était Sheila. Elle veut être actrice, mais elle a du mal à percer. Pour être honnête, elle est sacrément nulle.

— Et toi, Sean, qu'est-ce que tu fais ?

— J'écris. De la poésie, si on veut. Et comme ça rapporte que dalle, je gère cet immeuble et deux autres pour le compte d'un copain.

31

— Tu es publié ?

— Eh oui. Deux recueils de rien du tout, mais il y en a qui ont bien aimé. Toi aussi, tu écris ?

— J'y pense.

— Dublin est bourré de gens qui "y pensent". Ils passent leurs journées assis dans des pubs, à parler de leur roman qu'ils finiront un jour, c'est sûr… Mais toi, tu es jeune. Tu n'as pas encore vécu assez pour écrire quoi que ce soit de bon.

— Je n'ai pas assez de volonté, surtout.

— Ça viendra peut-être plus tard. »

On avait atteint le troisième étage. Devant nous se dressait une porte qui avait été blanche, avec une poignée en métal toute simple.

« Bon, comme je te l'ai dit, ce n'est pas bien grand. »

Il a ouvert la porte sur une vision déprimante : une pièce de quatre mètres sur trois, au papier peint rose décoloré et à la moquette maculée de taches et de brûlures de cigarettes. Le lit double avait connu des jours bien meilleurs, des ressorts plus souples et un matelas plus propre. La salle d'eau était constituée en tout et pour tout d'un lavabo, et la kitchenette consistait en un réfrigérateur, un évier, un placard bon marché et deux plaques chauffantes. De toute évidence, le chauffage n'avait pas été allumé depuis des mois, et il régnait un froid pénétrant. Sean m'a vue frissonner.

« Il y a une cheminée, juste là. Tu pourras acheter des briquettes de tourbe ou du charbon au coin de Westland Row. Ou, si tu veux, je peux te dégoter un petit poêle Kozengas. Il faudra acheter les bonbonnes de gaz, mais ça te réchauffe une pièce en un clin d'œil.

— Il y a une salle de bains à cet étage ?

— Non, juste celle d'en bas.

— Et il y a combien d'appartements en tout ?

32

— Sept. Mais tu es étudiante, alors tu pourras probablement en profiter quand tout le monde sera parti au boulot.

— C'est une baignoire ou une douche ?

— Une bonne vieille baignoire, j'en ai peur. Mais si tu t'inscris au sport, il me semble que la piscine de Trinity a des douches. »

J'ai fermé les yeux, assaillie par une vague de fatigue et de découragement.

« Ça te dirait, une tasse de thé ? a demandé Sean d'un ton soucieux.

— Oui, ce serait bien. »

La studette de Sean se trouvait au rez-de-chaussée. C'était une chambre plus grande que la mienne, pleine de courants d'air malgré le feu qui ronronnait dans la cheminée, et bien plus agréablement meublée : un lit en fer forgé, un gros fauteuil, un vieux canapé de velours gris recouvert d'un plaid... À la vue de l'immense bureau secrétaire et du tourne-disque à l'ancienne, je me suis tout de suite sentie plus à l'aise. Sans parler des piles de vinyles, des étagères croulant sous les livres, et du mur entier caché par une tapisserie de vieilles photos, de cartes, de vers écrits à la main. Pas de doute, c'était l'antre d'un écrivain.

« Mon humble demeure, a annoncé Sean.

— C'est fabuleux.

— Une vraie romantique, à ce que je vois.

— Pour faire de la littérature, il faut être un peu romantique, non ?

— Ou complètement cinglé. »

Je l'ai regardé mettre en marche une bouilloire électrique en métal, farfouiller dans son évier débordant de vaisselle sale pour y dénicher deux tasses et deux soucoupes, les laver rapidement et les poser sur l'égouttoir.

Il s'est ensuite emparé d'une théière en céramique qu'il a vidée dans une poubelle avant de la rincer dans l'évier.

« On dirait que tu n'as jamais vu quelqu'un faire du thé.

— Chez moi, faire du thé se résume à jeter un sachet dans de l'eau chaude.

— Et c'est pour ça que le thé américain est aussi immonde. Je vais te montrer comment on s'y prend. »

Il a attendu que l'eau bouille, puis en a versé un peu dans la théière avant de la vider dans l'évier.

« Toujours réchauffer la théière, a-t-il expliqué. Après, au moins quatre cuillers à café de bon thé. Tu peux acheter l'Irish Breakfast de chez Bewley's, sur Grafton Street, c'est de la qualité. Tu verses l'eau chaude, tu remues deux fois, tu couvres, et tu attends au moins cinq minutes que ça infuse. »

Ses préparatifs terminés, il m'a invitée à « me poser » sur son canapé. J'ai fermé les yeux un instant. Quand je les ai rouverts, en sursaut, il y avait une tasse et une assiette de biscuits en face de moi.

« Désolée, j'ai dû m'assoupir.

— T'assoupir ? Tu as sombré direct, oui. Ah, le jet-lag…

— Je suis arrivée ce matin.

— C'est déjà un exploit d'être encore debout. »

Je lui ai raconté ma rencontre avec Mme Brennan.

« Ça ne m'étonne pas que tu cherches ailleurs. Je sais bien que la chambre ne paie pas de mine…

— Le loyer est à combien ?

— Neuf livres.

— Ce n'est pas donné, vu son état.

— Entre nous, le propriétaire est un radin de première. Il ne lâchera pas un centime pour des travaux. Mais je peux peut-être te faciliter les choses : si tu acceptes de t'en occuper toi-même, je te donnerai l'adresse d'un copain qui tient un magasin de peinture. Tu y trouveras tout ce qu'il te faut. Je connais aussi un type qui te dénichera un nouveau matelas et réparera le lit pour dix livres, maximum. Et je suis sûr que je saurai convaincre Sa Majesté de ne pas te faire payer de loyer les deux premières semaines, le temps que tu finisses de tout retaper.

— Mais ce sera à moi de payer la peinture, le lit…

— Pour compenser, tu as les deux semaines sans loyer. »

Il a rempli ma tasse en utilisant un passe-thé pour retenir les feuilles. Quand il a poussé le pot de lait vers moi, j'ai refusé en disant que je préférais le thé noir. Il a secoué la tête.

« Ce n'est pas vraiment du thé s'il n'y a pas de lait. »

D'autorité, il en a versé un peu dans ma tasse. J'y ai ajouté un morceau de sucre avant de remuer et de goûter : c'était le meilleur thé que j'aie jamais bu.

« Effectivement, c'est mieux avec du lait.

— Je te l'avais dit. Tiens, prends un biscuit. Des *ginger snaps*, les meilleurs d'Irlande. »

J'ai mâchonné un *ginger snap*, notant au passage qu'il était beaucoup moins sucré que l'immense majorité des gâteaux secs américains. Puis je suis revenue à la charge.

« La peinture, les pinceaux, le nouveau matelas, la réparation du lit… ça va me coûter cher. Arracher de la moquette et repeindre un plancher, c'est du boulot. Et il va me falloir un bureau, une chaise, et le poêle dont tu as parlé.

— Je peux t'aider à trouver tout ça. Ça fera trente balles à tout casser. »

Je ne savais rien du coût de la vie à Dublin, mais je ne l'ai pas cru une seconde. Remettre à neuf et meubler un studio, ça coûtait forcément plus de trente livres.

« À mon avis, il faut plutôt compter cent livres.

— Pas du tout. Quarante, maximum.

— Si on veut que ce soit bien fait, ce sera cent. Mon semestre se termine mi-juin, ce qui nous laisse cinq mois, à peu près vingt-deux semaines. Pendant que je ferai les travaux, je devrai habiter chez Mme Brennan, qui me fait payer sept livres la semaine. Donc voici ce que je te propose : deux semaines de loyer gratis pendant que je rénove la chambre, mais avec la possibilité d'emménager plus tôt, et une réduction de deux livres sur le loyer. Du coup, c'est comme si on partageait le coût des travaux, sauf que je travaille bénévolement. Ah, une dernière chose… je voudrais l'assurance que le loyer de sept livres sera maintenu jusqu'à la fin de mes études, en juin de l'an prochain. Ce qui veut dire que tu me louerais la studette pendant dix-huit mois.

— Et si tu pars avant ?

— Eh bien, tu auras une studette toute neuve que tu pourras louer encore plus cher. »

Sean a souri en prenant une Carrolls dans le paquet que je lui tendais.

« Une vraie New-Yorkaise, décidément.

— Comment ça ?

— Tu es dure en affaires. »

Les New-Yorkais avaient-ils réellement la réputation d'être durs en affaires, où y avait-il un sous-texte dans cette phrase ? J'ai préféré ne pas creuser.

« Je n'aime pas me faire avoir. On est d'accord ?

— Huit livres la semaine, et c'est bon.

— Non, sept. Je te rappelle que je vais faire tous les travaux moi-même.

— Je dois en parler au proprio. Tu peux revenir demain matin, vers dix heures ?

— Pas de problème. Mais il me faudra une réponse, parce que, sinon, je chercherai ailleurs. Je n'ai pas de temps à perdre.

— C'est bien un truc d'Américain. "Il me faut ça tel jour, à telle heure." Ce n'est pas vraiment comme ça qu'on fonctionne, par ici. Mais reviens demain, je t'offrirai une autre tasse de thé, et peut-être même que j'aurai du pain noir et du beurre pour aller avec. »

En partant, je me suis arrêtée un moment dans le hall mal éclairé pour écouter l'enchevêtrement musical des étages supérieurs : quelqu'un jouait du piano, une radio passait à fond une espèce de folk irlandais, et une voix de femme chantait ce qui me semblait être un opéra italien. Dire qu'il n'était que midi… La vie ne serait pas de tout repos, ici. Enfin, si j'avais besoin de calme, je pourrais toujours aller à la bibliothèque de l'université. L'immeuble était à la limite de l'insalubre, la rue pire encore ; mais c'était juste derrière Trinity, en plein centre d'une ville qu'il me restait à explorer. Le loyer était abordable, et avec mon petit budget, je pourrais créer un espace vraiment à moi. De plus, j'aimais assez l'idée d'avoir pour concierge un poète légèrement chaotique. Avant de me laisser partir, il m'avait glissé dans la main un opuscule intitulé *The Fare Thee Well*. La couverture représentait un ferry en train de quitter un port, et, à l'intérieur, se trouvait une photo de Sean avec environ dix ans de moins, un visage plein de promesses, un regard de séducteur, au-dessus d'une biographie de quelques lignes : né à Dublin, scolarisé chez les Frères chrétiens de Sygne Street et à l'University College Dublin, il avait travaillé comme terrassier puis comme barman à Londres, enseigné l'anglais à Barcelone pendant quelque temps, puis était revenu en Irlande en tant que fonctionnaire au ministère de l'Éducation avant de « tout laisser tomber pour écrire à plein temps ». Il était aussi indiqué qu'il avait deux filles, Grainne et Gabrielle. Mais, alors, comment avait-il atterri dans ce studio miteux de Pearse Street ? Je finirais sans doute par connaître toute l'histoire – à condition que Sean persuade le propriétaire de baisser mon loyer.

Il était quatorze heures trente, et je voulais passer à la banque avant sa fermeture à quinze heures. L'université m'avait informée avant mon arrivée que la Bank of Ireland (située juste en face du portail de l'université) accepterait de m'ouvrir un compte. Ils m'avaient même donné le nom d'un des conseillers, un certain Martin Fahy, avec qui j'avais entretenu une brève correspondance. Mon père lui avait envoyé un mandat international pour qu'il ouvre mon compte, et un carnet de chèques m'attendait. Il ne me restait qu'une demi-heure avant la fermeture ; j'ai remonté Pearse Street au pas de course. L'intérieur de l'établissement était somptueux, tout en hauts plafonds voûtés et carrelage de marbre, un décor bien plus adapté à un ministère qu'à une banque. J'ai informé le réceptionniste, vêtu d'un uniforme très strict, que je venais voir M. Fahy. Il m'a désigné un banc en m'indiquant qu'il allait le prévenir de mon arrivée.

Martin Fahy m'a rejointe quelques minutes après. De petite taille, en costume de tweed marron et affublé d'une fine moustache, il m'a tendu la main d'un geste nerveux.

« C'est donc vous, Alice. »

Il n'avait pas le même accent que Sean et Ruth : plus prononcé, moins saccadé, étrangement rythmique.

« Désolée d'arriver juste avant la fermeture.

— Aucun problème. On ferme les portes à quinze heures, mais notre journée de travail dure jusqu'à seize heures trente. Tout se passe bien ?

— Je crois que j'ai trouvé un logement.

— Vous n'avez pas chômé. Vous êtes arrivée quand ?

— Il y a six heures, je dirais.

— À ce rythme, vous finirez *Taoiseach* avant la fin du mois.

— *Taoiseach* ? ai-je répété, imitant sa prononciation : *téachock*.

— C'est comme ça qu'on appelle notre Premier ministre. »

Je l'ai suivi le long d'un vestibule près des guichets, où se trouvaient plusieurs bureaux. Le sien était parfaitement ordonné : une plaque portant son nom, quelques photos de sa famille, et une pile de correspondances bancaires dans un bac de cuir vert, juste à côté de son tampon buvard.

« Donnez-moi juste un instant pour retrouver votre dossier. »

Il s'est tourné vers un meuble de classement encombré de papiers, estampillé A-D, et il lui a fallu farfouiller dans le tiroir des B pendant cinq bonnes minutes avant de trouver la fiche Burns. Nous avons continué à bavarder pendant ce temps. J'avais remarqué plusieurs photos d'une petite fille de trois ou quatre ans, ainsi qu'une autre les représentant, lui et une femme assez quelconque, en train de poser sur un promontoire rocheux au-dessus d'une longue grève blanche.

« Votre fille est très mignonne.

— Elle tient de sa mère, heureusement pour elle.

— Le paysage sur cette photo est magnifique.

— Vous avez bon goût. C'est dans le Kerry, ma femme et moi venons tous les deux de là-bas. Vous connaissez ?

— C'est mon premier jour en Irlande.

— Alors il faut absolument que vous alliez dans le Kerry. Mais attendez plutôt la fin du printemps, histoire de voir autre chose que de la grisaille et de la bruine. Ah, voilà. »

Il a extirpé du tiroir un dossier très fin. Tout en me faisant signe de m'asseoir en face de lui, il a pris place dans son fauteuil pivotant en bois et a ouvert le dossier, son stylo-plume à la main.

« Voyons voir… la secrétaire de votre père m'a écrit une lettre… »

Tirant du dossier une lettre dactylographiée à en-tête de la Consolidated Copper Company of New York, il l'a lue à haute voix :

« M. Burns m'a contactée depuis l'Amérique du Sud ce matin. Il vous enverra tous les trois mois un mandat international de quatre cent cinquante dollars, c'est-à-dire le budget trimestriel qu'il a convenu avec Alice. Mais il a ajouté deux cent cinquante dollars à son premier paiement au cas où Alice aurait besoin de s'acheter diverses marchandises, ou de faire une escapade à Paris pour le week-end. »

M. Fahy a reposé la lettre, souriant.

« Votre père est très attentionné. Donc, en tout, pour l'instant, en tenant compte du taux de change à deux dollars quarante cents pour une livre irlandaise, vous disposez de deux cent quatre-vingt-onze livres sur votre compte courant. »

Je n'ai pas tardé à découvrir qu'un compte courant n'était pas différent d'un compte chèque, lorsque M. Fahy m'a remis un carnet de chèques presque aussi grand et épais qu'une carte routière pliée. Je lui ai remis les cinq cents dollars en liquide offerts par ma mère, que j'ai convertis en chèques voyage comme elle me l'avait suggéré. Le temps que je finisse de signer toute la paperasse et d'écouter M. Fahy me parler de ses projets pour son voyage aux îles Canaries l'été suivant, il était quatre heures passées. La fatigue me rattrapait. Je suis retournée à Trinity juste à temps pour attraper Ruth à la fin de son service.

« Je me demandais si je te reverrais un jour. Je n'ai pas réussi à joindre mon copain proprio.

— Aucun problème. Je crois que je tiens un truc. »

Je lui ai résumé les détails de mon projet.

« Ça m'a tout l'air d'un bon plan. Surtout que tu vas pouvoir en faire ce que tu veux.

— C'est un vrai taudis, quand même.

— Peut-être, mais au moins, un taudis, tu peux toujours l'améliorer. Tu bénéficies d'une marge de progression, en quelque sorte.

— Dans ce cas, tout le monde devrait saisir cette occasion, ce n'est pas si souvent qu'on a la possibilité d'améliorer les choses. »

Ruth m'a adressé un sourire franchement sardonique.

« Il te reste beaucoup à apprendre sur ce pays. »

2

QUAND J'AI OUVERT LES YEUX le lendemain matin, Jésus me regardait du haut de sa croix. La lampe représentant le Sacré-Cœur baignait la chambre d'une lumière rouge. J'avais transpiré entre les draps en polyester de Mme Brennan, et mon corps tout entier me semblait moite. Pendant quelques secondes terrifiantes, je n'ai eu aucune idée de l'endroit où je me trouvais – puis j'ai croisé le regard de Notre-Seigneur-et-Sauveur crucifié, et Mme Brennan a frappé à la porte.

« Il est huit heures et demie, Alice. Si vous voulez petit-déjeuner, c'est maintenant. »

Je me suis habillée, en pensant avec regret au bain hebdomadaire que je n'avais toujours pas pris, et, cinq minutes plus tard, Mme Brennan me saluait d'un signe de tête glacial tout en posant devant moi deux œufs sur le plat accompagnés de bacon. Assise en face de moi se trouvait ma colocataire, Jacinta O'Neill, qui m'a adressé un sourire timide.

« Alice, c'est ça ?

— Oui, c'est bien elle », a répondu Mme Brennan d'un ton ouvertement réprobateur.

Jacinta s'est présentée. Elle n'avait que deux ou trois ans de plus que moi, mais se comportait comme une trentenaire accomplie. Vêtue de ce qu'on appelle souvent un « twin-set », c'est-à-dire un pull-over beige avec gilet assorti, d'une jupe en tweed et d'un collant blanc crème, elle portait du rouge à lèvres, et un crucifix en or encadré de deux rangs de perles pendait à son cou. Son accent, comme celui de M. Fahy la veille, trahissait ses origines provinciales. J'ai très vite remarqué que Mme Brennan l'intimidait beaucoup.

« Jacinta, vous devriez parler à Alice du père Reilly avec qui vous prenez le thé presque tous les matins.

— C'est l'aumônier de Trinity, a expliqué Jacinta.

— Pour les catholiques, a précisé Mme Brennan.

— Un homme adorable, vraiment. Passionnant, cultivé, et très gentil. Tu peux m'accompagner ce matin, si tu veux.

— C'est sympa de ta part, mais je dois voir quelqu'un à dix heures.

— Un autre jour, alors.

— Avec plaisir.

— N'oubliez pas de le lui rappeler », a ordonné Mme Brennan.

Jacinta a rougi légèrement, l'air anxieux. J'ai changé de sujet.

« Mme Brennan m'a dit que tu voulais devenir professeur.

— Oui, je passe le H. Dip, le diplôme supérieur d'éducation. Avec un peu de chance, je trouverai un poste l'an prochain.

— À Dublin ?

— Mes parents préféreraient que je revienne à Portlaoise.

— Et ils ont bien raison, a ajouté Mme Brennan, sur quoi Jacinta a fermé les yeux et pris une discrète inspiration.

— Tu es américaine, je crois, m'a-t-elle demandé.

— C'est ça. Tu es déjà allée aux États-Unis ?

— Je n'ai quitté l'Irlande qu'une seule fois, et c'était avec mes parents, pour aller dans le sud de la France. »

Mme Brennan s'est empressée de préciser :

« À Lourdes.

— Oui, au sanctuaire de la Vierge. Mais on a aussi passé une semaine dans un petit village de la région. C'était très beau.

— Je rêve d'aller en France, ai-je dit. En fait, j'ai bien l'intention de vivre à Paris, un jour.

— C'est une belle ambition.

— Paris... », a lâché Mme Brennan avec dédain.

Je l'ai ignorée.

« Tu as fait toutes tes études à Trinity ?

— Non, a répondu Jacinta. Les premières années, j'étais à Maynooth.

— C'est une université ?

— L'une des meilleures, est intervenue Mme Brennan. St. Patrick est l'un des séminaires les plus prestigieux du monde.

— Un séminaire qui accepte les femmes ?

— Il y a aussi une université laïque, m'a expliqué Jacinta.

— D'ailleurs, il paraît que leurs professeurs sont meilleurs que ceux de Trinity.

— Vous y êtes allée, madame Brennan ? ai-je demandé.

— Où voulez-vous en venir ? a-t-elle répliqué, sur la défensive.

— Oh, c'est juste que vous avez l'air d'en savoir long sur la qualité de l'enseignement là-bas. »

Elle m'a lancé un regard noir.

« Votre petit déjeuner va être froid si vous continuez à bavarder », a-t-elle marmonné.

En face de moi, Jacinta m'a adressé un clin d'œil furtif tout en se retenant de sourire.

Dix minutes plus tard, nous étions toutes les deux en chemin vers l'arrêt de bus de Sandymount Strand. Je n'avais pas fait dix pas que je sortais déjà mon paquet de Carrolls.

« Je peux t'en prendre une ? m'a demandé Jacinta. Je tuerais pour une clope. »

Je lui ai tendu le paquet et ma boîte d'allumettes. Bientôt, elle exhalait longuement sa fumée avec un soupir de soulagement.

« Cette vieille conne me rend dingue. »

Je suis tombée des nues – même si cette remarque m'inspirait aussi une grande satisfaction.

« Pourquoi tu restes ici, alors ?

— À cause de mes parents. Leur précieuse fille unique, toute seule dans une grande ville, tu imagines ? Il fallait qu'ils me collent une mère supérieure aux basques.

— Tu as largement l'âge de vivre comme tu veux, pourtant.

— Tu ne peux pas comprendre. D'après ce que j'ai lu, aux États-Unis, c'est tout juste si tes parents ne te fichent pas dehors à vingt et un ans.

— Pour être honnête, la plupart des gens n'attendent pas aussi longtemps. Ils s'enfuient à l'université.

— Si mes parents m'ont laissée vivre en internat à Maynooth, c'est uniquement parce que c'était tenu par des prêtres. Et dès que j'ai voulu aller à Trinity, ils se sont empressés d'appeler la directrice des résidences pour lui dire de me trouver la logeuse la plus stricte possible.

— Pas de doute, elle a réussi. »

Le bus 7A est arrivé, avec un écriteau indiquant *An Lar*. Nous sommes montées à l'étage fumeur.

« Pourquoi ne pas te trouver un appartement à toi ? ai-je suggéré.

— Mes parents me déshériteraient.

— Crois-moi, ils disent tous ça, mais c'est rare qu'ils le fassent vraiment.

— Mon père est gardien principal dans une grande prison…

— Je sais, Mme Brennan me l'a dit.

— Et sa ligne de conduite est plutôt simple avec mes trois frères et moi : "C'est moi qui fais la loi, ici." Maman est encore pire. Quand ils ont découvert que je sortais avec un garçon à Maynooth…

— Il n'était pas prêtre, au moins ? »

Jacinta a plaqué une main sur sa bouche, à la fois choquée et amusée par ce commentaire plutôt subversif.

« Ne dis pas de bêtises. Il s'appelle Aidan. Son père est *garda* à Leitrim.

— *Garda* ? Qu'est-ce que c'est ?

— La police d'ici. Je me disais que mon père approuverait, lui qui travaille dans une prison. Mais quand il a appris qu'on avait fait une escapade à Dublin, un week-end… Eh bien, pour eux, je resterai toujours une femme déchue. Même si, en vrai, il ne s'est rien passé de ce côté-là.

— Pourquoi ?

— À ton avis ? On est censées rester vierges jusqu'au mariage.

— Il y a forcément plein de gens qui dérogent à la règle.

— Pas dans ma famille. Pas à Portlaoise. Mais je ne fais que parler depuis tout à l'heure… Désolée.

— Pas du tout. Ça m'intéresse. »

Je lui ai proposé une deuxième cigarette, qu'elle a allumée aussitôt.

« Je peux te poser une question ? ai-je repris. Avec ce type, Aidan, c'est toi qui as refusé d'aller jusqu'au bout ?

— Évidemment. Tu sais comment sont les hommes.

47

— À qui le dis-tu... Mais, après coup, tu n'as pas regretté ? »

Jacinta m'a lancé un regard choqué.

« C'est un peu personnel, comme question.

— Je ne voulais pas être indiscrète. C'est juste que...

— Oui, je l'ai regretté. Surtout avec tous les ennuis que j'ai eus après. »

Elle a baissé la tête et sa voix s'est assourdie jusqu'à n'être plus qu'un murmure.

« C'était l'enfer. Aucun de mes parents ne voulait me croire quand je leur jurais que j'étais toujours vierge. Mon père a fini par dire : "Si c'est vraiment le cas, alors on n'a qu'à aller chez le docteur pour qu'il vérifie." »

Je n'en croyais pas mes oreilles.

« Tu as refusé, pas vrai ?

— Je n'avais pas le choix. Il m'a menacée de me forcer à arrêter les études si je n'y allais pas. Mais ç'a été horrible.

— Et quand le médecin leur a confirmé que ton hymen était intact...

— Pas si fort ! »

Pourtant, je m'étais mise à chuchoter moi aussi.

« Pardon. Ton père, qu'est-ce qu'il a dit ?

— Il est quand même allé à Maynooth pour parler au prêtre responsable de la vie scolaire, et lui faire promettre que je serais rentrée tous les soirs avant neuf heures, parce que j'étais une brebis égarée qu'il ne fallait pas soumettre à la tentation.

— Et le prêtre a obéi ?

— Bien sûr. Ce salopard sadique... Dieu me pardonne... Il était ravi de me servir de geôlier pendant toute ma dernière année.

— Un geôlier chez toi, un autre à l'université... Tu n'as pas de veine.

— Tu comprends maintenant pourquoi je suis obligée de rester chez Mme Brennan ? Je suis à peu près sûre que mes parents lui ont raconté ce que j'avais fait avec Aidan, parce qu'elle me lâche tout le temps des petites phrases du genre : "Vous ne faites pas les yeux doux aux rugbymen de Trinity, j'espère." Elle me rend dingue. Je meurs d'envie de lui dire de se mêler de ses oignons.

— Eh bien, dis-le-lui. Et tant que tu y es, dis à tes parents que c'est ta vie, et que tu fais ce que tu veux de ton corps.

— Ce genre de chose est peut-être envisageable à New York, mais pas ici. Je serais traînée dans la boue, et ils me chasseraient pour toujours.

— Est-ce que ce serait vraiment la fin du monde ? »

À son expression estomaquée, j'ai compris qu'elle ne s'était encore jamais posé la question. Elle a cligné les yeux, retenant des larmes, et je me suis aussitôt sentie coupable de l'avoir mise dans une telle position.

« Je suis désolée, ai-je dit en la prenant par l'épaule. Je n'aurais pas dû...

— Non, tu as raison. Bien sûr que tu as raison. Mais je ne veux pas penser à tout ça. Je sais, ça n'a pas de sens...

— Je comprends très bien à quel point c'est dur d'échapper à la folie de ses parents.

— Les miens ne sont pas fous. Ils sont froids et cruels.

— Mais tu n'as plus qu'un semestre à faire à Trinity, pas vrai ?

— Oui, et alors ?

— Avec ce diplôme, tu peux enseigner n'importe où. Même au Royaume-Uni. Qu'est-ce qui t'empêche de postuler pour un travail à Londres sans prévenir personne ?

— Tu donnes souvent ce genre de conseils aux gens ?

— Pas vraiment. Je me dis juste qu'un point de vue extérieur te ferait du bien.

— Personne ne m'a jamais présenté les choses comme ça. »

Le bus arrivait à College Green.

« On se voit ce soir avant vingt-deux heures, ai-je dit. On n'a pas le choix, de toute façon.

— Tu sais quoi ? On n'a qu'à attendre que la vieille carne soit couchée pour descendre papoter dans le salon. Je peux même dégoter un petit fond de whisky.

— Ça me tente bien. Il faut que je file, si je veux avoir une chance de signer le bail pour la chambre où j'emménage la semaine prochaine.

— Tu ne vas pas t'en aller si vite.

— Je vais me gêner. En revanche, pas un mot à la vieille carne tant que les choses ne sont pas sûres.

— Tu as de la chance.

— Tu trouves ?

— Eh bien, tu es beaucoup plus libre que moi, non ?

— Mon grand frère, Peter, m'a dit un jour quelque chose qui m'a marquée : "On se plaint tous de nos chaînes, mais c'est nous qui les forgeons."

— Voilà de très mauvaises idées.

— Je prends ça pour un compliment. »

Sur le trottoir devant Trinity, elle s'est retournée et m'a dit : « *God bless.* »

D'abord étonnée, j'ai appris par la suite que cette formule, littéralement « Dieu te bénisse », était simplement l'équivalent local de « À la prochaine ». Un simple au revoir, enrichi d'un sous-texte religieux.

Il faisait toujours gris et il pleuvait encore. Je me suis dépêchée d'atteindre le 75a, Pearse Street, et cette fois la porte s'est ouverte au quatrième coup de sonnette. Sean portait exactement la même chemise, le même gilet et le même bas de pyjama que la veille.

« Va savoir pourquoi, je me doutais que tu serais la seule fille pile à l'heure, dans une ville où tout le monde a toujours une demi-heure de retard.

« — C'est comme ça qu'on m'a élevée : la gentille fille ponctuelle.

— Il va falloir perdre cette sale habitude.

— Je peux entrer ?

— Pardon, pardon, j'oublie mes bonnes manières. Je vais faire du thé. »

Je l'ai suivi dans son studio, où la femme que j'avais croisée la veille au premier étage se trouvait maintenant allongée en travers du lit et lisait l'*Irish Times* du jour tout en fumant, vêtue en tout et pour tout d'une chemise d'homme jaunie.

« Vous vous êtes déjà rencontrées, je crois, a dit Sean. C'est Sheila. »

Je l'ai saluée. Elle ne s'est pas donné la peine de répondre, ni même de lever les yeux de son journal. Sean est allé lui murmurer quelque chose à l'oreille et elle s'est levée sans un mot, l'air hostile, pour se diriger vers la sortie.

« Ne le laisse pas te sauter. Il est naze. »

Elle a claqué la porte derrière elle. Un silence gêné s'est étiré quelques secondes.

« Bon, a lâché Sean, je pense qu'une tasse de thé nous ferait le plus grand bien.

— Tu as une admiratrice, on dirait.

— Ne commence pas. Il est beaucoup trop tôt pour la chicane.

— Je ne chicane pas.

— Pas encore, peut-être. Je ne te donne pas un an pour devenir aussi imbuvable que tous les autres cons de ce pays.

— Tu te considères comme un con ?

— Plutôt comme un poète méconnu qui devrait se faire un peu mieux connaître.

— Écris davantage.

— Facile à dire.

51

— Mais c'est vrai. J'ai lu une partie de ton recueil, hier soir. C'est impressionnant. »

Sean a levé les yeux de sa théière.

« Qu'est-ce que tu veux dire par là ?

— Le poème sur la tombe de ton père, dans ce village du comté de Wicklow...

— Enniskerry.

— Voilà, c'est ça. Le parallèle que tu tires entre la culpabilité de ne jamais avoir été proche de lui, et cet arbre juste devant le cimetière qui grince dans le vent pendant que tu essaies de comprendre... C'est quoi, déjà, cette phrase magnifique ?

— "Le mystère sans fin qu'est l'éternel silence" ?

— Exactement. Et le poème du titre, sur le ferry pour Londres, quand on se retourne vers Dun Laoghaire... C'est comme ça que ça se prononce ? »

Il a hoché la tête.

« Tu dis que "l'exil, c'est un voyage jusqu'au rebord de la carte/loin de tout ce qui nous définit". Ça m'a marquée. »

Son visage s'est éclairé. Il m'a fait signe de m'asseoir, et tout en se dépêchant de préparer le thé et de disposer sur la table des tranches de *soda bread* (excellent) avec du beurre, il m'a demandé mon avis sur d'autres de ses œuvres. Puis, assis en face de moi, il s'est lancé dans un long récit sur son enfance, ses deux parents alcooliques et fonctionnaires, ses années perdues à passer de job en job, de pays en pays, son mariage avec la mauvaise personne, ses deux filles nées à trois ans d'intervalle, la fadeur insupportable du quotidien, jusqu'à ce que son premier recueil soit publié, il y a cinq ans, et que sa « bourgeoise » le mette à la porte à cause d'une aventure avec « cette poétesse de l'Ouest complètement timbrée ».

« Quand tu dis "l'Ouest", c'est la Californie ?

— N'importe quoi. L'Ouest, c'est le comté de Galway. Le Connemara. Enfin bref, Dearbhla, c'est son nom, est arrivée au bon moment, même si elle est tarée. Au bon moment parce que, côté sexe, je m'ennuyais pas mal à la maison : ça m'a fait du bien de retrouver un peu de passion quelque part. Mais là, il a fallu qu'elle débarque à la maison en hurlant que je l'avais abandonnée… Et voilà comment j'ai atterri dans ce trou à rats.

— Tu as tout perdu dans le divorce ?

— Le divorce ? Ça n'existe pas, ici. C'est contraire à la loi.

— Tu plaisantes ?

— Pas du tout. On ne divorce pas en Irlande. Aucune séparation légale. Bienvenue au pays de la rigolade.

— Au moins, tu as échappé à ton mariage. C'est un peu ce que tu voulais, au fond.

— Comment ça ?

— Tu m'as dit que tu détestais bosser comme fonctionnaire. Et que ton mariage te rongeait la vie. Tu t'es libéré des deux.

— Mais regarde où je suis, maintenant.

— Tu préférerais retrouver ta femme et tes horaires de bureau ?

— Plutôt mourir.

— Ce n'est pas si mal d'être un peu libre.

— Sauf quand on est fauché.

— On ne peut pas être poète sans être fauché.

— Tu es bien philosophe pour une fille de ton âge.

— J'en ai pris, des mauvaises décisions, crois-moi.

— C'est pour ça que tu es ici ? a demandé Sean. Pour fuir ?

— Peut-être. Mais je ne suis pas revenue ce matin pour raconter ma vie.

— Et moi qui croyais que tu étais tombée sous mon charme.

— Tu es assez intéressant, c'est vrai. Et ton thé est très bon. Mais il faut vraiment que je sache...

— La chambre est à toi. »

J'ai esquissé un geste victorieux.

« Génial ! Sa Majesté a accepté toutes mes exigences ?

— Sans exception, à une condition près : si tu décides de nous quitter avant juin 1975, il faudra prévenir deux mois avant, parce que, sinon, tu auras une pénalité de deux mois de loyer. Je me suis dit que ça ne te poserait pas de problème.

— Effectivement, c'est raisonnable. Quand est-ce que je commence les travaux ?

— Tout de suite, si tu veux. Il va me falloir un mois d'avance, soit vingt-huit livres. Et je te conseille de dégoter un pot de confiture et de le remplir de petite monnaie, parce que l'électricité là-haut marche avec un compteur à pièces de dix pence. Avec ça, tu peux avoir trois à quatre heures de lumière, sauf si tu branches le chauffage dessus en plus. Enfin, ce n'est pas le plus urgent. »

Non seulement Sean s'est révélé fidèle à la parole donnée, mais il m'a aussi été d'une grande aide : après avoir téléphoné à l'un de ses amis, qui tenait une quincaillerie, il m'a envoyée là-bas choisir la couleur de peinture que je voulais – marron pour le plancher, blanc brillant pour les murs. Le propriétaire m'a promis de me faire livrer tout ça dans l'après-midi, et de voir si son commis pouvait m'aider à arracher le papier peint et la moquette moisie, « en échange de deux, trois livres ». Le jeune homme qui a débarqué dans ma studette quelques heures plus tard, chargé de plusieurs bidons de peinture, de bâches, d'un rouleau et de deux pinceaux, s'appelait Gerard. Malgré son léger bégaiement et sa timidité assez maladive, il savait s'y prendre en matière de travaux, et a tout de suite repéré que le papier peint pelé dissimulait

« un paquet de vices » et que le mur aurait sûrement besoin d'une couche d'enduit ; de même, en soulevant un coin de la moquette, il a constaté que le plancher était dans un sale état. Il faudrait le poncer, l'étanchéifier, et le vernir copieusement avant toute autre chose. Je me suis décomposée. Peindre un mur, c'était dans mes cordes, mais, si j'avais su que les travaux incluraient du ponçage et de l'enduit, je n'aurais jamais accepté de m'en charger seule.

« Je vais vous dire, a déclaré Gerard. Si votre proprio est d'accord, je peux venir ici le soir pendant quatre ou cinq jours et vous faire tout ça. Je ne ferai pas beaucoup de bruit, sauf avec la ponceuse, mais j'essaierai de l'utiliser dimanche après-midi histoire de ne réveiller personne.

— Le souci, c'est que je ne roule pas sur l'or.

— Trente livres, cash. Et en prime, je vous repeins les placards du coin cuisine.

— Ça marche. »

Il s'est engagé à commencer le lendemain soir.

Sean n'a vu aucun inconvénient à ce que Gerard prenne les choses en main.

« Sans vouloir te vexer, a-t-il dit, ce sera sans doute mieux que si tu le faisais toute seule. »

Je suis allée retirer de l'argent à la banque – pour l'avance de loyer, et parce que Gerard voulait la moitié de sa paie tout de suite. En la lui donnant, je lui ai rappelé que j'avais vraiment besoin d'emménager dans six jours, et il m'a promis que tout serait terminé à temps.

Sean m'a ensuite proposé de m'emmener en fin d'après-midi chez un autre ami à lui, qui tenait un magasin de meubles sur les quais, le long de la Liffey. Je commençais à me faire du souci pour mes finances : après tout, je venais de dépenser trente livres, plus d'un mois de loyer, pour éviter de faire les travaux moi-même.

Il me fallait un bureau, une chaise, un fauteuil et un lit – ce serait plus rapide que de faire réparer l'ancien –, et, d'après Sean, je pourrais dénicher tout ça pour pas trop cher ; ensuite, j'aurais besoin de draps, de serviettes, de vaisselle, d'une bouilloire… Heureusement que mon père m'avait fait cadeau de deux cent cinquante dollars, sans quoi je n'aurais jamais pu me permettre tout ça.

En attendant l'heure de retrouver Sean, je suis allée me promener dans un superbe parc du nom de Stephen's Green en haut de Grafton Street. Qui aurait pu imaginer, à peine vingt-quatre heures auparavant, que je me lancerais dans une telle aventure ? Mais – et je commençais à m'en rendre compte – ce n'est qu'une fois au pied du mur qu'on apprend à se montrer inventif. Ou du moins, à se réinventer. Le désespoir que je ressentais chez mes parents m'avait poussée à me bâtir une certaine indépendance, à un âge où la plupart des gens ne cherchent qu'un moyen de s'amuser sans avoir à grandir. Le désespoir qui m'avait assaillie lors de mes dernières semaines à Bowdoin m'avait catapultée ici, de l'autre côté de l'Atlantique. Et si je n'avais pas été aussi démoralisée par la perspective de vivre chez Mme Brennan, je n'aurais peut-être jamais engagé la conversation avec Ruth au pub de Trinity, et je n'aurais jamais entendu parler de Pearse Street. Assise sur un banc, je digérais lentement les péripéties de ces dernières heures, avec une incrédulité teintée de satisfaction. Des années plus tard, je tomberais sur un mot qui me plairait immédiatement : *conjoncture*. La symphonie du hasard. Tout ce qui m'arrivait était-il simplement le fruit des circonstances, ou avais-je, par le biais de mes choix et de mes actions, un certain degré d'incidence sur le cours des choses ? J'ai pensé à Jacinta, à la conjoncture, donc, qui avait permis notre rencontre. Notre conversation lui ouvrirait peut-être des horizons qu'elle n'avait encore jamais osé prendre en compte. Ou peut-être se plierait-elle aux attentes de ses parents, en jeune fille modèle : rentrer sagement avec son diplôme de Trinity pour enseigner dans sa ville natale, habiter sous leur toit jusqu'à rencontrer un garçon qu'ils jugeraient acceptable, et qu'elle serait donc autorisée à fréquenter, en tout bien, tout honneur… jusqu'au jour où il la demanderait en mariage, et alors elle se retrouverait enceinte en moins d'un an, prisonnière de nouvelles attentes dues à son statut d'épouse et de mère. Et soudain, à quarante ans, elle se réveillerait un matin en se demandant comment elle avait pu se laisser enfermer ainsi. À moins de se rendre compte, à l'instar de ma mère, qu'elle avait bâti cette prison de ses propres mains. C'était donc ça, la vie d'adulte ? En grandissant, nous prenons des décisions que nous n'aurions pas prises si nous n'étions pas asphyxiés par le sentiment d'être redevables envers nos parents, qui nous ont donné naissance, nous ont nourris, vêtus, éduqués… et qui attendent de nous d'être rétribués pour toutes ces années de sacrifice. C'était l'éternel refrain de ma mère. Même mon père, d'une certaine manière, s'y abandonnait sans réserve – toujours absent quand mes frères et moi avions besoin de lui, toujours à marmonner qu'il serait bien plus libre si nous n'étions pas là. Emmitouflée dans mon grand manteau militaire pour me préserver du froid pénétrant, je me suis surprise à penser que, si je voulais mener une existence relativement paisible – jouir du peu de liberté qui nous est permis en ce bas monde –, les enfants n'étaient pas une option. Si je devais être mère un jour, je ferais en sorte de ne pas éveiller chez mon fils ou ma fille le sentiment de culpabilité d'avoir gâché ma vie. Stephen's Green est un lieu propice aux révélations : Stephen Dedalus en a quelques-unes, sur un banc, dans *Portrait de l'artiste en jeune homme*. Et c'était à mon tour de comprendre, très clairement, que le combat que je menais contre mes parents était vain. Pour cette raison, il me fallait prendre de la distance. Il me semblait justement que cette studette, cette studette dont je serais la seule occupante, même si pour l'atteindre il me faudrait passer à côté des immondices et des curiosités du 75a, Pearse Street, était un pas en avant vers une véritable indépendance.

J'ai terminé ma cigarette, et j'ai quitté le parc par l'entrée nord, frigorifiée, avant de redescendre Grafton Street. C'était l'un des deux quartiers les plus riches en boutiques de la ville : un tailleur pour hommes, quelques joailliers, un grand magasin d'allure chic appelé Brown Thomas, une librairie, un certain nombre de pubs dans les rues adjacentes, quelques musiciens de rue, et, enfin, un café, le Bewley's, vers lequel je me suis sentie attirée comme par un aimant. À peine entrée, j'ai su que ce serait ma nouvelle tanière et que j'y serai fourrée en permanence. C'était un endroit parfait où passer son temps. La devanture était toute d'acajou et de verre gravé, avec des boîtes de thé et des assiettes de scones exposées dans de petites vitrines. À l'intérieur persistait cette impression d'une plongée en pleine époque victorienne, mais avec une touche authentiquement irlandaise. Tout n'y était que bois verni et laiton ; de longues vitrines exhibaient toutes sortes de pains et de pâtisseries, une impressionnante sélection de thés, et même du café en grains (une denrée rare à Dublin en 1974). Derrière, le café lui-même s'étageait sur trois niveaux. On y retrouvait la clientèle typique d'une fin d'après-midi à Dublin, attroupée autour des tables : de vieilles dames en plein échange de ragots, un groupe d'étudiants de Trinity, deux hommes d'allure plutôt bohème, dont l'un tenait un livre à la main et l'agitait en émettant des commentaires visiblement désobligeants ; un prêtre dégingandé, d'une grosse trentaine d'années, qui fumait en lisant son journal et jetait des regards à la dérobée, par-dessus ses lunettes, à une dame élégante assise quelques sièges plus loin, un petit chien sur ses genoux. Admirait-il la beauté et le style de cette femme issue à coup sûr de la haute société, avec une énorme bague de fiançailles et une alliance passées ensemble à son annulaire gauche ? Ou était-il tout simplement fasciné par le pékinois, auquel elle donnait distraitement des morceaux de gâteau du bout de ses doigts gracieux ?

« Vous m'avez l'air perdu, mon petit. »

J'ai pivoté pour me trouver nez à nez avec l'une des serveuses, une femme d'âge mûr au teint pâle mais lumineux, coiffée d'un chignon, à qui un uniforme beige et un tablier donnaient l'air d'une domestique dans une grande maison anglaise. J'apprendrais plus tard qu'elle s'appelait Prudence. Elle me regardait d'un air compatissant.

« Je cherche une table libre.

— Il n'y en a pas, je le crains. Mais si vous trouvez une chaise, installez-vous avec qui vous voulez.

— On peut faire ça ?

— Vous êtes américaine ?

— Oui.

— Ici, tant qu'il y a des chaises, les tables sont à tout le monde. Trouvez-vous une place, et si vous avez faim, je vous conseille nos brioches à la cannelle. Un vrai péché mignon. »

Je me suis installée à côté de la dame au chien, qui m'a adressé un sourire pincé et un hochement de tête quand j'ai indiqué la chaise d'un air interrogateur. Une assiette de brioches était posée à côté du cendrier.

« Elles sont à vous, ou c'est pour toute la table ? » ai-je demandé.

La dame a semblé profondément choquée que je lui adresse la parole, et avec si peu de déférence.

« Je vous demande pardon ?

— Désolée, c'était juste pour savoir si je pouvais en prendre une.

— Ce n'est pas à moi », a-t-elle rétorqué comme s'il était scandaleux d'imaginer qu'elle puisse aimer les brioches.

« Je peux en manger, alors ?

— Ce n'est pas moi qui vous en empêcherai. »

Avec un grand sourire, j'ai joint le geste à la parole. La serveuse, Prudence, est revenue peu de temps après.

« Ah, je vois que vous êtes en gracieuse compagnie. Vous voudrez un café pour accompagner cette brioche ?

— Allez, je vais goûter votre café. »

J'ai ouvert mon sac, et j'en ai sorti mes cigarettes, mes allumettes et un aérogramme, l'une de ces feuilles de papier bleu qu'il suffit de plier pour les transformer en enveloppes. Enfin, armée de mon stylo-plume rouge, j'ai entrepris d'écrire une lettre à mon père. La dame continuait à ne rien faire, sa tasse vide posée devant elle, à côté d'un exemplaire de *Cosmopolitan*. Sur la couverture s'étalait une photo d'Ali McGraw. En remarquant le prix écrit dans un coin – vingt-cinq pence –, j'ai compris qu'il devait s'agir de l'édition britannique. Les accroches ne me semblaient pas très différentes : *Le Dubonnet, aphrodisiaque ultime ?… Les plans à trois sont-ils déjà passés de mode ?* Ma mère lisait tout le temps *Cosmo*. Il la réconciliait avec ce monde qui avait toujours deux révolutions d'avance sur elle, et j'avais bien l'impression que cette dame était dans le même cas.

On m'a apporté mon café. Je l'ai humé, j'ai pris une gorgée prudente. Il ne ressemblait à aucun des cafés que j'avais goûtés jusque-là – et il était, je l'avoue, bien meilleur que ce que je craignais, le niveau au-dessus du jus de chaussettes des *diner* américains, et cependant pas aussi bon que les *espresso* italiens servis à Greenwich

Village, au Borgia sur MacDougal Street. Il y avait tant de lait chaud dans le café du Bewley's qu'il en était presque blanc, et son arôme crémeux me montait à la tête. Prudence était de bon conseil : leurs brioches à la cannelle étaient addictives. J'ai passé une délicieuse demi-heure à résumer pour mon père les événements des dernières trente-six heures, avant de le remercier avec effusion pour l'argent supplémentaire versé sur mon compte, qui m'avait permis de déclarer mon indépendance.

Nos conversations me manquent, papa. Ça fait des mois qu'on n'a pas eu le temps de parler tranquillement tous les deux. J'aimerais vraiment avoir de tes nouvelles. En tout cas, ne t'en fais pas pour ma vie à Dublin. Je ne m'attendais pas à ce que ce soit aussi sinistre, mais c'est tout de même un endroit intéressant.

Je l'ai informé qu'il pouvait m'écrire à l'adresse *Trinity College, College Green, Dublin 2, Irlande.* Tout en écrivant, je relevais furtivement la tête de temps à autre pour observer Madame Élégante en train de caresser d'un air absent l'oreille droite de son chien (qui faisait preuve d'un calme exemplaire), les yeux dans le vague ; un étrange mélange d'ennui et de désespérante plénitude, comme si sa seule pensée était : *Je n'ai rien à faire ici, rien pour m'occuper, et franchement, qu'y a-t-il de plus à dire sur moi ?*

Mais tandis que je notais l'adresse du bureau de mon père sur l'aérogramme plié (je l'enverrais là-bas plutôt qu'à la maison, pour le soustraire à la curiosité de ma mère), elle a baissé les yeux sur mon écriture anguleuse.

« Vous venez des États-Unis, alors ? »

Sa voix était sèche, un peu nasale.

« J'y suis allée, une fois, a-t-elle poursuivi. L'été de mes dix-neuf ans. Je travaillais dans un bar à Washington. C'était fabuleux.

— Vous n'y êtes jamais retournée ? »

Elle a baissé la tête, l'a secouée légèrement. Non.

Un instant plus tard, elle était partie. Prudence est venue débarrasser.

« Vous avez discuté avec Son Altesse, j'ai vu.

— Pas longtemps.

— Elle a dû se rappeler qu'elle avait à faire à Ballsbridge.

— Ballsbridge ?

— Vous restez longtemps à Dublin ?

— Je suis arrivée hier, mais je suis inscrite à Trinity pour l'année.

— Alors vous comprendrez bientôt ce que c'est, Ballsbridge. »

Je suis ressortie dans la rue. En plein mois de janvier, le jour baissait déjà à quatre heures et demie – je ne voulais pas imaginer ce que c'était en décembre, autour du solstice d'hiver. Mais j'avais déjà compris que ces deux éléments, l'obscurité et la pluie incessante, faisaient partie intégrante de la vie locale. Arrivée en bas de Grafton Street, je suis repassée devant Trinity et j'ai traversé un grand pont pour gagner O'Connell Street, un véritable boulevard, assez large pour accueillir quatre voies de circulation, et où se trouvait l'un des monuments clés de la république d'Irlande : le General Post Office, que tout le monde appelait le GPO, et qui avait été occupé par un groupe d'insurgés républicains le dimanche de Pâques 1916. Les meneurs de l'insurrection avaient été capturés et exécutés par les Anglais, l'un des nombreux exemples de débordements commis par les troupes impériales, qui non seulement ont créé une armée de martyrs irlandais, mais ont provoqué la guerre pour l'indépendance – un chemin qu'il a fallu bien des années de violence et de chaos pour parcourir.

Toutes ces informations, je les ai obtenues d'un vieil homme en veste de tweed, pantalon gris et chemise à carreaux, qui faisait visiter le GPO à un groupe de mes compatriotes (il fallait être fou pour faire du tourisme en Irlande au mois de janvier). Après avoir posté mon aérogramme, je me suis jointe à eux pour découvrir ce que notre guide appelait « ce sol sacré ». J'ai appris comment John Connolly, Padraig Pearse, Thomas Mac-Donagh et James McBride avaient été alignés contre un mur et fusillés par un peloton d'exécution. L'homme a ensuite cité le célèbre poème de Yeats à ce sujet :

En vérité je le résume à un poème –
MacDonagh et McBride,
Et Connolly et Pearse,
Maintenant et à tout jamais,
Partout où l'on porte le vert,
Sont changés, changés du tout au tout :
Une beauté terrible est née. [1]

Il nous a brossé un rapide tableau du conflit sanglant qu'a été la guerre civile. À entendre ses commentaires sur « l'occupation des six comtés d'Ulster par le gouvernement britannique » et son conseil d'aller, en sortant du bureau de poste, admirer les vestiges de la colonne Nelson sur O'Connell Street (« Nos gars ont fait du bon boulot quand ils l'ont fait sauter en mars 1966 »), il n'était pas difficile de déterminer dans quel camp il se trouvait. L'un des touristes a levé la main – un homme d'une soixantaine d'années, au visage sévère et buriné, et à l'expression sceptique.

« Vous ne mettez tout de même pas l'Insurrection de Pâques au même niveau que les actes de terrorisme qui pourrissent l'Irlande du Nord ? »

---

1. Traduit de l'anglais par Jean-Yves Masson – « Michael Robartes et la danseuse » – Éditions Verdier. *(N. de la T.)*

La surprise peinte sur les traits de notre guide s'est rapidement muée en indignation.

« Ce sont les républicains du Nord que vous traitez de terroristes ?

— Il y a du terrorisme dans les deux camps.

— Ah bon, qu'est-ce qui vous permet de dire ça ?

— J'enseigne l'histoire de Grande-Bretagne et d'Irlande dans une université américaine.

— Vous devriez peut-être vous en tenir à la Grande-Bretagne. Visiblement, elle a votre préférence.

— Je demandais simplement votre avis, monsieur, s'est défendu le professeur. Avec tout ce qu'on lit sur la torture, l'intimidation et la répression qui ont lieu là-bas, dans les zones sous contrôle unioniste comme républicain... Et je vous parle de médias objectifs, comme le *New York Times* et la BBC.

— La BBC est objective, selon vous ?

— Quand on regarde son histoire, cette chaîne a toujours réussi à rester neutre sur ce genre de sujet.

— Pas cette fois.

— C'est votre vision des choses, monsieur.

— Non, c'est la vérité. Les Anglais sont une force d'occupation, et leurs laquais loyalistes – Paisley et ses hommes de main – oppriment les catholiques depuis des décennies. Et il y a eu ce petit incident, il y a presque deux ans, le 30 janvier 1972 : le *Bloody Sunday*, où vingt-quatre civils sans armes ont été massacrés par l'armée anglaise...

— Ce qui s'est passé à Londonderry est tragique..., a commencé le professeur, mais l'autre l'a interrompu d'une voix stridente.

— Londonderry ? *Londonderry* ? Vous osez donner ce nom à Derry, ici, dans le GPO ? Vous prétendez enseigner l'histoire de l'Irlande, et vous n'êtes même pas foutu de faire la différence entre *Londonderry* et *Derry* ! »

Je me suis éloignée discrètement. Au moment de sortir, j'entendais toujours les vitupérations du guide. Quand on n'est pas d'ici, ai-je songé, il y a des sujets qu'il vaut mieux ne pas aborder.

De retour sur O'Connell Street, je n'ai vu aucune trace des vestiges de la colonne Nelson. J'ai emprunté une rue transversale, et, après être passée devant un vieil hôtel sinistre et plusieurs bâtiments sans intérêt, je me suis retrouvée devant un cube de béton moderne censé être l'Abbey Theatre. Un peu décontenancée de découvrir qu'une compagnie théâtrale légendaire avait pour quartier général cette bâtisse profondément laide, je me suis approchée pour voir le programme. Ils jouaient *La Cerisaie*, de Tchekhov, et le guichet était ouvert. J'avais très envie de prendre une place pour le soir même, mais la pièce commençait à vingt heures, et ça me faisait trop tard pour rentrer chez Mme Brennan. J'ai donc payé trente pence pour une place à l'orchestre la semaine suivante. Puis, sur un coup de tête, j'ai acheté un second ticket en me disant que je proposerais à Jacinta de m'accompagner. Elle n'aurait qu'à persuader la vieille carne de lui laisser la porte ouverte après vingt-deux heures.

Sean m'attendait au 75a, Pearse Street, et nous avons longé les quais ensemble jusqu'à une boutique au sud du Ha'Penny Bridge. En fait, le terme d'entrepôt convenait mieux – c'était un véritable capharnaüm de meubles à un stade plus ou moins avancé de décomposition.

« Paddy, dis bonjour à Alice. Elle débarque tout juste des États-Unis pour passer quelques années chez nous, alors je compte sur toi pour ne pas l'arnaquer, d'accord ? »

Paddy n'était plus tout jeune, avec ses cheveux longs qui lui tombaient aux épaules – sauf sur le sommet du crâne, qu'il avait complètement chauve. Il arborait aussi une grosse moustache en guidon de vélo, une bedaine de buveur de bière et des yeux tristes. Ce devait être le genre de personne à garder toutes ses peines pour lui.

Avant de partir, j'avais demandé un mètre mesureur à Sean. Il avait fallu cinq bonnes minutes de fouilles dans les tiroirs de sa cuisine, mais il avait fini par me tendre un mètre ruban jauni et tire-bouchonné, avec lequel nous avions pris toutes les mesures de ma studette. J'étais donc capable de donner à Paddy toutes les mensurations des meubles dont j'avais besoin : un lit, un bureau, une petite table à manger avec une chaise... D'emblée, je lui ai aussi demandé s'il pouvait me trouver un grand rocking-chair en bois, comme celui de la chambre de Sean.

« J'en ai un magnifique au sous-sol. »

Au bas d'un escalier se trouvait un autre espace de stockage, occupé notamment par quelques mannequins de vitrine démembrés et une collection de landaus tout droit sortie d'un film des années quarante.

« Tu fondes une famille, Paddy ? a lancé Sean.

— Dis pas de conneries. »

Parvenu dans un coin où s'entassait un assortiment de colonnes de lit, Paddy m'en a montré un modèle en cuivre, un peu usé et rayé.

« Celles-là devraient t'aller. Je peux demander à mon gars de passer chez un menuisier récupérer quelques lattes neuves et de te monter le tout chez toi.

— Ça coûtera combien ?

— On verra ça après. »

Il m'a ensuite menée jusqu'à un énorme bureau secrétaire, qui aurait eu besoin d'un vigoureux ponçage et d'être entièrement reverni. D'allure dickensienne au possible, il était aussi bien trop grand pour ma minuscule studette. Mais, juste derrière, j'ai repéré une table d'écriture de style victorien – assez étroite, et recouverte de cuir vert taché d'encre et déchiré à deux endroits.

« Quand tu auras toute ta paperasse et tes bouquins posés dessus, ça ne se verra plus », a dit Paddy.

Il m'a aussi désigné une chaise en bois sombre pour aller avec. Malheureusement, le seul rocking-chair un peu stylisé qu'il avait en stock était un mastodonte en bois cintré qui ferait très bel effet sur le parquet d'un immense salon, mais ne passerait même pas la porte de ma chambre. Dépitée, je me suis rabattue sur un modèle plus simple, à dossier haut.

« C'est possible de le peindre en rouge sombre ?

— Ça devrait pouvoir se faire », a répondu Paddy.

Il m'a réclamé quatre-vingts livres pour le tout, livraison et montage inclus. J'ai répondu que je ne pouvais pas me permettre de payer plus de quarante livres pour l'ensemble – et encore, c'était une folie, même si on pouvait déjeuner à l'université pour vingt pence, et que le dîner formel au réfectoire (pendant lequel il était obligatoire de porter l'uniforme noir de l'université) coûtait trente pence – mais, d'après Jacinta, il y avait un verre de Guinness inclus dans le prix. Vingt pence pour une pinte de bière, à peu près autant pour vingt cigarettes. Les places de théâtre ne coûtaient presque rien, donc, logiquement, le cinéma non plus. Je pourrais facilement vivre avec une livre soixante-dix par jour sans trop me priver.

Mon grand-père, joaillier de son état, m'avait un jour expliqué ceci : « Quand tu négocies, il faut partir d'un prix vraiment bas, et toujours garder en tête combien tu es prête à payer, parce que tu ne pourras pas monter plus haut. Comme ça, ton interlocuteur est persuadé que c'est lui qui a fait une bonne affaire. »

Alors, quand Paddy est descendu jusqu'à soixante-dix livres, je lui ai répondu : « Quarante-cinq. » Il a pris un ton exaspéré pour déclarer :

« Cinquante-cinq. Je ne peux pas faire mieux. »

Et j'ai accepté avec une réticence non dissimulée, pour suivre le conseil de mon grand-père, mais aussi parce que je me sentais un peu dépassée. Cela dit, j'ai réussi à convaincre Paddy de m'offrir un matelas en guise de bonus.

L'affaire conclue, Paddy nous a emmenés boire un verre dans un pub de Dame Street, le Stag's Head. L'intérieur était composé de boiseries sombres, d'un grand comptoir en bois et cuivre, d'un petit compartiment séparé de la salle par une porte vitrée aux motifs délicats – et, bien évidemment, de la tête de cerf qui donnait son nom à l'établissement et surveillait la clientèle de ses yeux vitreux depuis le mur du fond. J'ai beaucoup aimé le principe d'un compartiment privé pour discuter à l'abri du boucan ambiant. Paddy a insisté pour payer sa tournée, et plusieurs heures plus tard, nous étions « cuités » dans les règles de l'art. La tête me tournait à force de boire, mais aussi à cause de tous les sujets abordés, depuis la récente grève des éboueurs (« Un boulot pareil, ça doit te faire perdre la foi en l'humanité », a fait remarquer Sean) jusqu'à savoir si le gouvernement actuel de coalition entre le Sinn Féin et le Parti travailliste pourrait durer. J'avais reçu au passage une formation accélérée en politique irlandaise, notamment sur le fait que la rivalité entre Fine Gael et Fianna Fail (un parti depuis longtemps au pouvoir) remontait à la guerre civile. Ils m'avaient également posé beaucoup de questions, notamment sur Nixon, pour savoir s'il arriverait à se dépêtrer des ennuis judiciaires dans lesquels il s'embourbait depuis le déclenchement du Watergate. Paddy voulait tout savoir de New York et de ses clubs de jazz. Je leur ai raconté comment j'avais été déracinée de cette ville à l'âge de onze ans, et à quel point elle me manquait depuis.

« Je suis sûr que tu y retourneras après tes études, a dit Sean. Et ce ne sera peut-être plus la ville dont tu rêves encore. Parce que tout change.

— Sauf toi, a raillé Paddy.

— Qui est-ce qui dit des conneries, maintenant ? »

La Guinness se buvait comme du petit-lait. Vers vingt et une heures, Sean a proposé de dîner dans un petit restaurant de sa connaissance sur Lower Baggot Street, qui portait le nom de Gaj's et servait jusqu'à vingt-deux heures. On s'est entassés dans un taxi qui nous a fait longer Stephen's Green par le nord et traverser une place georgienne d'une beauté à couper le souffle avant de nous déposer sur Baggot Street. Le Gaj's était situé dans une maison semblable à toutes celles de la rue, et occupait deux pièces assez rudimentaires, aux murs blanchis à la chaux et décorés d'affiches de Che Guevara et d'un homme moustachu debout sur une caisse en bois, en train de haranguer une foule vêtue comme lui de bleus de travail très début de siècle. Une femme corpulente en salopette s'est approchée de nous, l'air circonspect.

« Bon Dieu, c'est bien ma veine de te voir débarquer aujourd'hui, a-t-elle lancé à Sean.

— Comment ça va, Maggie ? Toujours en pleine révolution ?

— Va te faire voir, tiens. Qui c'est, la jolie fille que tu corromps ce soir ?

— Je te présente Alice…

— … et je suis déjà corrompue, ai-je ajouté.

— Ça alors, a dit Maggie. Une vraie Américaine, dis donc. Ne te laisse pas approcher par ce vieux schnoque. Il n'est pas très doué dans ce domaine, si tu vois ce que je veux dire.

— Merci pour ton soutien, a répliqué Sean. Je te rappellerai ce que tu viens de dire la prochaine fois que je te sauterai.

69

— La peste noire aura décimé tout ce foutu pays avant que je te laisse me sauter une nouvelle fois. »

Sean lui a adressé un grand sourire.

« Mouton et frites, comme d'habitude ? a-t-elle demandé.

— Tu n'as rien contre le mouton ? » s'est assuré Sean.

J'ai fait non de la tête.

« C'est parti, alors. »

Le Gaj's ne servait pas d'alcool, juste du thé. Maggie est revenue quelques minutes plus tard avec une grosse théière en terre cuite, trois tasses, du lait et du sucre. Pendant qu'elle allait servir une autre table, Sean a lentement secoué la tête.

« Il faut toujours que je tombe sur des aigries.

— Comme Sheila, tu veux dire ?

— Sheila n'est pas aigrie. C'est juste une petite garce. »

Paddy a ouvert la théière et remué le liquide presque noir.

« Ah, le thé de Maggie. On pourrait réveiller un mort avec ça.

— Ça ne m'étonnerait pas qu'on l'ait déjà fait, a marmonné Sean.

— Tu as quelque chose à nous confier, Sean ?

— Tu vois, Alice, il est imbuvable. »

Je me suis contentée de sourire, embrumée par nos quatre heures de beuverie au Stag's Head.

« Alice est diplomate, a fait observer Paddy.

— Alice a besoin de manger un bout et de boire le thé revigorant de Maggie. »

Paddy n'avait pas menti : le thé était sacrément fort. La côte de mouton avait été cuite à la poêle dans la même huile que les frites. Les yeux ronds, j'ai regardé Paddy verser quatre cuillerées de sucre dans son thé et noyer ses frites sous du vinaigre.

« Du vinaigre sur les frites ? ai-je dit, la langue pâteuse. C'est nouveau.

— C'est vrai que les Américains préfèrent mettre du ketchup partout.

— Je ne préfère rien. Je remarque, c'est tout.

— Allez, mange, ça ira mieux. »

Le mouton et les frites avaient beau baigner dans la graisse, c'était un repas tout ce qu'il y a de plus mangeable et réconfortant. Et le thé était si fort que j'étais obligée d'y mettre une dose absurde de sucre et de lait pour pouvoir l'avaler. J'avais versé tellement de vinaigre sur mes frites qu'elles en étaient gorgées, et je ne me rappelle pas grand-chose de la conversation pendant le dîner, à l'exception d'un échange un peu houleux entre Sean et Paddy au sujet d'un certain Michael Harnett, en qui Paddy voyait un poète très respectable et sous-estimé, tandis que Sean le trouvait « surfait... rien d'autre qu'un Gaelgore à dormir debout, sanglé dans les règles à la con qui régissent presque toute la poésie de ce pays.

— Mais si tu le lisais en gaélique...

— Pitié, pas l'argument du "lis-le en gaélique", l'a coupé Sean.

— Tu es un foutu citadin, Sean. Pour toi, en dehors de Dublin ou de Wicklow, c'est la cambrousse.

— Parce que tout ce qu'il y a en dehors de Dublin et de Wicklow est resté coincé au Moyen Âge. »

Maggie nous a mis dehors à vingt-trois heures. Paddy a annoncé qu'il rentrait, parce que sa bourgeoise allait lui faire une scène pour avoir disparu jusqu'au milieu de la nuit. C'était la première fois qu'il mentionnait son épouse. Après son départ – il m'a serré les deux mains en promettant de me livrer tous mes meubles dès que la chambre serait refaite et habitable –, je suis brutalement redescendue sur terre. J'allais passer la nuit dehors. Quand j'ai fait part de mes craintes à Sean, il m'a prise dans ses bras.

« Tu es la bienvenue dans mon lit. »

Il a émis un léger rot avant d'ajouter :

« Allez, un petit bisou. »

Parfois, la frontière entre faire une bêtise et commettre une grave erreur est terriblement ténue. La bouche de Sean était ouverte, et son haleine sentait le mouton, les frites au vinaigre, et toute la Guinness qu'il avait descendue. Je me suis dégagée avec précaution.

« Je ferais vraiment mieux de rentrer.

— Mais si la vieille t'a enfermée dehors…

— Je me débrouillerai. Je peux repasser dans quelques jours pour signer le bail, tout ça ?

— Il n'y a que toi pour parler affaires à une heure pareille.

— Merci pour la soirée.

— Allez, ne me laisse pas tout seul.

— Je pense que ça vaut mieux. »

Comme un taxi passait dans la rue, je lui ai fait signe. Je me rappelle être montée dedans, avoir donné mon adresse au chauffeur, et après…

« On y est », a annoncé le chauffeur.

Sa voix m'a tirée du sommeil. J'ai payé les quarante-huit pence inscrits au compteur en me maudissant pour cette dépense futile, et j'ai monté les marches du perron d'un pas titubant avant d'insérer avec difficulté ma clé dans la serrure. J'ai tourné. J'ai poussé. La porte n'a pas bougé d'un pouce. J'ai fait une nouvelle tentative, sans succès. Le verrou était mis. La vieille bique m'avait enfermée dehors, comme elle m'en avait menacée. J'ai regardé autour de moi : Oswald Road était aussi déserte et désolée qu'un cimetière. Je me suis avancée maladroitement jusqu'à la fenêtre du rez-de-chaussée située près de la porte, et j'ai réussi à glisser mes doigts sous la guillotine et à soulever le vantail coulissant. Je m'attendais à ce qu'elle soit verrouillée, elle aussi, mais la chance était de mon côté, et elle s'est ouverte, quoique pas autant que je l'aurais voulu. J'avais juste la place de me glisser par l'ouverture. La pièce était plongée dans la pénombre, et avec le ciel couvert et le peu d'éclairage public sur Oswald Street, je n'avais aucune lumière extérieure pour me guider. Les six pintes de Guinness que j'avais avalées ne m'ont pas aidée à calculer correctement ma trajectoire, et je me suis engouffrée par la fenêtre, la tête la première, sans voir la petite table placée juste devant : je l'ai heurtée de plein fouet, et j'ai entendu plusieurs objets se fracasser au sol. J'avais toujours les pieds à l'extérieur et les mains posées par terre quand la lumière s'est allumée brusquement, révélant Mme Brennan en chemise de dentelle dans l'encadrement de la porte. Son visage était tordu par la rage.

« Oh, Seigneur, qu'est-ce que vous avez fait ?

— Vraiment désolée, ai-je bredouillé.

— "Désolée" ? Vous avez brisé la Sainte Mère de Dieu, espèce de traînée ! »

J'ai levé les yeux au moment où Jacinta dévalait l'escalier, elle aussi en chemise de nuit et pantoufles. Elle a semblé se retenir de rire en découvrant la scène, et pour cause : juste devant moi gisait la tête de la Vierge dont le reste du corps avait roulé à l'autre bout de la pièce. Marie me dévisageait d'un air de reproche.

« Je vous en achèterai une nouvelle demain, ai-je dit.

— Celle-ci venait de Lourdes ! a crié Mme Brennan. Elle était bénite !

— Bon Dieu, tout ça pour une porte fermée...

— Ça suffit ! Je ne supporterai pas un blasphème de plus. Demain à la première heure, vous fichez le camp d'ici. »

3

LE LENDEMAIN, je suis arrivée à Trinity à neuf heures du matin, chargée de toutes mes valises. Je suis allée droit au bureau des résidences pour voir sa responsable, Mlle Scanlon, une femme d'une cinquantaine d'années vêtue de gris, le visage sévère. Elle n'avait pas l'air ravie de me voir.

« Voici donc la fameuse Alice Burns. Mme Brennan m'a appelée tôt ce matin pour me raconter vos exploits.

— Je lui ai remboursé les trois livres de la statuette cassée, et j'ai payé sept livres de loyer pour la semaine, alors qu'elle m'a mise dehors au bout d'à peine deux jours.

— Mais il va me falloir au moins deux semaines pour lui trouver un nouveau locataire. Elle va tout de même perdre de l'argent.

— Excusez-moi, mais tout ça ne serait pas arrivé sans son règlement ridicule.

— Elle est un peu stricte, c'est vrai. J'aurais peut-être dû y penser avant de vous envoyer chez elle, étant donné que vous ne fonctionnez pas de la même manière, de votre côté de l'Atlantique. Enfin, pour être honnête, vous vous êtes inscrite au dernier moment, et je n'avais pas vraiment le choix. Le dernier locataire de Mme Brennan est parti pour les missions juste après Noël. »

Ma chambre avait bel et bien été occupée par un prêtre. Était-ce l'ombre d'un sourire sur les lèvres de Mlle Scanlon ? J'ai préféré ne rien dire. Elle a pris une cigarette dans le paquet posé sur son bureau, l'a allumée et, après seulement, a songé à m'en proposer une.

« Mon problème, maintenant, c'est que toutes les chambres de nos résidences sont prises pour l'année, jusqu'à la fin du Trinity Term en décembre.

— En fait, j'ai déjà trouvé une chambre.

— Vous ne perdez pas votre temps.

— Seulement, elle est dans un état déplorable, au point que le propriétaire a accepté de faire des travaux qui ne seront pas terminés avant six jours. Il me faut un endroit où dormir en attendant.

— La seule solution, pour moi, serait un bed & breakfast. Mais ils coûtent généralement deux à trois livres la nuit.

— Je ne peux pas aller au-dessus d'une livre cinquante.

— Ce n'est vraiment pas beaucoup.

— Il y a forcément quelqu'un à qui ça conviendra. On est en janvier, après tout. »

Mlle Scanlon a pincé les lèvres, mais je voyais bien ce qu'elle pensait. *Plus vite je lui trouverai quelque chose, plus vite j'en serai débarrassée.* Elle a ouvert son carnet d'adresses, décroché son téléphone, et m'a demandé si je voulais bien attendre un moment à l'extérieur. Je suis sortie retrouver sa secrétaire et ma pile de bagages entassés dans un coin, et j'ai tout juste eu le temps de finir ma cigarette avant que la porte ne s'ouvre à nouveau sur Mlle Scanlon brandissant une page de carnet.

« Je vous donne l'adresse d'un ami, Desmond Kavanagh. Il tient un charmant bed & breakfast sur Lower Leeson Street, près de Stephen's Green. C'est quelqu'un d'adorable, qui a longtemps travaillé dans des théâtres. Il a peint un certain nombre de décors pour MacLiammor et Edwards, au Gate. Du coup, son établissement est assez unique. Comme c'est la morte-saison, il est d'accord pour vous facturer une livre cinquante la nuit, mais à la condition expresse que vous restiez une semaine complète. »

J'allais devoir faire de sérieuses économies dans les mois à venir ; mais je n'étais pas en position de négocier, et je n'ai pas essayé.

« Merci beaucoup pour votre aide. Je suis vraiment désolée de la manière dont ça s'est passé avec Mme Brennan.

— Ce n'est pas grave, Alice. La bonne nouvelle, c'est que Des vous donnera une clé pour que vous puissiez rentrer à l'heure que vous voudrez. Avec tout le temps qu'il a passé au théâtre, il a l'habitude des modes de vie bohèmes... Et je ne pense pas qu'il ait de statuette de la Vierge chez lui. Bonne continuation. »

M. Kavanagh serait absent pour le reste de la matinée, mais Mlle Scanlon m'avait autorisée à laisser mes bagages devant son bureau jusqu'à quinze heures. Je les ai donc soigneusement rangés avant d'aller faire la connaissance de mon tuteur universitaire.

Mon sujet d'études principal à Trinity serait la littérature. On m'avait assignée au Pr Aidan Berkeley, qui m'avait envoyé une lettre avant mon départ pour me proposer de passer à son bureau le mardi ou le jeudi, entre onze et treize heures, « histoire de faire connaissance et de bavarder un peu ». Je m'étais renseignée sur lui dans le catalogue de l'université : il avait commencé ses études à Trinity, puis fait un doctorat à Cambridge, et ses spécialités étaient le théâtre jacobéen et la poésie du XVIIe. Son bureau se trouvait dans un bâtiment proche des terrains de sport, à l'autre bout du campus par rapport à celui de Mlle Scanlon. Je m'y suis rendue, la tête lourde – je m'étais réveillée tôt pour faire mes valises et laisser dix livres à Mme Brennan, accompagnées d'une lettre d'excuses, et j'avais dormi à peine six heures. Par chance, un taxi passait sur Sandymount Strand juste au moment où j'étais sortie, et il m'avait déposée devant Trinity. Le portier avait été très arrangeant : sans même me demander une preuve de mon inscription, il avait accepté de garder tout mon barda pendant que j'allais prendre le petit déjeuner au Bewley's.

« Ce n'est pas la forme, aujourd'hui, on dirait », avait remarqué Prudence en prenant ma commande.

J'ai été tentée de lui demander : *Vous avez déjà cassé une statuette de la Vierge en rentrant par une fenêtre ?* Mais la fatigue a eu le dessus, et j'ai simplement attrapé une brioche à la cannelle en face de moi.

« La nuit a été dure, ai-je fini par répondre.

— Impossible, a-t-elle répondu avec un petit sourire. Ce genre de chose n'arrive jamais à Dublin. Ça doit être un truc d'Américains. »

Je lui ai faiblement rendu son sourire.

« Je crois qu'il y a de la Solpadeine dans la réserve, a-t-elle dit. Je vous en apporterai en même temps que le café. »

Elle n'a pas tardé à revenir en déposant sur la table deux cachets contre le mal de tête.

« N'oubliez pas de bien dormir ce soir. C'est dommage, des cernes pareils sur un aussi joli minois. »

Je n'ai pas réagi tout de suite à ce gentil compliment, mais, une heure plus tard, en traînant mes valises du bureau du portier à celui de Mlle Scanlon, je me suis fait la réflexion que je ne m'étais jamais considérée comme « jolie ». Au contraire, j'adhérais à la vision de ma mère selon laquelle il me fallait tabler sur mon excentricité pour me rendre moins quelconque, et j'avais toujours été déterminée à étouffer ma féminité sous des tenues masculines et un mépris souverain pour le romantisme sous toutes ses formes. Le prix à payer quand on se sent différent est de ne jamais avoir l'impression de s'intégrer nulle part, ni d'être digne d'amour. Était-ce ça qui avait cloché avec Bob ? Est-ce que, au fond, je ne m'attendais pas en permanence à le voir se réveiller un matin en se demandant ce qu'il faisait avec une originale comme moi ? C'était peut-être pour ça qu'il avait tout gâché en traînant avec ses anciens copains : parce que j'étais trop bizarre pour lui, trop difficile à suivre.

Comme pour me donner raison, le Pr Berkeley a paru un instant circonspect devant ma tenue vestimentaire.

« Ah, mademoiselle Burns. Je vous rencontre enfin. »

C'était un homme assez grand, en costume gris foncé sur chemise bleu marine, avec une cravate estampillée Trinity College. Il paraissait plutôt en forme pour sa quarantaine bien avancée, sans trace de blanc dans ses cheveux châtain clair, et il avait des manières et une intonation très formelles, sans pour autant ressembler à l'archétype du professeur ultra-britannique d'Oxford qu'on voit dans les films – ni être affublé du même lourd accent dublinois que Sean. La précision de son discours dénotait singulièrement avec le chaos régnant sur sa table de travail.

« Tout se passe bien, pour l'instant ? » a-t-il demandé, en m'invitant d'un signe à prendre place dans un gros fauteuil en cuir – duquel il avait au préalable retiré une pile de journaux.

« J'ai eu un peu de mal à trouver un logement. En dehors de ça, j'essaie de m'habituer au fonctionnement de cet endroit.

— J'ai bien peur que vous ne trouviez pas Trinity très accueillant.

— Qu'est-ce que vous voulez dire ?

— J'ai enseigné aux États-Unis pendant un an, à Harvard. L'hiver à Boston… je n'ai jamais eu aussi froid de ma vie. Enfin bref, j'ai remarqué que, même dans un endroit aussi prestigieux que Harvard, l'université faisait quand même son possible pour accueillir les nouveaux arrivants, faire en sorte qu'ils se sentent chez eux. Ici, les étudiants sont plutôt livrés à eux-mêmes. Enfin, je ne pense pas que vous aurez trop de mal à trouver votre place.

— Vraiment ? »

Je n'étais pas très douée pour accepter les compliments.

« J'avais un manteau militaire du même genre que le vôtre quand je vivais à Paris en 68, pendant les émeutes. Je suis même allé jusqu'à tenter de lancer un pavé dans la direction des CRS qui essayaient de disperser une *manif* rue des Écoles.

— Une manifestation contre quoi ?

— Tout, je dirais. Mais nous avons du travail. Jetons un coup d'œil à votre emploi du temps… »

Pendant le quart d'heure qui a suivi, il m'a parlé des quatre cours que je « préparerais » pendant le reste de l'année universitaire, en précisant que deux d'entre eux me plairaient sans doute particulièrement : celui sur la poésie anglo-irlandaise donné par le Pr Kennelley, ainsi qu'un séminaire sur Joyce par le Pr Norris. Puis il m'a laissée entendre qu'il avait à faire.

« N'hésitez pas à venir me voir si vous avez une question, urgente ou non », a-t-il dit en guise d'au revoir.

J'avais encore plusieurs heures à tuer avant de rencontrer le fameux Des qui se proposait de m'héberger. Je suis donc allée déjeuner au bureau des élèves, où j'ai trouvé Ruth derrière le bar, une cigarette entre les dents, en train de servir des bières.

« Comment ça va, Alice ?

— J'ai trouvé un appartement, grâce à toi.

80

— C'est ce qu'on m'a dit. Tu as bien fait de repousser ce queutard de Sean hier soir. Quand il a trop bu, ce type ferait des avances à un lampadaire.

— Merci pour le lampadaire. C'est lui qui t'a raconté ? »

Avant que Ruth puisse répondre, une voix s'est élevée derrière moi.

« À Dublin, les rues ont des oreilles. »

C'était le garçon que j'avais aperçu deux jours plus tôt dans cette même salle, à travers une brume de fatigue due au jet-lag. Il portait la même veste en tweed et une chemise noire. Devant lui, un paquet de cigarettes sans filtre (des Sweet Afton), un carnet ouvert, un stylo-plume et une pinte de Guinness bien entamée. Son visage était étroit, anguleux, encadré d'épais cheveux noirs et d'une barbe bien taillée qui, ajoutée à ses lunettes à monture métallique, lui donnaient un air furieusement intello. Son accent était encore différent de tous ceux que j'avais entendus jusque-là : légèrement flûté, avec des voyelles plus dures.

« Typique de l'Ulster, l'a raillé Ruth, où personne ne dit jamais de mal des autres, et où la malice n'existe pas.

— Tu es de là-haut ? ai-je demandé.

— Dit comme ça, on croirait que je suis radioactif.

— Je m'excuse, je ne voulais pas être blessante.

— Non, mais je vois très bien le genre. Tu n'avais encore jamais rencontré d'Irlandais du Nord, et tu t'attendais à ce qu'on se balade tous avec une cagoule sur la tête et une Armalite au poing.

— Je ne sais pas ce que c'est, une Armalite.

— Tu as bien de la chance. Je m'appelle Ciaran Quigg. »

Je me suis présentée à mon tour, et j'ai fait signe à Ruth de me servir une pinte tout en m'asseyant en face de lui.

« Laisse-moi deviner, a-t-il lancé, tu prépares une thèse sur les références fécales dans l'*Ulysse* de Joyce.

— C'est peut-être ta spécialité, mais ce n'est pas la mienne. »

Il a eu un sourire espiègle.

« Si seulement j'avais le loisir d'écrire cinquante mille mots futiles sur M. Joyce et ses métafictions.

— Qu'est-ce qui t'empêche d'avoir ce loisir ?

— Je fais du droit.

— Et qui est-ce qui t'y oblige ? Ton père veut que tu rejoignes le cabinet familial ?

— Loin de là. Mon père est universitaire jusqu'au bout des ongles.

— Où ça ?

— À Queens. C'est l'université de Belfast.

— Et qu'est-ce qu'il enseigne ? »

Il a sorti une cigarette de son paquet et l'a longuement tapotée contre la table, avant de craquer une allumette sur le bois pour l'allumer.

« Jean-Paul Sartre a déclaré publiquement un jour que les Sweet Afton étaient ses préférées. Tu le savais ?

— Non. C'est pour ça que tu en fumes ?

— Possible. Tiens, essaie. »

J'ai accepté le paquet qu'il me tendait, et je l'ai imité en tapotant les deux bouts de ma cigarette et en craquant mon allumette contre la table. Les larmes me sont montées aux yeux à la première bouffée.

« C'est sacrément fort.

— D'où l'intérêt pour un existentialiste.

— Tu n'as pas répondu à ma question.

— Laquelle ?

— Ton père, il enseigne quoi ?

— Joyce, évidemment.

— Et c'est lui qui a fait sa thèse sur la matière fécale dans *Ulysse* ?

— C'était plutôt quelque chose comme l'influence homérique, ou un truc du genre.

— Donc ce n'est pas lui qui t'oblige à faire du droit... Et ta mère...

— ... est productrice à la BBC d'Irlande du Nord.

— C'est elle qui veut que tu fasses du droit ?

— Elle me voyait plutôt devenir classiciste, comme Robert Graves.

— Alors c'est toi-même qui t'interdis le "loisir" de faire autre chose. »

Avisant ma pinte posée sur le bar, je me suis levée pour aller la chercher. Ruth m'a adressé un léger signe de tête en prenant mes vingt pence, comme pour dire : *Il n'est pas mal, ce type-là.*

« J'admets volontiers que mon appétit de logique est insatiable, a-t-il dit alors que je revenais vers notre table.

— Mais le droit régule l'illogisme du comportement humain, non ?

— C'est donc la mainmise de la rationalité sur un monde irrationnel. Voilà, je crois bien, ce qui m'attire le plus. Ça, et le fait qu'un bon avocat soit en même temps un expert de la narration.

— En gros, ce que tu veux vraiment, c'est écrire ? »

Ciaran a tressailli, comme sous l'effet d'un coup léger.

« Merde, je suis si transparent que ça ?

— Le carnet, le beau stylo-plume, les cigarettes d'auteur, les lunettes à la Joyce...

— Je préfère "bésicles".

— Tiens, je ne connaissais pas ce mot. Mais tu éludes encore.

— C'est l'un de mes nombreux talents. »

J'ai soulevé mon verre, et il a trinqué avec le sien.

« *Slainté.*

— *Slainté* », ai-je répété en essayant de singer sa prononciation, *slan-cha.*

Fidèle à moi-même, je n'ai pu m'empêcher de lui demander si j'avais bien prononcé ce mot.

« Pas mal pour une Amerloque fraîchement débarquée. D'ailleurs, qu'est-ce qui t'amène à Trinity au plus noir de l'hiver ?

— Diverses raisons personnelles.

— Femme mystérieuse.

— Je ne montre pas mes cartes aussi facilement.

— Femme *très* mystérieuse.

— Pas mal, ces clopes, finalement.

— Maintenant, c'est toi qui éludes.

— Les désastres amoureux ont toujours l'air ternes quand ils sont racontés.

— Je ne sais pas si Tristan et Yseult seraient de cet avis. Elle était irlandaise, tu sais.

— Non, je l'ignorais.

— Il se trouve que Richard Wagner, ce vieux prénazi, s'y connaissait en mythologie celte. Et puis, il écrivait de jolis morceaux, même s'il n'y en a pas un qui dure moins de cinq heures.

— Tu es en quelle année ?

— Deuxième.

— Pareil.

— Ah, alors nous allons vieillir ensemble, Alice.

— Je vais faire comme si je n'avais pas entendu.

— Pourquoi, je t'ai mise mal à l'aise ?

— J'ai comme l'impression que tu me testes.

— Mais en quoi ?

— Donne-moi un jour ou deux pour trouver la réponse, et on pourra peut-être reprendre cette conversation.

— Ce serait fort agréable, a-t-il dit. Et puisque mon bureau, en dehors des cours, se trouve être cette table, tu sais où me chercher.

— J'en prends bonne note. »

84

J'ai terminé ma pinte et je me suis levée. À ma grande surprise, Ciaran m'a imitée.

« Je souhaite vivement reprendre bientôt cette conversation », a-t-il déclaré en me saisissant la main.

Dans le taxi qui m'emmenait, accompagnée de mes valises, au bed & breakfast de Lower Leeson Street, je me suis repassé en boucle tout notre échange. Ciaran ne manquait pas de charme, et c'était visiblement quelqu'un de formidablement intelligent... mais après les événements de ces derniers mois, je n'avais aucune envie de rencontrer quelqu'un. Surtout pas le premier type que j'avais vu en débarquant dans cette ville. Pourtant, j'appréciais son sens de la repartie, et la manière dont il soulignait sa virtuosité intellectuelle sans pour autant tomber dans l'étalage et la fanfaronnade comme Duncan Kendall. Duncan... Il y avait un moment que je n'avais pas pensé à lui. Je ne lui avais même pas dit au revoir avant de quitter Bowdoin. J'aurais sans doute dû écouter mon instinct et aller jusqu'au bout avec lui, ce soir-là – ce même soir où mon histoire avec Bob avait pris un tour tragique. Duncan était le genre d'homme dont j'avais toujours rêvé, au point que je me sentais même capable d'affronter ses fantômes et ses nombreuses angoisses. Pourquoi diable repensais-je à lui maintenant ? Ciaran Quigg serait-il en quelque sorte son double d'Irlande du Nord ?

N'importe quoi, ai-je songé alors que le taxi faisait halte devant une porte de style georgien, peinte en vert sombre, avec un heurtoir de cuivre soigneusement lustré en son centre. Une petite pancarte annonçait, en calligraphie victorienne, que j'étais arrivée au bed & breakfast Gogarty. Le chauffeur m'a aidée à décharger mes bagages. J'ai frappé deux coups à la porte, et un homme mince en veste de velours marron, pantalon de tweed brun et cravate assortie est venu m'ouvrir.

« C'est toi, la jeune fille "à problèmes" dont on m'a parlé ? a demandé Desmond Kavanagh.

— Je vois que ma mauvaise réputation me précède. »

Il m'a gratifiée d'un sourire radieux.

« Les problèmes sont toujours les bienvenus en cette demeure. »

L'intérieur du bâtiment était une véritable œuvre d'art : une maison georgienne entièrement refaite dans le style de la grande époque victorienne – du moins, ce que j'imaginais être la grande époque victorienne. Les murs étaient vert sombre, et le papier peint de l'entrée était une sorte de velours assez semblable à celui de la veste de Desmond. Des meubles de valeur, en chêne massif, acajou et brocart, côtoyaient des photographies du début du siècle, encadrées et suspendues aux murs par de longs câbles métalliques, de nombreux portraits XVIIIᵉ représentant des hommes et des femmes de l'aristocratie, des esquisses de grands manoirs de campagne. L'éclairage était majoritairement fourni par des bougies, et la maison tout entière sentait l'encens. Dans le grand salon, une pile de charbon brûlait au creux d'une imposante cheminée. J'avais l'impression d'être entrée dans un décor de théâtre. Un décor où je me voyais très bien vivre.

« C'est magnifique, ai-je dit à Desmond tandis qu'il me débarrassait de mon manteau.

— Juste un petit hobby.

— Ça n'a rien de petit.

— Assieds-toi près de la cheminée. Il fait un froid terrible, aujourd'hui. »

C'était vrai, et la chaleur du feu était bienvenue. Il y avait quelque chose de décidément dickensien dans le fait de voir du vrai charbon en combustion.

« Tu es un ami de Mlle Scanlon, si j'ai bien compris ? ai-je demandé.

« — Je connais Brenda depuis un bail. Hilton et Michael voulaient l'engager pour jouer Rosalind dans *Comme il vous plaira* en… mon Dieu, en 57, ça fait vraiment dix-sept ans ?

— Elle était actrice ?

— Et merveilleusement douée. Un talent rare.

— Alors qu'est-ce qu'elle fait à Trinity, à distribuer des chambres ?

— Il n'y a qu'une vraie New-Yorkaise pour poser ce genre de question.

— Je suis trop directe, c'est ça ?

— Les gens d'ici tourneraient autour du pot pendant des heures, et attendraient que l'intéressée ait quitté la pièce pour déchaîner leur langue – c'est comme ça que ça marche, dans notre petit pays. Enfin, c'est l'heure du thé, j'espère que tu as un peu de temps…

— Je n'ai pas grand-chose de prévu, non.

— Excellent. Installe-toi, il y a le journal de ce matin sur le buffet, si tu veux. Je reviens dans un petit moment. »

Je me suis laissée tomber dans un profond fauteuil, un sourire aux lèvres. Après l'ascétisme désespérant de la pension de Mme Brennan, et le délabrement de ma future studette sur Pearse Street, quel soulagement que d'atterrir dans une maison aussi splendide et raffinée… Mieux encore, j'avais la quasi-certitude que Desmond Kavanagh serait bientôt comme un grand frère pour moi.

Je n'ai pas lu l'*Irish Times* du jour. J'ai simplement fermé les yeux dans la chaleur douillette et la calme ambiance rococo ; la première fois que je me sentais vraiment à l'aise depuis la débâcle de la veille au soir. À mon réveil, Desmond était assis en face de moi, et il y avait un énorme plateau d'argent chargé d'une théière, de pots de confiture, de sandwichs et de gâteaux posé sur la table entre nous deux.

« Bien dormi ?

— Je suis vraiment désolée.

— Je ne vais pas te demander de réciter deux Pater et un Ave, tu sais. D'après ce que j'ai cru comprendre, la nuit a été courte.

— Mlle Scanlon t'a tout raconté ?

— Elle a bien dû m'expliquer pourquoi il te fallait une chambre à si courte échéance.

— Et tu as quand même accepté de m'héberger.

— Entre nous, je crois que Brenda admire assez la manière dont tu t'es sortie de chez cette vieille grenouille de bénitier.

— Et moi, je meurs d'envie de savoir pourquoi elle n'est plus actrice.

— La vie nous joue parfois des tours décourageants, ma chère. Ou peut-être qu'on se les joue à soi-même... J'espère que tu aimes le Lapsang Souchong : je trouve que ce thé se prête particulièrement à cette heure de la journée. »

Étant donné que mon déjeuner avait consisté en une pinte de bière avec Ciaran Quigg, j'ai pioché avec plaisir parmi les fins sandwichs au concombre et les gâteaux délicatement glacés, disposés avec art sur des assiettes de porcelaine.

« Il ne fallait pas te donner tout ce mal pour moi, ai-je dit en ajoutant un peu de lait et une cuillerée de sucre à ma tasse de thé parfumé.

— Bien sûr que si. Ce n'est pas tous les jours que je recueille une Américaine échappée d'une prison janséniste.

— C'est vrai que Mme Brennan correspond bien à cette description... Mon professeur d'histoire disait justement que le jansénisme représentait un catholicisme rigide et austère, par rapport, notamment, à la version pratiquée dans le sud de l'Europe.

— Et il avait bien raison. Tu es déjà allée en Italie ?

88

— C'est sur ma liste de destinations pour cet été.

— L'Italie est ma plus grande passion. Si la réincarnation existe, j'aimerais passer ma prochaine vie dans le corps d'un aristocrate florentin. Parce qu'en plus de tous les plaisirs de la bonne chère qu'offre ce pays, ce qu'a dit ton professeur est entièrement vrai : le catholicisme là-bas est quelque chose de sensuel, de beau. Rien à voir avec cette idéologie de la culpabilité que l'Église se sent obligée d'imposer en Irlande, où l'existence est forcément une vallée de larmes. En Italie, on peut prendre la communion le dimanche matin et partir profiter de la *dolce vita* sans se sentir coupable.

— Tu as déjà vécu là-bas ?

— Si seulement ! J'ai travaillé comme peintre de décor au Royal Opera House de Londres pendant deux ans, il y a une éternité ; à part ça, je suis enfermé dans Dublin.

— À t'entendre, c'est presque un supplice. »

J'ai émis un petit soupir d'aise en sirotant mon Lapsang Souchong.

« Je suis content que tu aimes ce thé.

— Je n'avais jamais bu de thé avant de venir ici. Je crois que je ne vais pas tarder à me convertir.

— Je l'achète dans un magasin sur Kildare Street, près du Dáil – notre Parlement. Le vendeur connaît son sujet, je te le présenterai.

— Et donc, à l'exception de ces deux années à Londres, tu n'as jamais quitté Dublin ? »

Desmond a plissé les yeux.

« Curieuse ? Intriguée ? Tu essaies de me cerner, peut-être ?

— Oui, il y a un peu de ça. Surtout après ce que tu as dit…

— Bien, tu l'auras voulu. »

S'est ensuivie une heure consacrée au récit de la vie de Desmond. J'ai appris que son père, protestant, avait survécu à la bataille de la Somme avant de rentrer à Dublin et d'obtenir un poste de comptable très haut placé pour le gouvernement de l'État libre alors en plein développement. Il avait ensuite monté son propre cabinet de comptabilité, qui avait remporté un franc succès, et épousé une catholique issue d'une famille de notaires assez respectable. Desmond était venu au monde en 1925, et n'avait pas eu de frères et sœurs. Il n'avait jamais su pourquoi – « mais mon instinct me souffle que l'acte qui a mené à ma conception était quelque chose de plutôt rare entre eux ».

Son père avait une approche assez militaire de l'éducation : fais ce qu'on te dit, ne défie jamais l'autorité, et sois déférent et respectueux envers les adultes. Sa mère ne témoignait d'intérêt que pour les chevaux et la haute société, en particulier tout ce qui se passait dans la Royal Dublin Society et les grandes maisons de Wicklow et Kildare. Desmond en était arrivé à croire qu'elle avait épousé son père, Dermot Kavanagh, uniquement pour ses contacts dans le monde équestre, dont il comptait un certain nombre de passionnés parmi ses clients.

D'après ce que j'ai compris, Desmond n'était pas coutumier des grandes démonstrations d'affection pendant son enfance. Très tôt, lorsque ses « inclinations artistiques » sont devenues évidentes, son père a redoublé de distance et de mépris.

« Il me traitait de fillette, de pisse-froid, tout ça parce que je ne montrais aucun talent pour les jeux, le cheval ou le rugby, et que je leur préférais de loin le théâtre et le cinéma, où je passais déjà tout mon temps à quinze ans. Ma mère aussi s'est détachée de moi, mais plus lentement, sans toute cette agressivité. Elle se contentait de se rappeler mon existence de temps en temps. Ils m'ont envoyé dans un très bon lycée pour garçons, où j'ai bien sûr été persécuté par de petites brutes, mais c'est aussi là que j'ai rencontré un professeur d'art, un type qui s'appelait Colm Quigley. »

M. Quigley l'avait repéré tout de suite. Lui aussi était, selon les propres termes de Desmond, « différent », et pour cette raison perpétuellement rejeté par la société dublinoise ; mais il était également prudent et circonspect, il ne laissait jamais ses inclinations s'immiscer dans sa relation avec un élève. Même toutes ces années après, Desmond ne l'appelait pas autrement que « M. Quigley » – il était mort trois ans auparavant. Ayant repéré chez Desmond un talent certain pour la peinture et l'art en général, il s'était arrangé pour le faire entrer au National College of Art à dix-huit ans, avec sa Leaving Certification en poche (l'équivalent du baccalauréat local).

Quigley savait que le père de Desmond ne supporterait pas de le voir s'orienter vers une discipline aussi fumeuse et efféminée que l'art, parce que ce dernier lui avait beaucoup parlé de ses soucis familiaux. Alors il l'avait présenté à un certain Patrick Hickey, responsable de l'atelier au Gate Theatre, en haut d'O'Connell Street. Patrick était un vieux dur à cuire, mais il savait manier un pinceau, et il n'avait pas son pareil pour réaliser les décors extraordinaires que Hilton et Michael voulaient pour leurs productions… même s'ils n'avaient pas souvent une grande dimension technique. Quand Desmond était arrivé, Hickey lui avait collé une poignée de pinceaux entre les mains, quelques pots de peinture, puis lui avait montré une toile de fond et lui avait demandé de la reproduire. Desmond y avait passé deux bonnes heures, terrifié à l'idée de ne pas être à la hauteur. À son retour, Hickey lui avait dit qu'il avait effectivement du talent. Et il l'avait embauché pour cinq livres par semaine. M. Quigley l'avait aidé à trouver un logement près du National College of Art, qui lui coûtait quatre livres par mois ; Dublin n'était pas cher en 1943… Du jour au lendemain, Desmond n'a plus vécu chez ses parents. Il faisait des études. M. Quigley avait même réussi à obtenir une bourse, pour le libérer de tout frais de scolarité. Et le voilà qui traçait sa route dans le monde, à dix-huit ans à peine.

J'en ai beaucoup appris sur la vie à Dublin pendant la guerre – ce que Desmond appelait « l'urgence » : le rationnement, les difficultés pour quitter l'île, et la neutralité d'Éamon de Valera, *Taoiseach* de l'époque et figure politique majeure de l'Irlande jusqu'à sa mort en 1973. De Valera s'était rendu à l'ambassade allemande signer le livret de condoléances à la mort de Hitler, mais il avait également soutenu en toute discrétion les Anglais et les Américains au fil de la guerre. Pour Desmond, il était « une nécessité historique, mais le puritain catholique le plus autoritaire et le plus barbant qui soit ».

De nombreux acteurs célèbres avaient joué au Gate, comme Orson Welles ou James Mason. Et Hilton Edwards s'était pris d'un certain intérêt pour le jeune Desmond… au grand déplaisir de son partenaire Michael.

« Mais on a pu surmonter ce petit problème, comme beaucoup d'autres. Le Gate, c'était une famille, avec toute la chaleur, mais aussi les querelles intestines et les jalousies qui vont avec.

— Alors pourquoi es-tu parti ?

— Tu n'y vas pas par quatre chemins, toi… »

L'histoire était pourtant assez classique. Lorsque le père de Desmond était mort en 1958, sa mère s'était retrouvée toute seule à soixante-huit ans, de plus en plus gâteuse… Même si, de l'avis de Desmond, perdre un mari dont elle ne partageait plus le lit depuis une trentaine d'années n'était pas une si grande tragédie. Seulement, elle ne supportait pas la solitude, et elle l'avait supplié de revenir à la maison, en lui promettant qu'il pourrait faire tout ce qu'il voudrait tant qu'il lui tiendrait compagnie. Desmond avait refusé. Il avait un appartement idéal sur Upper Mount Street, trois grandes pièces dans un superbe immeuble georgien. Il n'avait aucune envie de rentrer jouer les gardes-malades auprès d'une vieille mère tyrannique. Alors il était resté dans son appartement jusqu'à ce qu'il devienne clair que sa mère n'avait plus que quelques mois à vivre. C'était en 1961. Elle était sur son lit de mort quand il avait enfin accepté de revenir s'installer chez elle. Elle avait rendu l'âme le jour où Ernest Hemingway s'était enfoncé un canon de fusil dans la bouche.

« Je n'irais pas jusqu'à parler de coïncidence, mais si, par hasard, ils se sont croisés au purgatoire, je suis sûr qu'elle a dû lui dire quelque chose de charmant, comme : "À part *Le Vieil Homme et la Mer*, vous avez écrit quoi de bon durant ces vingt dernières années ?" Enfin, voilà le résultat : j'ai hérité de la maison, dans un état assez déplorable. Mon père était peut-être un excellent comptable, et ma mère une grande dame et une cavalière tout ce qu'il y a de plus respectable, mais pour ce qui était du confort, ils n'y entendaient rien. Terriblement avares, surtout lorsqu'il était question de dépenser une malheureuse piécette pour leur fils unique. Mais j'étais leur seul héritier, et mon père avait bien tenu les finances, si bien que je me suis retrouvé à la tête d'une petite fortune. Du haut de mes presque quarante ans, j'ai décidé que j'avais peint assez de décors pour ce merveilleux couple de vieilles folles – surtout qu'ils ont toujours refusé de me laisser concevoir ne serait-ce qu'une seule de leurs productions. À mon départ du Gate, je gagnais la somme princière de dix-huit livres par semaine. J'ai décidé que si je ne pouvais pas créer pour le théâtre, alors je créerais mon propre théâtre ici même. Et voilà les événements qui m'ont mené jusqu'ici.

— Je dirais plutôt que c'est toi l'auteur de ton destin.

— On peut dire ça oui, tu as sans doute raison. Bon, cela fait une heure que je te rebats les oreilles avec mes histoires. La moindre des choses serait que je te propose quelque chose de plus substantiel qu'une tasse de thé. Une petite libation en récompense de ta patience remarquable ?

— Ce n'est pas nécessaire. Je veux dire, c'était vraiment très intéressant.

— Ne me dis pas que tu refuses de boire un verre.

— Je me plie très volontiers aux règles de la maison.

— Tu m'as fait peur. »

Il s'est levé en gémissant pour aller ouvrir un petit buffet contenant un certain nombre de bouteilles et de verres.

« Ce fichu dos… Je me méfie des gens qui ne boivent pas d'alcool. Même les jeunes.

— Ça te dérange si je fume ?

— Fais-toi plaisir. »

Il a posé sur la table deux verres en cristal ainsi qu'une bouteille étiquetée Redbreast.

« Je suis sûre que tu t'attendais à du sherry, ou quelque chose d'aussi doucereux de la part d'un vieux garçon comme moi.

— Je n'avais pas d'attente particulière, surtout que je n'ai jamais goûté de sherry…

— Eh bien, ça attendra un autre jour. Pour l'instant, je voudrais te faire découvrir ce que je considère comme le meilleur whiskey de ce pays.

— Je te crois sur parole. »

On peut passer toute une soirée avec quelqu'un qu'on vient de rencontrer sans que la conversation ne s'aventure au-delà des incontournables sujets comme le travail, la famille, les occupations de la journée ou les hobbies. C'était le cas de la plupart des adultes que

94

j'avais rencontrés : ils évitaient soigneusement d'aborder avec moi des sujets sensibles ou graves, comme s'il était de leur devoir de m'en protéger, ou d'épargner à mon intellect rudimentaire tout contact avec la complexité. Le Pr Hancock faisait exception à cette règle, mais sa mort m'avait fait comprendre qu'il ne s'était jamais vraiment ouvert à moi (ni à personne d'autre, d'ailleurs) des recoins les plus sombres de sa psyché. Desmond Kavanagh, à l'inverse, me donnait l'impression d'être à la fois seul et naturellement bavard. Au cours des mois passés à Dublin, j'entendrais bien des fois le terme « babillard » pour désigner les moulins à paroles capables de monologuer pendant des heures. Desmond était de ceux-là – mais j'ai gardé de cette première conversation dans son « petit salon » rococo le sentiment que, malgré toutes ses plaisanteries sur mon franc-parler américain et ma jeunesse, il avait trouvé en moi une oreille attentive à laquelle raconter sa longue et riche histoire. Je me sentais privilégiée d'avoir été si vite investie de sa confiance, au point qu'il me parle de ses parents et du fardeau que représentait sa « différence ». J'ai tout de suite compris ce que signifiait cet euphémisme, et aussi qu'il valait mieux ne pas y faire allusion. Cet échange était, en quelque sorte, codé – pas d'une manière clandestine et fuyante, mais juste parce que les choses n'avaient pas besoin d'être explicitées pour qu'on les comprenne. C'était ainsi que cet endroit fonctionnait, à bien des niveaux : tout en implicites et insinuations. Même le dépit, dont j'allais bientôt entendre parler à toutes les sauces, avait sa part de sous-texte subtil. Lorsque Desmond avait annoncé à Hilton Edwards qu'il quittait son travail de peintre pour rénover la maison de ses parents, celui-ci lui avait répondu : « Tu hérites de la fortune familiale, alors. C'est bien, pour certains. » C'était, selon Desmond, un exemple typique de fausse bienveillance, minée par de la rancœur.

« Et c'est difficile d'y échapper, ici. Même les gens que tu prendras pour des amis seront susceptibles de dire du mal de toi. Autant t'y habituer. C'est une coutume locale. »

J'ai pris le petit verre de whiskey qu'il m'avait servi, en admirant au passage la finesse du cristal taillé.

« C'est du cristal de Waterford. La meilleure qualité qui soit. Ma mère aimait les belles choses plus qu'elle n'aimait les gens. Enfin, je suppose qu'un objet ne peut jamais nous décevoir. »

J'ai trempé mes lèvres dans le Redbreast. Il ne ressemblait à aucun des whiskeys que j'avais goûtés jusque-là – certes, il n'y en avait pas eu tant que ça, en dehors du Tullamore Dew de mon père et du Jameson dont Bob aimait s'enfiler quelques verres quand la vie lui paraissait trop dure. Le Redbreast avait un goût merveilleux. Desmond, qui observait attentivement ma réaction, a souri.

« Alors ? Madame approuve ?

— Je n'y connais rien en whiskey, mais celui-là, c'est un nectar.

— C'est sans doute la première fois que tu bois du quinze ans d'âge. Il n'a pas le goût de fumé ni de tourbe qu'ont la plupart des whiskies écossais. Tiens, prends une gorgée et garde-la dans ta bouche, d'abord à l'avant de la langue, puis à l'arrière, et enfin contre le palais. »

Je me suis exécutée.

« Alors, quels arômes perçois-tu ? »

J'ai réfléchi longuement avant de répondre.

« Je ne sais pas comment l'exprimer.

— Bien sûr que si. Dis-moi simplement ce que ça te rappelle.

— Tu veux dire, des trucs comme "un jour de pluie" ou "une promenade sur la plage" ?

— Ne raconte pas de sottises. Des choses que tu as mangées, savourées. »

J'ai repris une gorgée du liquide doré, que j'ai laissé s'attarder sur ma langue puis contre mon palais.

« Du caramel, ai-je fini par dire.

— Excellent. Quoi d'autre ?

— Un peu de vanille, non ?

— Tout à fait. Mais encore ?

— C'est un peu sucré, mais comme du sucre brûlé. »

Desmond a hoché la tête, approbateur.

« Tu as le palais raisonnablement développé pour quelqu'un de ton âge.

— Je sais quel whiskey acheter, maintenant.

— Seulement si tu es prête à mettre neuf livres dans une bouteille.

— C'est une fortune.

— Tu sais comment on appelle le Redbreast quinze ans d'âge, ici ? Le whiskey du chirurgien. Parce que seul un médecin reconnu peut se permettre d'en acheter. »

Maintenant que j'en connaissais la valeur, j'ai siroté avec mille précautions cet alcool si démesurément au-dessus de mes moyens. Tandis que je terminais ma cigarette, Desmond m'a fait remarquer que si je voulais fumer de la qualité, je devrais passer aux Dunhill. Il m'a ensuite demandé pourquoi mon manteau ressemblait à « un uniforme ramassé sur le champ de bataille de Verdun ».

« Si tu veux avoir l'air bohème, a-t-il ajouté, opte plutôt pour le style parisien, pas celui de l'armée.

— Je n'ai pas le budget qu'il faut pour Paris.

— On peut trouver des vêtements très bien à des prix raisonnables, et, par là, je veux dire pas trop coûteux. De toute évidence, tu n'as rien contre ce qui est original et de seconde main. Tout ce qu'il nous reste à faire, c'est rééquilibrer tes goûts vestimentaires.

— Je vois.

— J'espère que je ne t'ai pas contrariée.

— Pas du tout. Je suis même touchée que tu me témoignes autant d'intérêt.

— Regarde autour de toi. Je suis légèrement obsédé par le style. Tu sais ce qui me plaît le plus dans le fait de pouvoir créer de la beauté chez soi ? On peut claquer la porte au nez du chaos qui règne dehors. Ma mère avait raison sur un point : les gens sont une source infinie de déceptions, et la plus grande de ces déceptions, c'est souvent nous-même. Le style et la beauté donnent une illusion de contrôle. Les vêtements sont un langage à part entière, qui en dit long sur la manière dont on veut se présenter au monde extérieur. D'après ce que je vois en face de moi, tu es en constante révolte contre un milieu auquel tu n'as pas le sentiment d'appartenir. »

J'ai ouvert de grands yeux. Comment avait-il pu me démasquer aussi facilement ? Il était exactement le genre de grand frère dont je rêvais.

« Comment as-tu deviné ça ?

— Nous y reviendrons plus tard. Mais je suis à peu près certain – dis-moi si je me trompe – que ta mère n'est pas satisfaite des cartes qu'elle a tirées au cours de son existence. »

Voyant mon verre vide, il m'a versé un nouveau doigt de Redbreast.

« Mais il est tellement cher, ai-je objecté.

— C'est à moi d'en juger. »

Il s'est renfoncé dans son fauteuil et a attendu que je recommence à parler. Ce que j'ai fait, à contrecœur d'abord, jusqu'à ce que je me rende compte que Desmond était aussi doué pour écouter que pour raconter. Il a tiré de moi le récit complet du mariage malheureux de mes parents, de l'horreur conformiste d'Old Greenwich, et enfin de l'enchaînement de catastrophes survenues à

Bowdoin qui m'avait poussée à chercher refuge de l'autre côté de l'océan.

Quand je me suis tue, il faisait nuit noire dehors. Desmond s'est hâté de remettre du charbon dans l'âtre, avant d'annoncer :

« Il est largement temps de dîner. Tu veux te joindre à moi ?

— Je t'ai déjà monopolisé tout l'après-midi.

— Tu vois ? Tu recommences à te comporter comme si tu n'étais pas digne de l'intérêt qu'on te porte. Ce que tu m'as dit des critiques de ta mère et des absences de ton père ne m'étonne pas... mais ils devraient s'estimer heureux de t'avoir pour fille. Enfin, je parle, je parle, et il est presque sept heures et demie. Je vais te montrer ta chambre. »

Il m'a précédée dans l'escalier, jusqu'à un grand couloir desservant cinq portes ornées de noms, et s'est arrêté devant celle appelée Oliver St. John Gogarty.

« Tu sais qui c'est ? »

J'ai fait non de la tête.

« Joyce s'est inspiré de lui pour créer le personnage de Buck Mulligan, dans *Ulysse*. Un homme qui faisait ce qu'il voulait de sa vie, à une époque où une telle indépendance en Irlande se payait au prix fort... quoique ce soit encore le cas aujourd'hui. Étant donné que je n'ai pas un seul client en ce moment – le dernier est reparti la semaine dernière –, j'ai pensé que cette chambre te conviendrait. »

Il a ouvert la porte et j'ai eu le souffle coupé. La pièce était grande, haute de plafond, avec des murs tendus de velours vert foncé, un immense lit à baldaquin avec un édredon de la même couleur, un gros fauteuil assorti, une ottomane, un petit bureau en acajou qui me rappelait les tables à écrire des aristocrates victoriens dans certains films situés au cœur de l'Inde coloniale, deux lampes Tiffany de part et d'autre du lit, et une cheminée abritant un foyer à gaz qui maintenait la chambre à une température supportable.

« Je peux emménager ici ? ai-je demandé sans réfléchir.

— Je suis sûr qu'on pourrait trouver un arrangement, a dit Desmond. Mais ce serait peut-être dommage de passer à côté d'une véritable vie d'étudiante à Dublin, dans une studette glaciale et insalubre...

— Oui, je me suis déjà engagée pour ça. »

Je lui ai décrit le logement que j'avais trouvé sur Pearse Street.

« Rien de tout cela n'est gravé dans la pierre, a-t-il calmement déclaré. Mais nous aurons tout le loisir d'y repenser dans quelques jours. Tu as dit que tu t'étais enfuie de chez la mère supérieure ce matin sans avoir eu le temps de te laver. Est-ce qu'un bain te ferait plaisir ? Tu peux en prendre un tous les jours, ça ne me dérange pas. »

Dans la salle de bains, au bout du couloir, il y avait une magnifique baignoire à pattes de lion. Desmond m'a envoyée défaire mes valises pendant qu'il faisait couler l'eau et y ajoutait ses sels favoris. Tout en rangeant mes vêtements et en organisant mon bureau, je n'arrivais pas à croire à ma chance. Une complicité immédiate s'était établie entre nous – pour la simple raison que nous étions tous les deux très seuls. Quinze minutes plus tard, immergée jusqu'au menton dans l'eau chaude et le parfum de lavande des sels de bain, je bénissais intérieurement Desmond pour sa gentillesse et sa générosité. Et si je trouvais un moyen de me dégager de mon bail pour la minuscule studette de Pearse Street ?

Plus tard ce soir-là, après un repas composé de côtes d'agneau, de pommes de terre rôties et de haricots verts accompagnés de vin français (« Il va falloir que tu apprennes en quoi le bordeaux et le bourgogne sont si différents »), tout en terminant le dessert au curieux nom de *sherry trifle*, mon hôte a fait un commentaire intéressant sur ma situation.

« Il n'y a pas de mal à s'enfuir quand on est confronté à une grande peine. Je regrette de ne pas l'avoir fait quand j'en avais l'occasion. Les peines de cœur ne font que s'aggraver quand on reste cloué à l'endroit où elles ont eu lieu. J'admire le courage qu'il t'a fallu pour prendre la clé des champs, comme on dit. »

Je brûlais de connaître les détails de sa propre histoire, mais, une fois de plus, quelque chose dans son ton allusif m'a avertie que je ne devais pas insister. C'était à lui d'établir les frontières de notre complicité, et s'il souhaitait s'en remettre aux ellipses, je n'avais pas d'autre choix que de le laisser en ponctuer son récit.

Au moment de me coucher, la tête me tournait légèrement – nous étions passés au brandy après avoir terminé le bordeaux. Je me sentais très heureuse. Tout en tirant la couverture sur moi, j'ai jeté un dernier regard à la chambre et j'ai pensé : *La vie ne nous réserve pas que de mauvaises surprises. Et la conjoncture a parfois du bon.*

J'ai connu ma première véritable nuit de sommeil depuis mon départ des États-Unis. Le lendemain, pendant le petit déjeuner (bacon, œufs, une espèce de saucisse locale du nom de boudin noir, pain et thé délicieux), j'ai remarqué que, derrière la dentelle des rideaux de la cuisine, le soleil resplendissait.

« Il fait beau, ce matin, ai-je dit.

— Un rare soleil d'hiver. Qu'est-ce que tu as prévu de faire aujourd'hui ?

— Je pensais aller voir où en étaient les travaux.

— Ça peut attendre. Tu ne voudrais pas plutôt que je te fasse visiter ? »

La voiture de Desmond, garée dans une petite impasse derrière la maison, était une Morris Minor – semblable à une Coccinelle Volkswagen, mais avec un capot plus long, et peinte en vert sapin. Pour la démarrer, Desmond s'est muni d'une espèce de barre de fer coudée qu'il a insérée dans une encoche au-dessus du pare-chocs avant, puis il est allé actionner le contact à l'intérieur de la voiture avant de ressortir donner un vigoureux tour à cette manivelle. Il a fallu recommencer l'opération quatre fois pour que le moteur daigne se mettre en marche. En montant dans la voiture, j'ai commis l'erreur de m'installer du côté du conducteur.

« Tu veux piloter ? a demandé Desmond avec un sourire.

— J'oublie tout le temps que vous conduisez à gauche, ici.

— Ça ne me dérange pas de te laisser le volant.

— Pas question. C'est toi le Dublinois, pas moi.

— Très bien. Vu qu'il n'est que neuf heures et demie et qu'on a bien sept heures de jour devant nous, je me disais que je pourrais te montrer tout le Southside de Dublin et t'emmener à Wicklow. À l'office de tourisme, ils l'appellent "le jardin de l'Irlande". Il faut avouer que c'est un bel endroit. »

Desmond n'a pas arrêté de parler de la journée. Et je ne m'en plaignais pas, trop contente de bénéficier d'une visite guidée aussi exhaustive de la ville et de ses environs. La Morris Minor n'avait pas un chauffage très performant, et il faisait un froid à faire geler le mercure ; j'ai gardé mes gants et mon manteau pendant toute notre traversée des quartiers de Dublin, tandis que je découvrais l'élégance et le raffinement de Ballsbridge, les mornes bungalows urbains de Stillorgan, et toutes les nuances de Dun Laoghaire avec ses petites maisons d'ouvriers, ses pavillons réservés aux cols blancs, sa zone commerciale un peu décrépite et son incroyable jetée s'étirant dans la baie de Dublin, face au port qui, d'après Desmond, avait assisté à bien des déchirements, quand, génération après génération, des milliers d'Irlandais s'étaient vus forcer de mettre leurs enfants sur le bateau de nuit pour Holyhead, au pays de Galles, afin de leur offrir une nouvelle vie. Il m'a également montré la tour Martello de Sandycove, où Stephen Dedalus partage une chambre avec Buck Mulligan dans *Ulysse*. La vue sur la baie était à couper le souffle, mais l'intérieur du bâtiment m'a semblé aussi ascétique et désolé qu'une cellule de moine. Mais ce qui m'a vraiment bluffée, c'est le panorama majestueux qui s'est offert à nous après quelques minutes de route à flanc de falaise, près du village de Dalkey : Killiney Bay et sa grève rocheuse.

« C'est la baie de Naples façon Dublin. Presque aussi beau que l'original italien. »

En traversant la banlieue en pleine expansion, il m'a désigné des lotissements dont les bâtiments modernes et identiques rappelaient les maisons Levitt datant de l'après-guerre aux États-Unis.

« Une lèpre architecturale, le *Bungalow Bliss*, est en train de s'emparer du pays, m'a expliqué Desmond. Ces horribles pavillons modernes auraient plus leur place à Dallas... je n'y suis jamais allé, mais tout le monde dit que c'est très laid. Et, en prime, c'est là-bas qu'ils ont tué notre John Fitzgerald Kennedy. Quoi qu'il en soit, ce style d'architecture est à la mode en ce moment, et défigure nos villes comme nos campagnes. Tu sais ce que c'est qu'un *gombeen* ? Il faut que tu connaisses ce mot, il est très important ici. Un *gombeen* est un type qui vendrait sa famille, ses amis et toute sa communauté pour quelques shillings. Et, en ce moment, Dublin est gangrené par des promoteurs immobiliers *gombeen* jusqu'à la moelle. Regarde là-bas, à un kilomètre à peine d'Enniskerry, un village superbe... ils appellent ça un lotissement, mais c'est juste un amas de bicoques bon marché, construites sans aucun égard pour l'esthétique locale, parce que ces gens-là sont persuadés que la modernité, va savoir ce que ça veut dire, passe par ce genre de bâtiment hideux. Mais mon avis n'intéresse personne. »

Bientôt, nous roulions en pleine campagne, au milieu de collines vertes recouvertes d'un manteau neigeux. Devant nous se dressait une montagne imposante, austère, de forme triangulaire, connue sous le nom de Sugarloaf, ou « Pain de sucre ». La route grimpait, et la terre autour de nous était déserte, à l'exception d'une maison isolée ici et là : une terre immense, rude mais majestueuse, à des années-lumière de l'univers urbain que nous venions de quitter. C'était enivrant de découvrir une pareille étendue sauvage à trente kilomètres à peine de Dublin. J'avais l'impression d'être coupée du monde. Après une pause déjeuner tardive près des ruines d'un monastère médiéval à Glendalough, nous sommes repartis vers un lieu appelé le Sally Gap. La route faisait des lacets serrés, et Desmond m'a raconté qu'elle portait le nom de Military Road, parce qu'elle avait été construite par l'armée anglaise après la rébellion de 1798 (« qu'ils ont réussi à mater, mais on ne leur a pas facilité la tâche »). Pour moi, c'était un véritable exploit que de bâtir une route à travers un paysage aussi inhospitalier.

« C'est ce qu'on appelle une tourbière. Un sol humide, trop boueux pour supporter le poids d'un corps. »

Une fois au Sally Gap, j'ai demandé à Desmond s'il pouvait s'arrêter, et je suis descendue de voiture. Mes chaussures faisaient craquer la mince pellicule de neige, et une brume qui semblait émaner du sol adoucissait la lumière de l'après-midi. Ces terres avaient quelque chose de hanté, de primal, de spectral, renforcé par la magnificence sauvage du Sally Gap lui-même. J'ai avancé de quelques pas, avec l'impression de marcher droit vers un précipice. Le bord du monde. Rien à voir avec les plages désertes du Maine, les White Mountains du New Hampshire, ni aucun des lieux où j'avais eu, jusque-là, le sentiment de me confronter à la nature vierge ; jamais je n'avais ressenti une telle fascination. J'ai regardé derrière moi. Le brouillard s'était épaissi, et la voiture, ma seule échappatoire en ce monde interdit, semblait s'être volatilisée. Le silence était écrasant, tout comme la certitude que, à l'exception de l'étroite bande pavée sur laquelle je me tenais, rien ne reliait cet endroit au monde que je connaissais, à ma vie en ce dernier quart du xxe siècle. J'étais tétanisée, envoûtée. Pendant quelques minutes, j'ai tout oublié du passé et de ses conséquences. Il me suffisait de continuer à m'enfoncer dans les profondeurs illusoires de cette brume pour faire table rase de tout ce que je connaissais, tout ce qui me pesait. Plus rien n'aurait d'importance. Une fine pluie me caressait le visage, le froid m'enveloppait comme un carcan, je n'entendais que le sifflement du vent. Jusqu'à ce que retentissent plusieurs coups de klaxon, qui m'ont rappelée à la réalité.

Quand je suis remontée dans la Morris Minor, Desmond n'avait pas l'air ravi.

« J'ai bien cru que tu allais quitter la route à la poursuite d'un fantôme.

— Difficile de résister à cet endroit.

— Je ne te le fais pas dire. Mais s'il t'arrive quelque chose là-dedans, que tu te foules la cheville, par exemple, on mettra des mois avant de retrouver ton corps. Tous les gangsters de Dublin savent que c'est le meilleur endroit où se débarrasser d'un cadavre : à quelques centaines de mètres de la route, personne ne se risquera à aller le chercher. »

J'ai eu très froid, soudain. Voyant que je resserrais mes bras autour de moi, Desmond a monté le chauffage.

« Le seul problème, quand on conduit un tacot de 1957, c'est qu'il ne faut pas espérer avoir chaud. Ouvre la boîte à gants, il devrait y avoir une flasque de Powers.

— Tu as toujours du whiskey dans ta voiture ?

— Oui, c'est pour les urgences médicales, comme maintenant. Allez, bois un coup. »

J'ai pris deux petites gorgées. L'effet ne s'est pas fait attendre.

« On retourne à la civilisation, a déclaré Desmond en redémarrant. Enfin, si tant est que Dublin puisse être considéré comme civilisé. »

La nuit est tombée quelque quarante minutes plus tard, alors que nous traversions les banlieues impersonnelles à l'ouest de la ville. Une fois à la maison, j'ai pris un bain brûlant afin d'effacer tout souvenir de la froidure de Wicklow.

« Tu ne comptes pas ressortir ce soir, j'espère, m'a dit Desmond quand je suis redescendue. Tu as failli attraper la mort, aujourd'hui.

— Je préfère te tenir compagnie, si tu veux bien me supporter deux soirs de suite.

— Avec plaisir, Alice. »

Comme la veille, le dîner était délicieux. Et, comme la veille, Desmond n'a pas arrêté de parler, notamment de sa fuite de quelques mois à Londres, au milieu des années soixante.

Il avait, m'a-t-il appris, de très bonnes raisons de quitter Dublin. Il avait réussi à convaincre le Royal Opera House de l'embaucher comme peintre. Un jour, il avait même surpris Rudolf Noureev en train de le reluquer. Cette dernière information était censée m'épater. L'équipe des décors comptait une bonne dizaine de membres, et Desmond ne connaissait personne à Londres. C'était en plein hiver. Il gagnait à peine onze livres par semaine, et vivait dans un vrai taudis à Golders Green, où il était le seul de tout le quartier à ne pas être juif. De tous ses rêves – assister à des concerts de grands chefs d'orchestre, visiter des musées célèbres, rencontrer des tas de gens intéressants et créatifs –, aucun ne s'était réalisé. Il avait essayé de se faire des amis, de combattre la solitude qui le dévorait de l'intérieur. Mais il n'avait pas ce qu'il fallait pour vivre dans une ville aussi grande et froide que Londres. Le Gate attendait son retour. C'était la dernière fois qu'il quitterait l'Irlande pour plus de deux semaines.

Nous avons bien mangé, bien bu. Je savais que, lorsque ma semaine ici se terminerait, je devrais m'en aller. Je le regrettais – cet endroit était si chaleureux, si beau, si accueillant, et Desmond lui-même serait triste de me voir partir.

« Tu n'imagines pas à quel point ça me fait plaisir d'avoir quelqu'un avec qui bavarder », m'avait-il dit alors que nous en étions au dessert.

Mais je m'étais rendu compte aussi – en particulier quand il a parlé de m'emmener acheter de nouveaux vêtements le lendemain, « dans le genre Leslie Caron, avec un petit côté *rive gauche* » – que, si je restais dans cette maison, Desmond prendrait lentement l'ascendant sur moi, et finirait par devenir une espèce de figure parentale qui m'imposerait ses goûts et son style. Or j'étais justement venue à Dublin pour échapper à toute sorte de contrôle de la part des adultes. L'idée de rester habiter ici était très tentante, parce que ça m'octroierait un confort de vie dont je n'aurais jamais osé rêver ; mais c'était aussi m'enfermer dans une relation où j'entendrais chaque jour des remarques telles que : « Tu devrais vraiment essayer de donner un peu de volume à tes cheveux. Je connais une coiffeuse hors pair sur South Great George Street, elle s'occupe de beaucoup de mes amies actrices, et elle te donnerait d'excellents conseils pour changer ta coiffure. Avec les cheveux raides comme ça, ton manteau militaire et ton pantalon en velours côtelé, on dirait que tu fais partie du fan-club de Trotski à Trinity. »

J'ai souri. Sans rien dire, j'ai repris un verre de bon bordeaux. J'ai passé une deuxième nuit de sommeil réparateur. Le lendemain matin, pendant que Desmond me faisait cuire des œufs et du bacon, je l'ai informé que j'allais faire un tour à ma studette pour me rendre compte de l'avancée des travaux, car je comptais y emménager la semaine suivante, avant le début des cours. Il a essayé de cacher sa déception, en vain. Il n'a pas parlé pendant plusieurs minutes, puis il est venu s'installer en face de moi, s'est versé une tasse de thé et a étalé de la marmelade d'orange sur un morceau de pain.

« Je comprends, tu sais », a-t-il fini par dire.

Une heure plus tard, quand je suis redescendue pour sortir, il m'attendait.

« Tu veux bien que je t'accompagne, histoire de voir dans quoi tu te lances ?

— Ce n'est vraiment pas la peine…

— Ah, pas de ça avec moi. Laisse-moi vérifier que tout se passe bien. »

Après toute la gentillesse et la générosité dont il avait fait preuve, je trouvais difficile de lui dire non. C'est ainsi que je me suis retrouvée dans sa Morris Minor, en direction de Pearse Street. Il s'est garé sur le trottoir en face du 75a, devant le cinéma décrépit.

« Je ne veux pas jouer les bégueules, mais ce n'est pas une rue pour une jeune fille comme toi. »

Sean est venu nous ouvrir la porte, habillé exactement comme les deux fois précédentes, et m'a adressé un des sourires mi-canaille, mi-gueule de bois dont il avait le secret.

« La belle Alice. Oh, mais je vois que tu as amené Oscar Wilde lui-même. »

Desmond a plissé les lèvres sous le regard moqueur de Sean.

« Je devrais peut-être m'inspirer de vos goûts vestimentaires, monsieur.

— J'aime rendre service, a répliqué Sean du tac au tac. Gerard est en plein travail, là-haut », a-t-il ajouté à mon intention.

En réalité, Gerard n'était pas du tout en plein travail. J'étais censée emménager dans quelques jours, et tout ce qu'il avait réussi à faire, c'était arracher le papier peint et reboucher à la va-vite quelques trous dans le mur dénudé.

« Je ne pensais pas vous revoir si tôt, a-t-il marmonné, l'air d'un gamin pris la main dans le pot de confiture.

— Mais vous aviez promis que tout serait fini à la fin de la semaine !

— J'ai eu des empêchements. Plein de boulot à la boutique. Donnez-moi une semaine de plus…

— Les cours commencent la semaine prochaine. J'ai besoin d'emménager avant ça.

— Ce n'est pas mon problème, a-t-il grogné.

— Veuillez m'excuser, est intervenu Desmond, mais si, c'est votre problème.

— Vous êtes qui, vous ?

— Je suis son oncle.

— Ben voyons.

— Regardez-moi ce travail. Vous appelez ça refaire une peinture ?

— Vous êtes sourd ? J'ai dit que j'avais été très pris.

— Quand on s'engage, on respecte les délais, a martelé Desmond.

— Mais pour qui vous vous prenez ? »

Gerard s'était remis à bégayer, mais il n'y avait rien de comique ni de pitoyable dans son ton menaçant.

« Combien tu as donné à ce sagouin ? m'a demandé Desmond.

« — Quinze livres, et je dois lui en donner quinze de plus quand il aura fini.

— Et j'ai intérêt à les avoir, a ajouté Gerard.

— Pour qui travaillez-vous ?

— Qu'est-ce qui vous fait croire que je vais répondre aux questions d'une vieille tante ?

— Parce que la tante en question ne perd pas son temps avec les ordures. »

Sans prévenir, Desmond l'a agrippé par le revers de sa veste et lui a assené un aller-retour retentissant. Gerard, pris de court, s'est recroquevillé avec un gémissement quand Desmond a approché son visage du sien.

« Ça ira, ou tu veux un autre rappel à l'ordre ? »

Gerard a secoué la tête, les larmes aux yeux.

« Alors, pour qui tu travailles ?

— Cafferty's Paints.

— Finbar Cafferty ?

— Ou... Oui.

— Ton patron est un très bon ami à moi, figure-toi. »

Se tournant vers moi, Desmond a ajouté :

« Le Gate lui achète toute sa peinture depuis trente ans. »

Il a lâché Gerard sans ménagement.

« Allez, déguerpis. »

Ce dernier ne se l'est pas fait dire deux fois.

« S'il y a une chose que je ne supporte pas, a repris Desmond avec un soupir, ce sont les insultes. Surtout venant de pauvres idiots comme lui, qui ne savent pas de quoi ils parlent.

— Tu vas appeler son patron ?

— Et comment. Je vais m'assurer que ce garçon revienne ici demain, quand il aura appris les bonnes manières, pour me servir d'assistant.

— "D'assistant" ?

— Tu aurais une sèche à me donner ?

— Pardon ?

110

— Une clope.

— Ah, oui, bien sûr. »

Je lui ai tendu le paquet de Dunhill que j'avais acheté la veille, suivant ainsi son conseil avisé. À l'aide d'une de mes allumettes, il a embrasé nos deux cigarettes avant d'aspirer quelques bouffées, les yeux clos.

« Je ne fume plus depuis près de dix ans, mais il n'y a que ça qui puisse me calmer quand je m'énerve.

— Je vois ce que tu veux dire.

— Non, tu ne vois pas ce que ça fait d'être traité de "tante". Bon, reprenons : tu veux absolument emménager dans cette masure – parce que tu ne te vois pas habiter chez un vieux schnoque comme moi...

— Je n'ai jamais dit ça.

— Je sais bien. Mais je ne te laisserai pas habiter ici tant que je n'aurai pas fini de tout repeindre correctement, même si je dois travailler avec le voyou de tout à l'heure.

— Tu n'es vraiment pas obligé de te donner tout ce mal...

— Si. J'y tiens. »

4

MON LIT EST ARRIVÉ le matin de ma première journée de cours. Les livreurs ont tout apporté dans ma studette fraîchement repeinte. Tandis qu'ils montaient le lit et installaient les autres meubles (qui étaient, pour la plupart, ceux que j'avais choisis à l'origine, mais pas tous parce que Desmond avait insisté pour passer au magasin afin de renégocier l'affaire avec Paddy), l'un d'eux a balayé la pièce du regard et fait remarquer :

« Pas mal, pour une chambre d'étudiante.

— J'ai dû tout refaire.

— Vous êtes quand même bien tombée, pas vrai ? »

Je n'ai pas su quoi répondre. Heureusement, Desmond – qui supervisait les opérations – l'a fait pour moi.

« File à ton premier cours. Je te retrouve ici à seize heures, et on pourra repasser à la maison récupérer tes valises.

— Ça me gêne de te laisser gérer tout ça.

— Ne dis pas de bêtises. Allez, dépêche-toi. J'ai entendu dire que le Pr Kennelley était un très bon orateur. »

Et il avait raison, sur ce coup-là comme sur beaucoup d'autres. Le Pr Kennelley était un homme imposant d'une quarantaine d'années, légèrement ventru, les cheveux en bataille et le regard pénétrant. Debout dans l'amphithéâtre, face à quelque cinquante étudiants, il a entrepris de nous parler d'un poète du comté de Monaghan appelé Patrick Kavanagh – qui avait quitté ses tourbières natales pour venir vivre en ville. Le Pr Kennelley nous l'a présenté comme un homme ayant une connaissance profonde de l'esprit irlandais et de la paranoïa instillée par l'Église catholique et l'isolement rural. Puis il nous a lu le début de son extraordinaire poème, « The Great Hunger », qui avait heurté les mentalités lors de sa publication en 1942 parce qu'il décrivait le néant sexuel de la vie solitaire et sans horizon d'un paysan irlandais. Ainsi que l'a fait remarquer le Pr Kennelley de son accent chantant (j'ai appris plus tard qu'il venait du Kerry), cette description faisait voler en éclats la vision idyllique de la vie rurale, de la « danse à la croisée des chemins », que tentait de propager le gouvernement d'Éamon de Valera. Kennelley lui-même était un poète accompli. Sa lecture des premiers vers de l'œuvre de Kavanagh, m'a subjuguée.

Clay is the word and clay is the flesh
Where the potato-gatherers like mechanised scarecrows move
Along the side-fall of the hill – Maguire and his men.
If we watch them an hour is there anything we can prove
Of life as it is broken-backed over the Book
Of Death? Here crows gabble over worms and frogs
And the gulls like old newspapers are blown clear of the hedges, luckily.
Is there some light of imagination in these wet clods?
Or why do we stand here shivering?
Which of these men
Loved the light and the queen
Too long virgin? Yesterday was summer. Who was it promised marriage to himself

Before apples were hung from the ceilings for Hallowe'en?

D'argile est la parole, d'argile la chair
Où les ramasseurs de pommes de terre tels des épouvantails
mécaniques se meuvent
Sur le versant de la colline – Maguire et ses hommes.
Si on les observe une heure peut-on prouver quoi que ce soit
De la vie telle qu'elle se trouve, l'échine brisée sur le Livre
De la Mort ? Ici les corbeaux jacassent pour un ver ou
une grenouille
Et les mouettes tels de vieux journaux sont emportées loin
des haies, par chance.
Y a-t-il une lueur d'imagination dans ces mottes humides ?
Sinon pourquoi rester ici à frissonner ?
Lequel de ces hommes
A aimé la lumière et la reine
Trop longtemps vierge ? Hier c'était l'été. Lequel s'était
promis le mariage
Avant qu'on accroche au plafond les pommes de Halloween ?

En passant à la cafétéria après le cours, je suis tombée sur Ciaran, qui quittait les lieux.

« Mais qui voilà ! a-t-il lancé, un sourire sardonique aux lèvres. Ça faisait longtemps que je ne t'avais pas vue.

— Il m'a fallu un moment pour emménager.

— Ah oui, dans la fameuse studette de Pearse Street. Ruth m'a raconté toute l'histoire.

— Vraiment ?

— Oui, elle connaît le logeur, Sean je-ne-sais-quoi. Figure-toi qu'elle a un jour commis l'erreur de se glisser dans son lit.

— D'après ce que je sais, Sean a convaincu pas mal de femmes de faire la même erreur.

— Méfie-toi, alors.

— Oh, il a déjà essayé. Et s'il a un peu de jugeote, il ne recommencera pas.

— Tu as menacé de lui coller un procès ?

— Pourquoi je ferais une chose pareille ?

— C'est un truc d'Américains, ça, de coller des procès à tour de bras.

— Ça fait toujours plaisir d'être réduite à un cliché.

— Je te chicane, c'est tout.

— La prochaine fois, essaie quelque chose de plus intelligent.

— Ça va, ne te vexe pas.

— C'est ce qu'on récolte quand on me prend pour une imbécile.

— *Mea maxima culpa.*

— *Perseverare diabolicum.* »

Je l'ai planté là et je suis entrée dans le bar, où Ruth servait des pintes de Guinness.

« Comment ça va ? a-t-elle demandé.

— Pourquoi les hommes sont-ils si bêtes ?

— Ils s'adaptent à l'environnement. Un verre, comme d'habitude ? »

J'ai acquiescé.

« Sean m'a dit que tu t'étais fait adopter par un petit vieux », a-t-elle ajouté.

Je n'ai rien répondu. Tout en allumant une Dunhill, je me suis demandé si les nouvelles allaient toujours aussi vite dans ce pays.

« Et je vois que ton nouveau tonton t'a convertie aux clopes de riche. »

Plutôt que de mordre à l'hameçon et de monter au créneau pour défendre Desmond, comme Ruth s'y attendait, j'ai préféré contre-attaquer.

« Je vois Sean ce soir. Je peux lui donner ton numéro, si tu veux, et lui dire que tu te languis de son haleine de bière.

— Oh, je t'en prie. Ça ne t'est jamais arrivé de faire des conneries quand tu étais cuitée ?

— Des conneries, oui. Mais à ce point-là ?... Non.

— Va te faire. »

Mais il n'y avait aucune agressivité dans sa voix, plutôt un amusement masqué, comme si elle me disait : *Bien joué, tu apprends vite.*

J'avais un deuxième cours cet après-midi-là, avec le Pr Higgins, sur la poésie de la Renaissance. Higgins portait une robe académique, cultivait un accent très british et semblait être le genre de professeur déterminé à gâcher tout le potentiel enrichissant et éducatif de ses cours en les rendant désespérément scolaires – et donc ennuyeux à mourir. Le sujet du jour était sir Philip Sidney, et bien que les trente et une années de sa brève existence aient été riches en intrigues politiques, œuvres littéraires et exploits chevaleresques – il était mort de la gangrène suite à une blessure reçue en défendant la cause protestante face aux Espagnols, en 1586 –, Higgins a réussi à en faire un récit plat et insipide, grâce à l'aridité et à la lenteur de sa diction. J'étais assise à côté d'un garçon plutôt grand, aux longs cheveux, en pull rouge à col V, pantalon pattes d'eph' en velours vert impeccablement repassé et veste de cuir marron. Il était avec une jolie jeune femme blonde à la tenue assez conservatrice (« twin-set » dans le même style que ce que portait Jacinta, collier de perles inclus), mais qui n'a pas cessé de fumer pendant toute la durée du cours. Lorsque j'ai dû interrompre ma prise de notes pour dissimuler un bâillement, j'ai bien vu que ça n'avait pas échappé à mes voisins. Ils m'ont souri d'un air amusé, et je leur ai rendu leur sourire, remarquant au passage qu'ils se tenaient la main sous la longue table de bois incurvé de l'une des neuf rangées de l'amphithéâtre. Quand Higgins a fini par se taire, la jeune femme s'est penchée pour murmurer :

« C'était comme écouter de la peinture en train de sécher.

— Il a raté sa vocation de commentateur de cricket sur la BBC », a ajouté son compagnon.

C'est ainsi que j'ai rencontré Paul et Lizzie. Lui était originaire de Dublin, plus précisément du quartier de Ballsbridge, et elle venait d'une petite ville du Nord appelée Enniskillen. Nous sommes sortis en bavardant et avons traversé New Square, la cour intérieure arrière de l'université, pour gagner le portail. Paul avait passé l'été précédent à New York, en stage dans un cabinet de droit de Wall Street, sur l'instigation de son père, avocat de son état.

« Il me laisse faire lettres pour l'instant, mais s'attend à ce que je finisse en droit.

— Et tu vas le faire ?

— Ne le lance pas là-dessus, m'a avertie Lizzie.

— Il y a pire que le droit, a répondu Paul. Au moins, j'aurai apprécié mes premières années d'études.

— Et toi, tes parents comptent t'envoyer où, après Trinity ? ai-je demandé à Lizzie.

— Mes parents se fichent pas mal de ce que je fais, tant que je ne cherche pas les ennuis..

— Mais tu veux quoi, toi ?

— C'est toute la question.

— Tu devrais venir boire un verre avec nous, un de ces jours, a proposé Paul. On se retrouve souvent entre copains au Mulligan's, sur Poolberg Street. D'ailleurs, on y sera peut-être demain en fin d'après-midi, vers cinq heures.

Une invitation typiquement dublinoise : « On y sera peut-être. » Personne ici ne s'embarrassait d'un emploi du temps précis, à l'exception des horaires de cours à Trinity. Être à l'heure n'avait rien d'une obligation sociale, au contraire ; si on était invité quelque part à partir de cinq heures, il n'était pas question de s'y pointer avant la demie. Cette manière de faire ne me dérangeait pas le moins du monde, même si j'avais pour habitude d'être ponctuelle. Il fallait juste que je m'adapte aux coutumes locales.

En attendant, seize heures approchaient. Avant de rentrer à Pearse Street, j'ai fait un saut chez Hodge Figgis, une librairie située juste à la sortie de l'université, pour acheter les *Collected Poems* de Patrick Kavanagh. Je venais tout juste de recevoir ma carte d'étudiante de Trinity, sur présentation de laquelle le vendeur m'a accordé une réduction immédiate de dix pour cent.

« Vous pouvez ouvrir un compte chez nous, vous savez, a-t-il poursuivi.

— Oh, mais ce serait risqué, ai-je plaisanté en lui tendant quarante-cinq pence.

— Il faut savoir vivre dangereusement. »

Et de m'expliquer que, si j'ouvrais un compte, je n'aurais besoin de régler mes dépenses qu'une fois par trimestre.

« Je vais y réfléchir. »

Je n'allais pas lui expliquer ma terreur à l'idée de m'endetter – terreur instillée très tôt en moi par mon père et ses récits de précarité financière, quand son propre père en permanence absent à cause de son poste dans la Navy oubliait d'envoyer à sa famille l'argent du loyer. « Les dettes, c'est le premier pas vers la faillite », me disait-il toujours.

En arrivant à Pearse Street, j'ai trouvé Desmond en train de boire le thé chez Sean.

« Il a la grande classe, ton bonhomme, m'a déclaré ce dernier. Il connaît tout un tas de gens importants dans le monde du théâtre, et d'après lui ma collection de photos a une sacrée valeur.

— S'il le dit, alors ça doit être vrai, ai-je répondu.

— Et il faut voir ce qu'il a fait de ta studette.

— Assez, assez, n'en jetez plus ! » a plaisanté Desmond.

Je suis montée et j'ai découvert que Desmond avait bel et bien fait des merveilles dans ma petite chambre, bien plus présentable maintenant que les murs étaient relativement lisses (« On a fait ce qu'on a pu, vu la qualité du plâtre », a-t-il commenté) et le plancher peint d'un riche marron. Non seulement le lit était en place et les draps mis, mais Desmond l'avait recouvert d'un édredon de velours vert en tout point identique à celui que j'avais chez lui. La pièce était ornée de quelques plantes et d'un tapis de style victorien, toutes mes valises avaient été rapatriées jusqu'ici et vidées, mes affaires mises en ordre, et les quatre assiettes, quatre bols et quatre assortiments de couverts que j'avais achetés soigneusement rangés dans les placards de la cuisine. Il y avait même une bouteille de vin rouge et deux verres posés sur la petite table de café.

« Tu n'étais pas obligé de faire tout ça, ai-je dit.

— C'est incroyable, hein ? a ajouté Sean. J'aimerais bien avoir un oncle comme ça, moi aussi. »

Sans réfléchir, je me suis retournée pour étreindre Desmond de toutes mes forces.

« Je n'ai pas l'habitude de tant de gentillesse. »

Il m'a répondu d'un sourire timide, pris de court par ma soudaine démonstration d'affection.

« Si on ouvrait le vin ? a proposé Sean.

— Tu sais quoi ? Je t'invite à dîner, ai-je déclaré à Desmond.

— Je ne me laisse jamais inviter par une dame.

— Tout va bien, je ne suis pas une dame. »

Bien évidemment, Sean a essayé de s'incruster. Mais, une fois terminée la bouteille de beaujolais nouveau, quand il a manifesté sans trop de finesse son envie de poursuivre la conversation avec nous, Desmond l'a gentiment rembarré :

« Tu vas la voir tous les jours, je pense que j'ai bien le droit de garder Alice pour moi tout seul ce soir. »

Sur le chemin du restaurant, il a pris un air soucieux.

« Ce n'est pas pour jouer les grands frères protecteurs, mais ce Sean m'a tout l'air d'un fieffé coureur de jupons. »

J'ai éclaté de rire, avant de lui dire qu'il était au moins le quatrième à me mettre en garde contre Sean.

« N'aie crainte, il sait déjà à quoi s'en tenir avec moi.

— Bonne fille. »

Nous avons fait un détour par Trinity pour vérifier ma boîte aux lettres. Pendant ma pause déjeuner, j'avais aperçu un étudiant d'une vingtaine d'années en train de haranguer une petite foule, debout sur les marches du réfectoire. Derrière lui se tenaient trois femmes avec une banderole « Parti communiste d'Irlande (Marxiste-Léniniste) » – cette précision entre parenthèses servant sans doute à les distinguer des maoïstes qu'on trouvait souvent en train de vendre leur *Petit Livre rouge* près de l'entrée principale. L'orateur s'époumonait au sujet des « capitalistes du monopole global », et ça m'avait fait aussitôt penser à mon frère Peter, volatilisé au Chili. Il ne se serait jamais montré si doctrinaire, lui dont la vision politique, bien que radicale, était plus nuancée et moins figée dans un carcan idéologique que celle de ce révolutionnaire irlandais. Au contraire, en écoutant le discours enflammé de ce dernier, je m'étais rappelé une chose que m'avait dite Peter lors d'une manifestation anti-guerre à Manhattan, où un groupuscule virulent du nom de « Brigade jacobine » nous avait cassé les oreilles pendant une partie de l'après-midi.

« L'idéologie est une feuille de route pour rigoristes dogmatiques. »

Guidée par cette pensée, je m'étais immédiatement dirigée vers la loge du concierge, près de laquelle se trouvaient les boîtes aux lettres, dans l'espoir d'y découvrir une lettre de mon frère. Mais la mienne était vide. Le concierge, remarquant ma déception, m'avait conseillé de revenir plus tard, quand le courrier de l'après-midi aurait été trié et distribué. Voilà pourquoi j'avais demandé à Desmond de passer par là pour se rendre au restaurant – j'avais le pressentiment qu'une lettre m'attendait..

En fait de lettre, j'ai trouvé un aérogramme provenant de Valparaiso, au Chili. Quand j'ai entrepris de déchirer le rabat, Desmond a sorti de sa poche un petit canif.

« Mieux vaut ouvrir ce genre de chose proprement. »

J'ai inséré la lame sous le rabat pour le décoller, et Desmond s'est éloigné de quelques pas tandis que je déchiffrais avidement les pattes de mouche de mon frère.

J'espère que tu recevras cette lettre. Je suis sur la côte Pacifique, dans une ville magnifique, en marge d'un pays tout aussi magnifique que notre gouvernement mène à sa perte. Les gorilles de papa nous cherchent partout. Adam a réussi à me retrouver à Santiago et m'a demandé de rentrer aux États-Unis, en disant que je ne savais pas ce que je faisais. À la place, j'ai préféré disparaître de la circulation. On repart d'ici dans quelques jours. Ne t'inquiète pas pour moi. La situation est changeante et complexe, mais aussi passionnante et cruciale. S'il te plaît, ne dis pas au reste de la famille que tu as eu de mes nouvelles. Laisse-les dans l'ignorance. Surtout papa. J'ai découvert des choses sur lui, et il est encore plus tordu que je ne le pensais. Bois une Guinness à ma santé.

Je tremblais.

« Mauvaises nouvelles ? s'est inquiété Desmond.

— C'est trop compliqué à expliquer. »

Mais, quand nous sommes arrivés au restaurant, j'ai éprouvé le brusque besoin de me confier. L'établissement se trouvait à quelques minutes de Trinity et s'appelait le Trocadero. Tapissé de velours rouge et d'affiches encadrées de grands noms du théâtre irlandais, il servait de la cuisine italienne. Le maître d'hôtel a accueilli Desmond comme s'il était le propriétaire de l'endroit, avant de nous désigner la meilleure table et de nous offrir un verre de prosecco.

« Tu es un habitué, à ce que je vois.

— C'est la cantine de beaucoup de gens, dans le milieu du théâtre. Et l'un des seuls endroits ouverts tard le soir à Dublin. Quand la plupart des pubs ferment leurs portes à onze heures, on n'a pas l'embarras du choix pour manger après une représentation. C'est Hilton Edwards qui m'a emmené ici en 1958, un an après l'ouverture. Il pensait encore avoir ses chances avec moi... mais ce n'est pas le sujet. La bouteille qu'on a bue chez toi me semble bien loin. »

Chez toi. C'était agréable à entendre.

Nous avons commandé des steaks et du vin, et j'ai brossé à Desmond un tableau assez complet de la situation familiale actuelle, à commencer par la manière dont mon père avait enrôlé Adam dans ses sinistres opérations, puis comment Peter s'était senti obligé de s'en mêler après le coup d'État contre Salvador Allende. Desmond m'a écoutée sans rien dire jusqu'à ce que j'aie terminé.

« Dis-moi si je me trompe, mais ton père a l'air de chercher désespérément une cause, quelque chose qui puisse l'aider à se définir. Et même s'ils se tiennent aux deux extrémités de l'échiquier politique, ton frère est taillé dans la même étoffe : aussi pugnace et obstiné que papa.

— Dit comme ça... ta théorie se tient. Mon père voulait devenir prêtre quand il était jeune, ensuite, il a abandonné cette idée pour s'engager dans les marines.

123

— Il a troqué la religion pour la guerre, ça reste une question de foi. Quant à ton frère, eh bien, il est passé par Yale Divinity, il a adopté le même principe, même si ce n'est pas par la voie la plus orthodoxe. D'après ce que tu m'as dit, ton autre frère suit aveuglément les préceptes de votre père. Quant à toi, tu es quelque part entre les deux, ce qui n'est pas une mauvaise chose. Mais la question que je me pose, c'est : quelle idée te fais-tu de la foi ? »

J'ai pris une gorgée de vin et repoussé mon assiette.

« C'est difficile à dire, ai-je répondu en allumant une cigarette. Disons que, malgré tous mes efforts, je n'arrive pas à imaginer un autre monde que celui-ci, et encore moins un paradis céleste, quel qu'il soit. Pour moi, la mort est quelque chose de définitif. On n'est plus là, on n'est nulle part, et c'est une pensée vraiment terrifiante.

— Tu n'as reçu aucune éducation religieuse ?

— Non. Ma mère se considère comme juive d'un point de vue social et éthique, quoi que ça veuille dire, mais elle n'est pas croyante. Et mon père n'est pas du tout pratiquant.

— Ce qui ne l'empêche pas d'avoir la foi, lui, si je comprends bien.

— Il dit que, pendant la Seconde Guerre mondiale, chaque fois que les Japonais lui tiraient dessus, il récitait le "Je vous salue Marie".

— Et il a survécu. Il a été épargné. Ce qui a permis ta venue au monde, et que tu sois assise en face de moi en ce moment même. Il y a tout juste trente ans, ton père se terrait au fond d'un trou d'obus. Je sais que, pour quelqu'un d'aussi jeune que toi, trente ans, c'est une éternité. Mais quand tu attaques bientôt ta septième décennie... Le plus dur, dans la vie, c'est la vitesse à laquelle elle passe. C'est pour ça que la foi peut être d'une grande aide.

124

— Tu es croyant, alors ?

— Je suis ce qu'on appelle un communiant quotidien. Je vais à confesse toutes les deux semaines. Mon confesseur, le père John, me suit depuis plus de trente ans.

— Pratique, pour toi.

— Il me connaît très bien, le père John... Mais laisse-moi te dire une chose : l'acte de confession est crucial. Il ne s'agit pas seulement de demander pardon au Seigneur, mais de se pardonner à soi-même, ce qui est sans conteste l'une des choses les plus difficiles qui soient. Vois-tu, si tu étais prête à... »

Brusquement, un ricanement s'est élevé près de nous. J'ai levé les yeux vers une petite femme très maquillée, la cinquantaine bien avancée, avec des cheveux blonds qui donnaient l'impression d'une teinture bon marché. Elle fumait une cigarette, et, à en juger par son rouge à lèvres, elle n'en était pas à son premier verre.

« Regardez qui revient d'entre les morts !

— Bonsoir, Maureen.

— À toi aussi, monsieur Kavanagh. Tu ne me présentes pas à ta jeune fille ?

— Alice, voici Maureen Colgan, l'une de nos plus brillantes actrices. »

La manière sardonique dont il avait prononcé « brillantes » n'avait échappé à personne.

« La flatterie ne mène nulle part, Des.

— Ce n'était pas le but, Maureen.

— Je m'en doute. Qu'est-ce que tu fabriques avec cette enfant ? Je veux dire, je sais que tu les aimes jeunes, mais, d'habitude, ils ne portent pas de jupe. Est-ce que tu aurais changé d'orientation ? »

Une expression de rage a traversé le visage de Desmond, mais il a rapidement repris le contrôle de ses nerfs.

« J'aime beaucoup tes cheveux, Maureen. Comment tu appelles cette couleur ? Marilyn Monroe post-mortem, peut-être ? »

Ç'a été au tour de la femme de s'empourprer.

« Tu devrais laisser tomber le bed & breakfast, a-t-elle sifflé, et ouvrir un salon de coiffure. Tout le monde dirait que tu as enfin trouvé ta vocation. »

Elle s'est éloignée d'un air hautain.

Desmond tordait sa serviette entre ses mains comme s'il voulait étrangler quelqu'un avec. Je ne savais pas quoi dire, alors je lui ai juste tendu mon paquet de cigarettes.

« Tu comprends mieux, maintenant, a-t-il soupiré après quelques profondes bouffées, pourquoi je déteste autant cette ville désolante d'idiotie et d'aigreur ? »

Mais je m'étais attachée à Dublin la désolante. Certes, en matière d'idiotie et d'aigreur, il était difficile de faire mieux. Certes, la tristesse de l'hiver, la pluie incessante, le peu de choix alimentaires (il existait deux fromages : le blanc ou l'orange), le paysage monochrome visible par la fenêtre certains jours de bruine, tout cela me décourageait parfois de quitter mon lit. Mais j'avais fini par m'accoutumer à l'humidité invasive, quitte à chauffer ma chambre à l'aide de briquettes de tourbe et d'un poêle à gaz pour que les murs ne pourrissent pas de l'intérieur. Il fallait changer la bonbonne toutes les deux semaines, et j'ai dû acheter un petit chariot pour les transporter. Comme la salle de bains commune était toujours glaciale (le seul chauffage provenait d'un petit radiateur à résistances suspendu au-dessus de la porte), j'ai pris l'habitude de me limiter à trois bains par semaine. J'ai appris à me passer du confort à l'américaine, qui m'avait toujours semblé si évident et indispensable : le chauffage central, l'eau chaude en permanence, l'isolation correcte. Au bout de très peu de temps, je me suis surprise à considérer comme normales des installations que j'aurais autrefois jugées archaïques. Je me suis entraînée à boire au bon rythme, de manière à tenir une conversation tout en picolant, sans m'effondrer en milieu de soirée comme une débutante. Il ne m'a pas fallu longtemps pour sympathiser avec Paul, Lizzie et leur groupe d'amis ; le Mulligan's, un pub à l'ancienne situé près des bureaux de l'*Irish Press* sur Poolberg Street, était un lieu de bois terni et de cuir lacéré, où flottait en permanence un nuage de fumée de cigarettes. La Guinness y était savoureuse. C'est devenu en quelque sorte mon deuxième bureau, principalement le soir – pendant la journée, j'alternais entre la cafétéria de l'université et le Bewley's. Les barmen me reconnaissaient, et je me suis même fait aborder à deux reprises par un journaliste de l'*Irish Press*, qui faisait aussi de la mise en scène, et qui m'a proposé de m'inviter à dîner. Il avait presque quarante ans et portait une alliance.

« Ça ne veut rien dire », s'est-il défendu la première fois qu'il m'a surprise en train de regarder l'anneau doré passé à son doigt.

J'ai tout de même refusé.

« C'est ça, le problème avec vous, les Américains. Vous êtes tous des puritains. Pour vous, c'est soit noir, soit blanc.

— Je ne suis pas puritaine. Tu es juste trop vieux et trop marié pour moi. »

Je n'avais pas raconté cette histoire à ma mère lorsqu'elle m'avait appelée le lendemain. Nous nous étions mises d'accord par courrier pour qu'elle m'appelle un dimanche sur deux, et je lui avais envoyé par aérogramme le numéro du téléphone public du 75a. Un dimanche sur deux, je me postais devant à trois heures moins dix de l'après-midi, pour m'assurer qu'il serait libre au moment où ma mère m'appellerait. Un appel de dix minutes depuis le téléphone de la maison lui coûtait cinq dollars, une somme non négligeable, et pour cette raison, ma mère se satisfaisait d'une conversation toutes les deux semaines. Je ne l'ai contactée qu'une seule fois, en PCV, le 20 janvier au soir, quand une bombe a explosé non loin de la maison, à Sackville Place. Au moment où la détonation a retenti, j'étais en train de rédiger une dissertation sur un poète de l'Ulster, Louis MacNeice, qui avait vécu un temps à Dublin pendant sa brève existence noyée dans l'alcool. Le poème qu'il avait composé sur cette ville aussi passionnante qu'exaspérante trouvait en moi un écho vibrant.

I was not born or bred
Nor schooled here and she will not
Have me alive or dead
But yet she holds my mind
With her seedy elegance,
With her gentle veils of rain
And all her ghosts that walk
And all that hide behind
Her Georgian facades –
The catcalls and the pain,
The glamour of her squalor,
The bravado of her talk.

Je n'y ai pas grandi
Et jamais elle n'aura
Ni ma mort ni ma vie
Mais ma conscience est sienne
Émue par son élégance,
Et ses doux voiles de pluie
Ses fantômes qui marchent
Et ce que dissimulent
Ses façades georgiennes
Les sifflets, la souffrance

Sa grisante vétusté
Son jacassement bravache.

MacNeice avait tapé dans le mille. Il dépeignait à la perfection les qualités spectrales de Dublin, ses jalousies sans fin, sa colère, sa grâce étrange. Plus loin dans le poème, quelques vers décrivaient ce que pouvait ressentir un étranger parmi les innombrables contradictions du lieu :

The alien brought,
You give me time for thought
And by a juggler's trick
You poise the toppling hour –
O greyness run to flower,
Grey stone, grey water,
And brick upon grey brick.

Étranger débarqué,
Tu me laisses le temps de penser
Et d'une main exquise
Tu suspends la chute des heures –
Ô grisaille réduite en fleurs,
Pierre grise, eau grise,
Et brique sur brique cendrée.

J'aime à croire qu'on lit pour ne plus se sentir aussi seul, pour prendre conscience que quelqu'un est déjà passé par là et a eu les mêmes pensées, les mêmes réactions, quelqu'un qui a affronté les mêmes dilemmes, doutes et regrets que vous. Je commençais à taper ma dissertation, une tasse de thé fumante à côté de ma machine à écrire, tout en songeant qu'il fallait mettre une nouvelle briquette dans le feu, et que j'allais sans doute passer au Mulligan's vers cinq heures et demie pour retrouver Paul et les autres (ils étaient tous allés au stade de Landsdowne Road voir le match de rugby opposant l'Irlande aux All Blacks de Nouvelle-Zélande). L'explosion m'a fait sursauter, si violente que ma petite fenêtre a tremblé dans son cadre. Puis il y a eu un bref silence, irréel, suivi par un vacarme de cavalcades et de portes qui claquent en provenance de l'escalier. Je me suis levée, et j'ai découvert ma voisine de palier en train de dévaler les marches vers le rez-de-chaussée, à la suite de plusieurs autres résidents. Je l'ai imitée. Par la porte d'entrée grande ouverte, un vent d'hiver venait glacer le hall. Sean était déjà là. Quand j'ai essayé de m'aventurer dehors, il m'a retenue d'une main ferme.

« N'y va pas. »

Il a désigné du doigt une colonne de fumée noire qui s'élevait quelque part sur l'autre rive de la Liffey.

« Une bombe ? » a demandé Sheila.

Sean a acquiescé, l'air grave. On entendait hurler des sirènes – les secours qui se précipitaient vers la scène du drame.

« Merde, a lâché Sheila.

— Il faut que j'aille voir, a dit une voix derrière nous. Maman était par là-bas. »

C'était Dervla, une femme de Wexford qui étudiait les beaux-arts à Trinity et habitait la studette voisine de la mienne. Je la trouvais discrète, presque sévère. Sa chambre était plutôt spartiate – un lit simple, une table, une chaise, et pas grand-chose de plus –, mais elle avait fait des murs une espèce de mosaïque démentielle de cartes postales représentant des œuvres de la Renaissance et du baroque tardif. Je la connaissais de vue, et on avait déjà fait le trajet pour Trinity ensemble, occasion au cours de laquelle j'avais découvert que Dervla préférait la solitude et la tranquillité. Elle m'avait tout de même confié que son sujet d'études de prédilection était l'art flamand du xvie siècle, en particulier les maniéristes anversois, et qu'elle espérait un jour travailler au fameux Courtauld Institute de Londres. En dehors de ça, notre relation se résumait à quelques signes de tête et sourires gênés quand on se croisait sur le palier, et à deux refus polis de sa part quand je lui avais proposé de prendre un café au Bewley's et d'aller au cinéma.

À présent, dans la panique suivant l'explosion, Sean devait la retenir de toutes ses forces pour l'empêcher d'aller se perdre dans le chaos de briques et de plâtre – ou ce qu'on présumait être le chaos, à en juger par la fumée qui s'élevait toujours et les sirènes de plus en plus nombreuses.

« Sois raisonnable, ma grande, a plaidé Sean.

— Mais maman est allée m'acheter des draps et des serviettes chez Arnott's. »

Arnott's était une grande surface située près d'O'Connell Street.

« Je ne peux pas te laisser y aller. Souvent, ils posent une deuxième bombe juste à côté de la première pour massacrer les gens en train de fuir ou les curieux qui affluent. »

Dervla a cessé de se débattre, épaules tombantes, retenant ses sanglots. Sean a relâché son emprise pour l'attirer à l'intérieur – et en une fraction de seconde, elle avait bondi dans la rue et s'est mise à courir, sans manteau, sous la pluie qui venait juste de recommencer à tomber.

« Oh non. »

Étant donné son tour de taille, Sean n'était évidemment pas en mesure de la poursuivre. Je m'en suis donc chargée. Dervla était rapide, avec un objectif clair en tête, et je n'ai réussi à la rattraper qu'à l'entrée de O'Connell Bridge, après College Green : un cordon de police avait déjà été mis en place afin de barrer la route aux civils. Je l'ai saisie par le poignet alors qu'elle argumentait vivement avec un *garda* pour qu'il la laisse passer, mais celui-ci est resté inflexible, répétant que personne ne pouvait traverser, mais qu'il était certain que sa mère allait bien. Dervla s'est mise à lui hurler dessus, folle de rage et de terreur. Je l'ai attirée contre moi et laissée sangloter sur mon épaule pendant que je présentais des excuses au *garda*. Puis je l'ai gentiment ramenée à la maison. Sean nous attendait devant la porte.

« Merci, Alice, a-t-il lancé d'un air soulagé. Vous devez être frigorifiées, toutes les deux, à sortir sans manteau. »

Il nous a emmenées chez lui, où un feu ronronnait dans la cheminée, et nous a fait signe de nous asseoir.

« Réchauffez-vous un peu pendant que je nous prépare un petit remontant. »

Aux yeux de Sean, il n'y avait pas de meilleur remontant que le whiskey chaud : deux doigts de Powers, une cuiller à café de sucre, une rondelle de citron agrémentée de clous de girofle, et une rasade d'eau bouillante par-dessus, tout en gardant une cuiller dans le verre pour l'empêcher de se craqueler sous l'effet de la chaleur. Assis tous les trois au coin du feu, à savourer tranquillement notre mixture, on a soudain entendu la porte d'entrée s'ouvrir. Diarmuid, un trentenaire qui travaillait à la bibliothèque de la National Gallery sur Merrion Square, et vivait dans le plus grand appartement du dernier étage, est entré dans la pièce en titubant, le visage ensanglanté. Nous nous sommes levés d'un bond.

« Sainte mère de Dieu », s'est écriée Dervla.

Puis elle a poussé Diarmuid dans le fauteuil qu'elle venait de quitter, tout en ordonnant à Sean de lui apporter de l'eau chaude et une serviette propre.

« Tu étais à l'attentat ? a-t-elle demandé.

— Je marchais dans le coin de Sackville Place quand cette bagnole a explosé. Je suis passé devant moins de trente secondes avant, a raconté Diarmuid. C'est l'enfer, là-bas. Il y a des gens couverts de sang, tout le monde court dans tous les sens. »

À sa voix atone, légèrement cassée, j'ai compris qu'il était encore sous le choc. Pendant que Sean s'affairait autour de la bouilloire, j'ai versé un double whiskey dans un verre qui traînait et que j'ai tendu à Diarmuid.

« Tu es une sainte. Tu n'aurais pas une clope, par hasard ? »

Je lui ai passé la Dunhill que je venais juste d'allumer quand il avait surgi. Dervla avait tiré un mouchoir de sa poche et entrepris de tamponner le sang sur son front, qui semblait provenir d'une entaille située juste à la naissance des cheveux.

« C'est un morceau de verre qui t'a fait ça ?

— Un morceau de quelque chose, ça c'est sûr, a-t-il grogné.

— Au moins, tes yeux n'ont rien eu. »

Sheila est arrivée au moment où Sean déposait sur la table un bol d'eau bouillante et un torchon. Elle a ouvert de grands yeux à la vue de Diarmuid et du sang qui couvrait son visage, sa chemise et sa veste.

« Bon Dieu, il faut l'emmener à l'hosto.

— Ça m'étonnerait qu'on arrive à trouver un taxi », a rétorqué Sean.

Dervla a écarté son mouchoir de la plaie, et le sang s'est instantanément remis à couler. Elle a aussitôt trempé le torchon dans l'eau bouillante et l'a appliqué sur l'entaille. Diarmuid a poussé un petit cri de douleur.

« Il est propre, ce torchon, au moins ? a-t-elle demandé à Sean.

— Tu l'as trempé dans l'eau bouillante, il est désinfecté, maintenant.

133

— Il va avoir besoin d'une suture, a insisté Sheila. Ma mère m'a prêté sa Mini pour le week-end, je l'ai garée juste devant.

— Qu'est-ce qu'on attend, alors ? »

Dervla s'est levée.

« On ne mettra pas plus de cinq minutes à atteindre Holles Street.

— C'est une putain de maternité, a objecté Sean.

— Je pense qu'aujourd'hui, ils prendront tout le monde, pas juste les femmes enceintes. »

Le téléphone a sonné, et je suis sortie en courant pour répondre.

« Dites-moi que Dervla est là, a supplié une dame au fort accent campagnard.

— Elle est là.

— Oh, Dieu soit loué.

— Vous êtes sa mère ?

— Oui, c'est moi.

— Dervla ! ai-je crié. C'est ta mère ! »

Quelques heures plus tard, je relatais tous ces événements à la bande d'amis de Paul dans un box du Mulligan's. Sean était là, lui aussi, avec Sheila et Diarmuid – ce dernier avait bel et bien été suturé à la maternité, et tous se bousculaient pour lui payer à boire. Dervla, quant à elle, avait rejoint sa mère, qui se trouvait sur O'Connell Street, non loin de Sackville Place, au moment de l'explosion. Terrifiée, elle avait trouvé refuge dans un grand magasin pendant près d'une heure avant que la police n'autorise tout le monde à ressortir dans la rue, et il y avait tellement de queue pour utiliser le téléphone du magasin qu'elle avait dû attendre d'être rentrée dans son bed & breakfast de Parnell Square pour appeler sa fille. Toutes deux avaient préféré aller dîner au sud de la ville plutôt que de nous accompagner au Mulligan's : ainsi que Dervla me l'avait dit une fois, la clientèle n'était pas exactement le genre de compagnie qu'elle cherchait. Diarmuid a longuement épilogué sur ses talents de secouriste, avant de raconter comment Sheila et elle l'avaient emmené au Holles Street Hospital, et comment Dervla avait exigé de l'infirmière à l'accueil qu'elle appelle un médecin sur-le-champ.

« Elle a été géniale. J'ai eu une sacrée veine que Sheila ait la Mini de sa mère pour me conduire fissa à l'hosto.

— J'ai conduit "fissa" parce que tu mettais du sang partout, figure-toi. Ma mère n'aime pas trop qu'il y ait des taches de sang sur ses sièges. »

Paul, Lizzie et le reste de leur groupe n'avaient eu vent de l'attentat qu'en sortant du stade, après la fin du match.

« Pour l'instant, on a eu de la chance avec les attentats, a dit Paul. Il n'y en a eu que deux l'année dernière. Enfin, je ne sais pas combien celui-là a fait de victimes…

— Juste un mort, et quatorze blessés graves, a répondu Sean. J'ai eu l'un de mes espions de la Special Branch au téléphone. D'après lui, ils attribuent la bombe à l'UVF, pour toutes les raisons qu'on connaît. »

L'UVF, c'était l'Ulster Voluntary Force – l'organisation paramilitaire des loyalistes protestants d'Irlande du Nord, l'équivalent de l'IRA dans l'autre camp. Suite aux informations délivrées par Sean, la discussion s'est intensifiée – à voix basse, histoire de ne pas ameuter le reste du pub – pour savoir si l'IRA avait pu mettre en scène l'attentat afin de galvaniser l'opinion publique contre les loyalistes. Sean, de son côté, se demandait tout haut si les services secrets de l'armée britannique n'étaient pas de mèche avec l'UVF. Fascinée, j'écoutais toutes ces théories du complot s'affronter et se défaire les unes les autres, sans moi-même prendre part à l'échange. La situation était dense, complexe, en perpétuelle évolution.

J'ai vite compris que Sean était beaucoup plus républicain que Paul, modéré convaincu, qui soutenait que la seule issue à ce conflit était le dialogue, mais que les événements en Irlande du Nord avaient dégénéré de manière tragique dans les deux camps. Lorsque Sean – au tempérament attisé par de nombreuses pintes de Guinness – s'est offusqué d'un commentaire de Paul selon lequel les républicains du Nord ne valaient pas mieux que les terroristes, le type assis à côté de moi m'a poussée du coude.

« On va chercher des bières ? »

J'ai hoché la tête, et il m'a entraînée dans un autre recoin du pub. C'est ainsi que j'ai rencontré Roger Dalby, Australien originaire de Melbourne, dont le père était un banquier de renom avec beaucoup d'attaches dans le parti libéral – « Ils devraient changer de nom, a-t-il ajouté avec amertume, parce qu'il n'y a rien de libéral dans l'Australian Liberal Party. »

« Dès que la conversation s'engage sur les milices paramilitaires, la frontière et les Anglais, je vais voir ailleurs, m'a-t-il expliqué alors qu'on attendait nos bières. Ma première année ici, j'ai commis l'erreur de donner mon avis sur le Nord, et de demander tout haut s'il n'y avait pas un moyen plus simple de régler tout ça. Évidemment, deux des types dans la pièce étaient des descendants directs de militants exécutés au GPO en 1916. Je peux te dire que je n'ai jamais plus abordé le sujet. »

Roger était étudiant en économie – mais dans le but de devenir le prochain John Maynard Keynes, pas Milton Friedman.

« Les adeptes de Friedman sont en train de démanteler la démocratie sociale. Tu vas voir que les ploutocrates vont finir par prendre le pouvoir, si on continue à les laisser faire. »

Huit ans plus tard, à la lumière du gouvernement Thatcher et du modèle économique de Reagan, je repenserais à cette déclaration faite au Mulligan's, en ce jour de janvier. Il y avait de quoi être impressionnée par une telle prescience.

Quand il m'a proposé d'aller passer la nuit chez lui, sur le campus, j'ai refusé, profitant que le pub nous mettait tous dehors à une heure déjà tardive pour rentrer dormir : les événements et le stress de la journée m'avaient épuisée, sans compter que je devrais terminer ma dissertation sur Louis MacNeice le lendemain matin.

« Quelle pisse-froid, celle-là, a plaisanté Sean quand j'ai décliné sa proposition de poursuivre la soirée avec un fish and chips.

— C'est toujours mieux que d'être une pisseuse, a renchéri Diarmuid, tellement ivre à ce stade que Sheila devait l'aider à tenir debout.

— Bien joué, Diarmuid, a sifflé celle-ci. Amis de la poésie, bonsoir.

— Fiche-lui la paix, a plaidé Sean. Il a eu une rude journée.

— Ce n'est pas une excuse pour jouer les connards sexistes. »

À Dublin, il n'est jamais aisé d'abandonner un groupe d'amis avec qui on picole depuis presque cinq heures, surtout un samedi soir alors qu'il n'est pas encore minuit et que la dynamique de groupe exige de faire passer l'amusement avant le sommeil. Mais un délai est un délai, et je devais penser à ma dissertation. En rentrant au 75a, Pearse Street, j'ai subitement décidé d'appeler ma mère pour lui dire de ne pas se faire de souci au sujet de l'attentat. Naturellement, j'étais trop bourrée (le terme n'est pas aussi expressif que « cuitée », mais j'ai un faible pour sa gaillardise), pour réfléchir une seule

137

seconde au fait que l'appeler en pleine nuit n'était pas vraiment judicieux. Mais si ça passait aux informations... cela dit, à l'époque, les informations passaient à la télévision deux fois par soir, et ma mère écoutait rarement les radios d'information de New York. Quoi qu'il en soit, j'ai appelé à la maison.

« Une bombe ? Mon Dieu. Il faut que tu rentres tout de suite.

— C'était une petite bombe... Et j'appelais justement pour te dire que je n'étais pas dans ce quartier-là.

— Une "petite bombe", ça n'existe pas.

— Wheathermen a fait exploser une maison à Greenwich Village, je te rappelle. Et il n'y a pas eu une explosion à l'aéroport de LaGuardia l'an dernier ?

— Peut-être, mais c'est chez nous. Tu es à l'étranger. Ce n'est pas pareil. Je vais appeler ton père à Santiago pour qu'il te fasse rentrer.

— C'est ridicule, maman.

— Quoi que je fasse, tu trouves toujours que c'est ridicule.

— Je voulais juste te prévenir que je vais bien.

— Tu as bu, n'est-ce pas ?

— Ne commence pas...

— C'est bon, tu peux me le dire : tu es allée boire pour te remettre du choc.

— Bonne nuit, maman. »

Et j'ai raccroché.

Mon père m'a effectivement appelée le lendemain. Par chance, j'étais encore chez moi en train de rédiger ma dissertation quand le téléphone a sonné.

« Il y a un type du Chili qui veut te parler ! » a hurlé Sean dans l'escalier.

Je me suis précipitée en bas, persuadée que mon père allait m'ordonner de prendre le prochain avion

138

pour New York. Au lieu de ça, je l'ai trouvé d'excellente humeur.

« Ta mère m'a téléphoné tout à l'heure, en pleine crise de nerfs. Alors comme ça, il y a eu un attentat ? On a téléscripteur au bureau, ici, alors j'ai pu lire le rapport. Un mort, quatorze blessés. C'est terrible, mais on a vu pire. Bon, j'ai calmé ta mère et je l'ai convaincue que ce n'était pas une raison pour te forcer à rentrer. Si ça devenait régulier, par contre...

— C'était un incident isolé, ai-je répondu avec empressement – parfaitement consciente de l'absurdité d'une telle assertion.

— C'est aux paramilitaires qu'il faut dire ça, pas à moi. À part ça, tout va comme tu veux ? »

Je lui ai raconté comment je m'étais organisée pour vivre, avant d'aborder le sujet qui me brûlait les lèvres.

« Où est Peter ? Qu'est-ce qu'il fait ?

— Pour ce que j'en sais, il se porte comme un charme, même s'il traîne avec des gens peu recommandables.

— Tu l'as vu ?

— Pas encore.

— Tu lui as parlé ?

— Non plus.

— Alors comment peux-tu savoir qu'il va bien ? Il n'y a pas de répression contre les opposants au régime ?

— Ce n'est pas un "régime". C'est un gouvernement en bonne et due forme.

— Je ne pense pas qu'un putsch puisse jamais se faire "en bonne et due forme".

— Si Allende était resté au pouvoir, ta mère serait veuve, et toi, tu serais orpheline.

— Comment tu le sais ?

— J'ai des amis haut placés. Les mêmes qui m'assurent que Peter est en pleine forme. Je ne peux pas l'empêcher de rester ici à jouer les *guerilleros*, mais je fais en sorte qu'il ne lui arrive rien de fâcheux. Bon, il faut que je te laisse, j'ai une mine à faire tourner. Bois un coup de Tullamore Dew à ma santé. Je t'aime, ma chérie. »

Une phrase dans la lettre de Peter continuait de me tracasser : *Notre père est encore plus tordu que je ne le pensais.* Pourquoi ne pas lui avoir demandé plus d'explications ? Parce que je savais qu'il me prendrait de haut. « Tu connais ton frère, c'est un radical, il voit des conspirations de droite partout... Oui, je soutiens Pinochet, mais c'est une question de liberté économique, rien de plus. » Pour être honnête, il y avait une autre raison : c'était bien plus facile pour moi d'ignorer les détails de ce qu'il faisait, de ce qu'il pensait. Ainsi, je n'étais pas obligée de faire face à toutes les questions morales et éthiques soulevées par son activité dans un endroit aussi instable.

Alors je suis retournée à mon devoir sur MacNeice. Quand je l'ai terminé, j'ai décidé d'aller frapper à la porte de Dervla. Elle m'a ouvert au bout d'un long moment, agacée.

« Je suis un peu occupée.

— Je voulais juste savoir si ta mère va bien.

— Je l'ai emmenée prendre son train pour Wexford il y a une heure.

— Elle s'est remise de l'attentat, alors ?

— Oui, c'est du passé, maintenant. Excuse-moi, mais j'ai un gros devoir à rendre demain.

— Désolée de t'avoir dérangée.

— Ce n'est pas grave. »

En retournant dans ma studette, j'ai pensé : notre vulnérabilité en cas de crise nous force à nous unir, à agir en communauté, mais, dès que l'urgence est passée, chacun bat en retraite vers son petit espace privé.

Quelques jours plus tard, je suis tombée sur Roger au bureau des étudiants. Il avait des places pour une pièce dans un petit théâtre appelé The Focus, et j'ai accepté de l'accompagner. La salle se trouvait dans une impasse près de Fitzwilliam Square, et n'était effectivement pas très grande – elle comptait une soixantaine de sièges. L'actrice principale, une certaine Deirdre O'Connell, toute de noir vêtue et aux cheveux d'un roux flamboyant, avait une prestance incroyable. Elle jouait la mère dominatrice dans la pièce de Tennessee Williams, *La Ménagerie de verre*. En la voyant malmener son rêveur de fils, Tom, pour son manque d'ambition professionnelle et la manière dont il différait de sa vision d'un gentleman, en assistant à la mutilation mentale de sa fille déjà infirme, j'ai compris que Williams voyait la maternité comme une machine à culpabilité, où les enfants, même adultes, portent encore le fardeau des échecs de leurs parents. Le monologue de Tom, à la fin de la pièce, m'a bouleversée ; désormais enrôlé dans la marine marchande, à des milliers de kilomètres de Saint-Louis et de son cauchemar maternel, il se rappelle la fragilité de sa sœur, sa certitude tragique de vivre le reste de son existence dans un monde limité, sans jamais se lier à personne. Roger n'a fait aucun commentaire, et m'a emmenée finir la soirée dans un pub du nom de Doheny and Nesbitt's. Tout en buvant Guinness sur Guinness, nous avons parlé de nos difficultés familiales respectives jusqu'à ce que l'établissement nous mette dehors. Le frère aîné de Roger, Geoffrey, s'était noyé à treize ans, alors que la famille passait l'été dans leur résidence secondaire de la Mornington Peninsula, à quelques dizaines de kilomètres au sud de Melbourne. Leur mère n'avait pas supporté le choc. À plusieurs reprises, elle avait dit à Roger que c'était lui qui aurait dû mourir, pas son frère.

« Tu vois pourquoi j'ai pris la tangente. Mon père s'est tellement absorbé dans son travail qu'il a à peine remarqué que je quittais le pays. »

Sans réfléchir, je lui ai pris la main. Quand le pub a fermé et qu'on s'est retrouvés sur le trottoir en pleine nuit, Roger m'a proposé de poursuivre cette conversation dans sa chambre d'étudiant. Cette fois, j'ai dit oui.

Je me rappelle avoir beaucoup aimé la décoration de sa chambre : un grand drapeau australien faisait office de dessus-de-lit, et, sur les murs, des photos d'équipes de rugby australiennes et irlandaises côtoyaient celles d'économistes célèbres. En regardant tout ça, j'ai pensé : *Il est en dernière année. Dès qu'il aura terminé ses examens, en mai, il partira pour Oxford... Pourquoi est-ce que je pense à tout ça avant même de savoir s'il se passera quoi que ce soit entre nous ?*

Sans surprise, Roger était quelqu'un de très énergique au lit – et sans doute un peu rapide pour moi. Il avait aussi des idées bien arrêtées sur la place des femmes dans le monde : pendant les quelques semaines que nous avons passées ensemble, il s'attendait à ce que je m'occupe de sa lessive et à ce que je vérifie que sa femme de ménage faisait correctement la poussière. Il est même allé jusqu'à me laisser tomber sans prévenir pour passer la soirée avec ses copains de l'équipe de rugby.

« C'est pour ça qu'il ne faut jamais sortir avec un fou du ballon ovale, a observé Lizzie ce soir-là, en me voyant d'humeur de plus en plus massacrante à mesure que l'heure avançait.

— Il faut dire qu'ils ont fait un beau match contre Queens, est intervenu Paul. Ça ne m'étonne pas qu'ils fêtent ça comme il se doit.

— Tu comprends pourquoi Paul n'aura pas de mal à finir médiateur dans tout un tas de comités ? Il est incapable de voir le mal chez les gens.

— Roger est un type bien », me suis-je défendue.

J'aurais pu ajouter : *Il est exactement comme le dernier homme de ma vie, déchiré entre son intelligence et son besoin de jouer les bêtes de scène.*

Je n'ai jamais parlé à ma mère de ces six semaines passées en compagnie d'un Australien. Je savais quelle aurait été sa réaction : *Quoi, un sosie de Bob ?* Je me posais moi-même la question, par moments. Mais, au cours de notre relation, j'ai appris beaucoup de choses sur le rugby et l'économie, et nous avons passé ensemble un week-end mémorable dans le Connemara : Roger avait reçu de son père l'équivalent de cinquante livres comme cadeau d'anniversaire, et il a emprunté la voiture d'un ami pour m'emmener passer trois jours sur la côte ouest de l'Irlande. Il avait pensé à se procurer deux alliances bon marché, en laiton, pour faire illusion dans la maison d'hôtes où nous logions à Clifden : la femme du bureau d'accueil leur a jeté un regard avant de nous fixer d'un air hautement suspicieux.

« Vous n'auriez pas votre acte de mariage sur vous ?

— On l'a oublié à Melbourne, a répondu Roger de son ton le plus obséquieux. On est en lune de miel.

— Bien entendu », a soupiré la femme en prenant les six livres que coûtaient trois nuits d'hébergement.

Roger a repris la clé sans rien ajouter.

« Et si on baisait le plus bruyamment possible ? » m'a-t-il lancé une fois dans l'escalier.

Quelques minutes plus tard, alors que je me retenais de faire trop de bruit pendant nos ébats (ce qu'il m'a fait remarquer par la suite), je me suis rendu compte que je supportais de moins en moins sa vulgarité et son besoin de jouer les chauvins virils.

Une révélation de ce genre peut paraître étrange, au beau milieu d'un acte aussi intime et prenant, mais j'ai eu la certitude que, le dimanche suivant, de retour à Dublin, je mettrais fin à cette histoire – et que je n'en souffrirais pas le moins du monde. Cette pensée m'a permis de profiter pleinement de la magnificence enchanteresse du Connemara. Le Sally Gap avait été pour moi une révélation, par son isolement et sa beauté brumeuse, à moins d'une heure de Dublin ; mais cet endroit était d'une profondeur presque spirituelle. Le premier jour, nous avons fait le tour d'un massif montagneux appelé les Twelve Pins, un ensemble de pics verdoyants qui nous dominaient, non à cause de leur hauteur, mais de l'impression qu'ils nous donnaient d'être encerclés par un univers à la limite du mythique. Nous sommes descendus de voiture, les seuls êtres humains à perte de vue. Pendant les dix minutes suivantes, nous avions tout ça pour nous seuls : le vert saisissant des versants de montagne, les lacets raides de la route, la pénombre du ciel, le silence absolu, ponctué seulement par le gémissement du vent. Dans ce genre d'instant, nous sommes face à quelque chose de tellement inattendu, tellement éloigné de notre vision du monde, que la vie nous apparaît sous un jour différent : fabuleuse et tangible à la fois.

Le dimanche matin, nous nous sommes levés tôt pour nous rendre sur une plage à quelques kilomètres de Clifden – une grève rocheuse, à l'orée de la furie primale de l'Atlantique. C'était une de ces rares journées au temps clément, dont le soleil, dans le ciel d'un bleu irréel, nous baignait de ses rayons timides. L'océan, en revanche, était déchaîné, et heurtait la grève avec un bruit de cymbales affranchies de toute direction d'orchestre.

« C'est classe », a fait remarquer Roger.

Il manquait cruellement de poésie, mais c'était un défaut qu'il assumait complètement. La veille au soir, dans le pub de Clifden où on avait dîné, il m'avait déclaré :

« J'ai eu une éducation stéréotypée : études dans un bon lycée, une grande école, rugby et parfois un peu de cricket, la plage au plus fort de l'été australien comme droit inaliénable, et mariage avec une Sheila bien blonde prête à élever des gosses, à préparer les repas, à se comporter en épouse modèle pendant les dîners mondains et à jouer au tennis avec les femmes des autres.

— Tout ce que je ne suis pas, en somme.

— J'aime beaucoup le fait que tu diffères radicalement de tout ça. Ce que je voulais dire, c'est que tu te plains souvent du conformisme des États-Unis, mais l'Australie ne vaut pas mieux.

— Pourtant, même si tu arrives à intégrer Oxford, ce qui sera sans doute le cas, tu finiras quand même par retourner là-bas, trouver un travail extrêmement bien payé et épouser exactement le genre de femme que tu décris.

— Et si je te disais que j'aimerais que tu viennes avec moi à Oxford ?

— Quoi, pour faire le ménage et la cuisine dans ta petite chambre étudiante ?

— Tu pourrais te faire transférer là-bas.

— Non. D'abord, ça me donnerait l'air de quelqu'un qui est incapable de tenir en place, et puis Oxford n'est pas Trinity : ils ne m'accepteront jamais avant de voir mes résultats d'examen de cette année, et même s'ils me prenaient, je devrais sans doute recommencer de zéro. Et surtout, je n'ai aucune envie de t'accompagner là-bas. Vraiment. »

Roger avait pâli.

« Au moins, c'est direct…

— Comme tu l'as fait remarquer plein de fois, la franchise fait partie intégrante de nos deux cultures. Je ne voulais pas seulement être directe. Je voulais aussi être claire. »

Sur ce, je m'étais penchée pour déposer un baiser sur ses lèvres.

« Mais je t'en prie, ne gâchons pas ce merveilleux week-end. »

Nous avions fait l'amour ce soir-là, mais je le sentais préoccupé. Tout comme le lendemain, sur la plage. Quand je lui ai annoncé que je voulais me promener seule un petit moment, il n'a pas fait mine de me retenir. La grève n'était pas grande – cinq cents mètres de long, tout au plus – mais ça n'enlevait rien à sa majesté. Je me suis tournée face à l'océan, qui continuait de marteler férocement le sable, et, debout sur l'Ancien Monde, j'ai regardé vers le Nouveau, celui d'où je venais et que j'étais de plus en plus heureuse d'avoir laissé derrière moi. Puis j'ai observé Roger du coin de l'œil, un peu plus loin sur la plage, et j'ai ressenti une agréable indifférence à l'idée que nous étions sur le point de nous séparer. Il n'aurait été qu'un bref chapitre dans le récit continuel de ma vie. À quoi bon regretter quelque chose qui, de toute façon, n'aurait jamais pu marcher ? Était-ce une consolation comme une autre, ou étais-je en train de devenir plus sage ?

Nous avons fait le trajet de retour en parlant de tout et de rien, évitant soigneusement le sujet sensible qui nous concernait au plus haut point. Quand il m'a déposée sur Pearse Street, j'ai simplement dit :

« C'était vraiment sympa.

— Oui, a-t-il répondu sans me regarder.

— On reste en contact.

— Tu es toujours aussi froide ?

— Je sais que tu vas au-devant de grandes réussites, Roger. »

Il n'a pas su comment le prendre. Je lui ai pressé le bras et, de mon meilleur accent australien, j'ai lancé :

« À la revoyure, mon gars. »

Puis je suis descendue de voiture et j'ai pénétré dans la maison sans un regard en arrière.

Plus tard, ce soir-là, je me suis replongée dans mon anthologie de Patrick Kavanagh pour relire ce qui était sans doute mon poème préféré, auquel le Pr Kennelley avait consacré un cours entier la semaine précédente. Il s'appelait « Come Dance with Kitty Stobling », et bien que son titre (« Venez danser avec Kitty Stobling ») fasse immédiatement penser à une œuvre pastorale située dans une campagne idyllique, son contenu était en réalité délicieusement subversif.

No, no, no, I know I was not important as I moved
Through the colorful country, I was but a single
Item in the picture, the name, not the beloved.
O tedious man with whom no gods commingle.
Beauty, who has described beauty? Once upon a time
I had a myth that was a lie but it served:
Trees walking across the crest of hills and my rhyme
Cavorting on mile-high stilts and the unnerved
Crowds looking up with terror in their rational faces.
O dance with Kitty Stobling I outrageously
Cried out-of-sense to them, while their timorous paces
Stumbled behind Jove's page boy paging me.
I had a very pleasant journey, thank you sincerely
For giving me my madness back, or nearly.

Non, non, non, je sais que je ne comptais pas en marchant
À travers la campagne vive, je n'étais qu'un seul
Objet dans le tableau, le nom, pas le bien-aimé.
Ô homme d'ennui dont les dieux point ne veulent.
La beauté, qui a décrit la beauté ? Il était une fois
Un mythe que j'avais, un mensonge efficace :
Des arbres enjambant la crête des collines, mes rimes
Gambadant sur des échasses d'une lieue de haut, et les
masses

Troublées levant leurs visages rationnels empreints de ter-
reur.
Dansez donc avec Kitty Stobling, ai-je crié
Outrageusement, éperdument, alors que leurs pas timorés
Se pressaient derrière le petit page de Jupiter sur mes talons.
Mon voyage fut très agréable, je vous remercie
De m'avoir rendu ma folie, ou peu s'en faut.

C'était, d'une certaine manière, un poème sur la nature de la muse, où le poète se maintient perpétuellement à l'écart – témoin des événements du monde, mais sans jamais y prendre part. C'était également une méditation sur « les acrobaties du versificateur », comme l'avait formulé Kennelley : son langage propulsé au-dessus des normes terre à terre, et qui pourtant s'efforçait de rester en contact avec le quotidien de tout être humain.

Mais, à la lumière des quelques jours que je venais de passer, j'ai été particulièrement frappée par les premiers vers. N'être *qu'un simple objet dans le tableau, le nom, pas l'être aimé* ; était-ce là la nature des relations amoureuses ? *Un mythe que j'avais, un mensonge efficace.* Les relations humaines n'étaient-elles pas toutes ainsi ? La famille ? La fable idéalisée d'un bonheur commun, démentie par la confusion et les errements de la réalité ?

Kennelley était l'un de mes professeurs favoris. Je vouais aussi une véritable adoration à mon maître de conférences sur Joyce, David Norris : brillant orateur, toujours très élégant, intellectuel accompli, et ouvertement gay (ce qui, en 1974, et à plus forte raison en Irlande, équivalait à marcher sur le fil d'une lame – mais dont il se sortait avec brio), il avait des idées passionnantes sur le processus créatif. Il avait passé presque un cours entier à nous faire réfléchir sur l'obsession de Joyce pour les pots de chambre et la *merde* qui s'écoule de nous tous, mornes excrétions mettant en évidence notre

148

humanité commune et la manière dont nous sommes tous plongés dans le limon saumâtre de la vie.

Norris était généralement satisfait de mes devoirs, ce qui ne l'empêchait pas de souligner çà et là un défaut stylistique ou d'interprétation – mais de façon constructive plutôt qu'acerbe. Un jour, je l'ai croisé au Bewley's, alors qu'il discutait avec un jeune homme assez séduisant d'une petite trentaine d'années qu'il m'a présenté comme :

« Aaron, que ses nombreux péchés forcent à nous rendre visite d'Israël. Et voici la brillante Alice Burns. Comme beaucoup d'Américains intelligents, elle est venue se laisser corrompre à Dublin – au nom de la littérature anglo-irlandaise. »

Je dois dire que j'ai apprécié cette introduction. J'aimais l'atmosphère relativement détendue de Dublin. Les étudiants parlaient rarement de ce qu'ils se voyaient faire dans dix ans, d'argent ou de carrière. On n'y ressentait pas ce besoin très américain d'accomplir des choses, de réussir. Malgré son dénuement et sa situation isolée – ou peut-être grâce à elles – Dublin était un lieu de bohème, en ce qu'on pouvait y vivre assez confortablement pour très peu. Pour autant, la ville ne se définissait pas uniquement par sa roture et son absence d'industrie : dans un tout petit théâtre, j'ai assisté à une reprise d'une pièce incroyablement sombre et parlante sur une famille irlandaise de Coventry, intitulée *A Whistle in the Dark*, et j'ai pu ainsi constater que les dramaturges de ce pays excellaient à démanteler les mythes nationaux et les complexités de la politique irlandaise. J'ai également découvert des auteurs comme Sean O'Faolain, capables de dénoncer l'Église et le provincialisme galopant de la vie en Irlande, tout en mettant en valeur ses qualités urbaines. O'Faolain lui-même était un autre de ces adeptes et adversaires : jeune, il avait combattu pour la cause nationaliste, mais n'hésitait pas maintenant à critiquer avec froideur les résultats de cette lutte. Je me rendais ainsi compte que, à l'image de son homologue américaine, la littérature irlandaise se débattait entre les griffes de sujets épineux comme l'identité nationale, les contradictions communautaires, les tabous, mensonges et mythes qui servent de clés de voûte à notre psyché collective... Mais, lorsque j'ai exprimé ce sentiment dans une dissertation pour le Pr Kennelley, sa réponse au bas de ma copie a été, pour ainsi dire, très révélatrice.

Je vois bien que vous essayez de faire le lien entre deux cultures littéraires, dont aucun auteur ne peut échapper à la question : que signifie le fait d'appartenir à un lieu si déconcertant ? Mais vous oubliez à quel point la géographie influence une littérature nationale, et comment la petitesse et la tribalité de notre île nous définissent, de la même façon que la vastitude, la fluidité et la richesse de l'Amérique sont omniprésentes dans les œuvres de vos compatriotes. L'immensité de votre continent convoque des idées de liberté et de terreur.

Il n'avait pas tort, et son point de vue était plus nuancé que celui des maoïstes campés sur les marches du réfectoire de Trinity, scandant à qui voulait l'entendre que l'impérialisme américain était un véritable cancer. Ce commentaire m'est revenu en mémoire le jour où j'ai demandé à Sheila si elle pensait nettoyer la baignoire après son bain à l'aide du détergent en poudre et de l'éponge disposés expressément à cette fin dans un coin de la salle d'eau. Sa réaction a été édifiante.

« Vous, les Amerloques, vous devriez vous préoccuper un peu moins d'hygiène et un peu plus des villageois vietnamiens que vous assassinez. »

J'en suis restée bouche bée.

« Tu me mets dans le même panier que Nixon et Kissinger, là ?

— Tout ce que je veux, c'est que tu relativises un peu. Quelques traces dans la baignoire, ce n'est pas la fin du monde.

— Mais quel rapport avec les crimes de guerre des États-Unis ? Tout le monde nettoie la baignoire après usage, sauf toi…

— Tout ce que vous touchez doit être aseptisé, vous autres. La saleté, le désordre, ça vous file les chocottes. Putain, si on vous écoutait, tout serait stérile. »

Avant que je puisse riposter, furieuse, trois coups du lourd heurtoir métallique ont retenti dans l'entrée.

« C'est mon gars », a déclaré Sheila en me bousculant pour passer. Je l'ai regardée emprunter l'escalier, agacée par ce contretemps et par le pressentiment que, si je voulais me laver dans une baignoire propre, je devrais la récurer moi-même. Ce que je m'apprêtais à faire quand une voix demandant si c'était bien la résidence d'Alice Burns a résonné dans l'entrée. Elle m'était vaguement familière, avec un accent manifestement américain.

« Une deuxième Yankee qui te cherche », a annoncé Sheila en remontant.

Je suis descendue dans le hall, et je me suis retrouvée face à une jeune femme de mon âge, en caban gris foncé, blue-jean et bottes usées, un bonnet en laine sur sa longue chevelure noire et un sac de tissu vivement coloré posé à ses pieds. *Non, ça ne peut pas être elle.* Elle a vu mon expression.

« Oui, c'est bien moi. Revenue d'entre les morts. »

Devant moi se tenait Carly Cohen.

5

ELLE AVAIT CHANGÉ radicalement de coiffure depuis la dernière fois que je l'avais vue : ses cheveux avaient poussé presque jusqu'à sa taille et étaient teints en noir corbeau. Ses rondeurs adolescentes avaient fondu en une maigreur impressionnante. Elle fumait sans discontinuer ; à côté d'elle, mon paquet de clopes quotidien semblait raisonnable. Une fois dans ma studette, elle a ôté son manteau et son pull, et j'ai pu voir un poing noir tatoué sur son biceps droit, accompagné des mots : *Revolution Now*. Elle m'a raconté qu'elle se l'était fait faire au cours des quelques mois qu'elle avait passés à Oakland, quand elle avait « fricoté avec un type du mouvement ». Quel mouvement, elle n'a pas précisé. J'ai aussi remarqué de nombreux stigmates au creux de son coude gauche, ressemblant à des cicatrices de seringue. Elle a suivi mon regard stupéfait.

« Ouais, j'ai été junkie un petit moment. Toujours à Oakland. Mais je suis clean maintenant, et ça va mieux depuis que je me suis barrée de ce putain de pays. »

D'ailleurs, elle ne s'appelait plus Carly Cohen, mais Megan Kozinski à présent.

Elle m'a ensuite expliqué à quel point il était facile de changer d'identité, et comment, après sa disparition d'Old Greenwich, elle avait mis le cap sur la côte Ouest :

un trajet de cinq jours en autocar, payé avec une partie de l'argent de ses baby-sittings. Elle s'était retrouvée à San Francisco, où elle ne connaissait personne, et avait évalué que son pécule pourrait lui permettre de survivre pendant un mois.

« En 1971, on ne faisait pas mieux que Haight-Hasbury pour un cas comme le mien. Je suis entrée dans un café avec mon sac à dos, et j'ai demandé au type du comptoir s'il connaissait un endroit où je pourrais squatter quelque temps, surtout que je n'avais pas dormi dans un vrai lit depuis cinq nuits. Le mec s'appelait Troy, il venait du Kansas. Ses parents étaient des baptistes purs et durs, ils l'avaient viré de chez eux quand il avait décidé d'arrêter ses études d'agriculteur. Il avait décidé de partir pour l'Ouest, comme moi, comme beaucoup d'autres. Il était plutôt mignon, et assez cool. Il vendait de l'herbe et de l'acide à ses heures perdues. Il m'a dit que je pouvais venir chez lui quand il aurait fini son service, dans une maison qu'il partageait avec cinq ou six autres personnes. Évidemment, il voulait me sauter. Alors je l'ai laissé faire. Au moins, il avait sa propre chambre dans cette baraque complètement pourrie sur Frederick Street, pas loin de Buena Vista Park. Quand on a fini de baiser, je me suis retournée et j'ai dormi au moins quatorze heures. Je me suis réveillée le lendemain matin. Troy m'a dit que je pouvais rester un peu chez lui, et qu'une copine à lui, Wendy, cherchait quelqu'un pour l'aider à tenir son magasin d'herbe sur Haight Street. Et c'est comme ça que, deux jours à peine après avoir débarqué à San Fran, je me faisais un dollar cinquante de l'heure en vendant des bongs et du papier à rouler. Je n'avais pas de loyer à payer, tant que je continuais à\coucher avec Troy. Ce n'était pas difficile de vivre avec quatre dollars par jour. J'aimais bien l'ambiance du quartier, d'autant plus qu'il y avait plein de jeunes comme moi qui s'étaient échappés de chez eux. Le problème, c'est que j'étais recherchée. Troy a débarqué un matin avec le *San Francisco Examiner*, et il y avait ma photo dedans, avec le long article sur le harcèlement à Old Greenwich High paru dans le *New York Times*. Tu étais citée pas mal de fois, d'ailleurs, et j'ai trouvé vraiment sympa tout ce que tu as dit sur moi, comme quoi je me faisais victimiser et que personne au lycée ne réagissait, et comment Ames Sweet, Deb Schaeffer et tous les petits cons dans leur genre s'en tiraient sans jamais être inquiétés depuis des années. Troy et Wendy aussi ont trouvé que c'était la classe, mais ils pensaient que ce n'était qu'une question de temps avant que les flics ou les fédéraux rappliquent, sans oublier le détective privé que mes parents avaient engagé pour me retrouver – c'était dit dans l'*Examiner*. Troy connaissait un mec de New York, un certain Sid, qui bossait à la librairie City Lights. Anarchiste jusqu'au bout des ongles. Il avait fait partie des Weathermen pendant un bout de temps, jusqu'à ce qu'ils deviennent complètement tarés et violents. Enfin, bref, ce type m'a expliqué comment obtenir une nouvelle identité : il fallait prendre un bus vers n'importe où, mettons l'Arizona, trouver une bibliothèque dans une grande ville et éplucher les archives de rubriques nécrologiques pour dégoter quelqu'un dont la date de naissance serait proche de la mienne et qui soit mort jeune. Donc Phoenix était la ville idéale pour trouver une fille morte… et, de préférence, morte à l'étranger.

« J'y suis allée en bus, j'ai trouvé un hôtel miteux et j'ai passé deux jours à éplucher toutes les archives de l'*Arizona Republic* entre 1960 et 1965. À la fin du deuxième jour, je suis tombée sur ce que je cherchais : une gamine de six ans, Megan Kozinski, morte au Brésil en novembre 1960. D'après l'article, son père travaillait à Rio, elle avait contracté une espèce de virus mortel, et l'enterrement avait eu lieu là-bas. Parfait. Je suis rentrée à San Francisco et Sid m'a aidée à écrire à la mairie du lieu de naissance de la gamine, en expliquant que j'étais Megan Kozinski, née le 3 septembre 1954, que j'avais perdu mon acte de naissance et qu'il m'en fallait un nouvel exemplaire. Les formulaires sont arrivés, je les ai remplis en racontant que mes parents étaient missionnaires aux îles Samoa depuis quinze ans – encore une idée de Sid –, et j'ai joint un mandat de paiement pour les six dollars de frais. Comme le gouvernement brésilien n'avait sûrement pas transmis de certificat de décès à l'État d'Arizona, et comme il n'y avait pas ses parents, Peter et Rita Kozinski, dans l'annuaire, la mairie ne pourrait pas les contacter pour vérifier mes dires, et accepterait l'explication des "quinze ans à l'étranger" pour admettre le fait que Megan Kozinski n'ait pas de numéro de sécurité sociale. Bien entendu, il a fallu que je couche avec Sid pour qu'il accepte de m'aider. C'était un gros libidineux de trente-sept ans, assez immonde, mais bon, c'est grâce à lui que j'ai obtenu mon acte de naissance et mon permis de conduire – comme j'avais fait la conduite accompagnée, il m'a juste fait réviser deux trois fois et j'ai eu le permis facilement du premier coup. »

J'ai levé une main pour tenter d'interrompre ce flot de paroles.

« Excuse-moi, mais je voudrais savoir ce qui s'est passé, au juste, dans le parc, pour que tu décides de fuir ?

— Je te raconterai ça plus tard. Tu as encore un peu de pain ? Il est tellement bon, et ça fait douze heures que je n'ai rien mangé. Et le double que je n'ai pas dormi. Le ferry de nuit depuis la France…

— Qu'est-ce que tu faisais en France ?

— T'occupe.

— Comment tu as fait pour me retrouver ?

— Les murs ont des oreilles. Je peux avoir encore un peu de thé ? »

Je lui ai rempli sa tasse tandis qu'elle beurrait une tranche de pain et la dévorait en un clin d'œil.

« Ça t'ennuie si je squatte ton plancher pour la nuit ?

— Pas du tout. Avec un peu de chance, le gérant de l'immeuble aura un matelas à te prêter. Tu as un sac de couchage ?

— Toujours. Quand on fait la tournée des auberges de jeunesse…

— Tu t'es fait faire un passeport au nom de Megan je-ne-sais-plus-quoi ?

— Kozinski. Megan Kozinski. C'est mon nom maintenant. Carly Cohen est morte, tu dois m'appeler Megan, d'accord ?

— Si tu veux.

— C'est vraiment cool, ici. Comment tu as trouvé une chambre pareille ?

— C'était une ruine quand je suis arrivée. J'ai tout fait refaire.

— Ton papa t'a envoyé un gros chèque ?

— Quoi ? ai-je laissé échapper, décontenancée par sa question et son ton goguenard.

— J'ai dit quelque chose de mal ?

— Un peu, oui.

— Oh, pas la peine de te vexer.

— Tes parents savent que tu es ici ?

— Quels parents ? Megan Kozinski n'a pas de parents.

— Mais Carly Cohen, si. Et je suis bien placée pour savoir qu'ils ne se sont jamais remis de la disparition de leur fille. »

Carly a haussé les épaules.

« Qui sème le vent…

— Qu'est-ce que tu veux dire ?

— On était heureux à New York, comme ta famille. Et puis papa s'est mis en tête que la ville devenait trop dangereuse et trop sinistre. Il avait ce vieux rêve de

157

prendre son petit bateau tous les jours pour longer Long Island, et puis de rentrer dans sa belle maison au bord de la mer pour écrire le grand roman du siècle dont il nous a rebattu les oreilles au dîner pendant pas loin de cinq ans, histoire de quitter enfin le monde carnassier du journalisme de magazine. Alors ils m'ont traînée à Old Greenwich, avec tout ce que ça engendrait comme conséquences. Ils savaient que je ne m'intégrerais jamais dans ce monde de petits-bourgeois de merde. Ils savaient que ma vie serait un enfer. Mais ma mère, avec son diplôme de Vassar et toute sa sagesse de psychologue, prenait toujours la défense de mon père et de ses idéaux à la con, comme chercher l'endroit parfait pour écrire le roman qu'il ne commencerait jamais.

— Alors tu t'es enfuie, tu as laissé tout le monde croire que tu étais morte, et tu as détruit leurs vies dans la foulée.

— Depuis quand tu es aussi moralisatrice ?

— Tes parents se sont séparés après ton départ. Ta mère a fait une dépression nerveuse. Ton père, d'après ce que j'ai compris, est devenu alcoolique.

— Et c'est ma faute ?

— Écoute, je sais à quel point Old Greenwich était horrible...

— Tu ne te faisais pas maltraiter à longueur de journée, ni traiter de grosse et de sale gouine. Tu ne t'es pas fait agresser dans un parc, désaper pour qu'on t'écrive des insultes sur les seins, et tenir les bras dans le dos par cette connasse de Deb Schaeffer pendant qu'Ames Sweet le malade mental se branlait sur toi.

— Il a vraiment fait ça ?

— Tu ne me crois pas ?

— C'est juste que Deb Schaeffer a avoué qu'ils avaient écrit *Sale homo* sur ta poitrine, mais pas qu'Ames s'était masturbé...

— Inutile de sortir les grands mots, Alice. Ce salopard s'est *branlé* sur moi. Et après ça, Deb m'a filé deux coups de poing dans le ventre, Ames m'a ouvert la bouche de force pour y enfoncer de la terre, et il m'a dit que, si je racontais ça à quiconque, ils me ramèneraient ici et que, cette fois, je saurais "ce que ça fait de se faire ramoner par une grosse bite". »

Les yeux fixés sur le dessus de ma petite table, je regrettais d'avoir demandé ce qu'il s'était passé ce soir-là. J'aurais préféré ne rien savoir. Carly a fini son pain, s'est emparée d'une nouvelle tranche, et l'a généreusement tartinée de beurre.

« C'est une drogue, ce pain.

— Pourquoi tu n'es pas allée voir la police ?

— Après ce qui m'était arrivé, je n'avais plus qu'une seule envie, disparaître au fond d'un trou. Je savais que les flics traiteraient tout ça comme un petit conflit entre ados. Mais deux types de Stamford ont débarqué, des Noirs, ceux qui vendaient de l'herbe et du speed à Sweet. Quand ils ont vu dans quel état j'étais, et après que je leur ai expliqué ce que Sweet m'avait fait, ils m'ont proposé leur aide. Alors je leur ai demandé de me conduire chez mes parents, qui étaient au théâtre pour la soirée. J'avais déjà décidé de laisser mon vélo dans le parc pour que tout le monde croie qu'il m'était arrivé quelque chose. Les deux types m'ont attendue dehors pendant que je montais vite fait récupérer mes économies cachées dans une boîte à chaussures sous mon lit. Si j'avais pris ne serait-ce qu'un sac et quelques fringues de rechange, ils l'auraient remarqué et auraient pensé à une fugue. Ensuite, les deux mecs m'ont emmenée à la gare de Stamford. Je savais que c'était risqué de leur faire confiance, mais ils étaient très cool. La gare de Stamford est beaucoup plus fréquentée que celle d'Old Greenwich, alors c'était plus facile de me fondre dans la masse. J'ai pris un train vers dix heures pour Grand Central Station, et, de là, j'ai marché jusqu'à la gare routière de Port Authority. Il y avait un bus en partance pour Los Angeles, qui passait par Washington, Norfolk, Nashville, Oklahoma City, Santa Fe, Phoenix, Palm Springs... C'est marrant que je me rappelle tout ça, alors que j'ai passé presque tout le voyage à comater. Tout ce que j'avais, c'était les vêtements que je portais sur le dos et mon argent de poche. Même pas une brosse à dents. J'ai dormi jusqu'à Nashville. Après, j'ai passé toutes mes journées à regarder les plaines désertes de l'Oklahoma, la crasse du Texas Panhandle, et l'immense désert à l'ouest du Nouveau-Mexique. Quand on est arrivés à LA, la gare routière était tellement glauque que j'ai pris le premier bus vers le nord jusqu'à San Francisco. Tu connais la suite. »

En réalité, je ne connaissais que le début. Les questions se bousculaient dans ma bouche, mais sa longue tirade m'avait mise mal à l'aise. Je n'arrivais toujours pas à croire qu'elle se trouvait là, dans ma chambre ; qu'elle avait fait tout le chemin depuis la France pour venir me voir. Comment avait-elle eu mon adresse ?

« Il y a une salle de bains ici ? a-t-elle demandé.

— Au premier étage.

— Avec une douche ?

— Une baignoire.

— Oh, j'adore les bains. Je peux en prendre un ?

— Oui, il faut juste que je mette des pièces dans la machine pour lancer le chauffe-eau.

— C'est comme ça que ça marche, ici ?

— Bienvenue à Dublin. »

Elle s'est levée.

« Bah, qui a besoin de tout notre confort américain de toute façon ? Je pense que je me coucherai après le bain. Trente heures sans dormir, ça commence à me peser. »

160

Je suis descendue glisser dix pence dans la fente du compteur et allumer le chauffe-eau, puis j'ai dit à Carly (je n'arrivais pas encore à l'appeler Megan) que l'eau serait chaude dans dix minutes. Elle était déjà en train de s'installer dans ma studette, empilant ses quelques vêtements sur ma commode et déroulant son sac de couchage par terre. Bien sûr, je n'aurais pas envisagé une seule seconde de refuser de l'héberger, mais ma chambre était trop petite pour deux. C'était le plus étrange dans cette affaire : même si je souhaitais de tout cœur me réjouir de la réapparition de Carly, je ne pouvais pas m'empêcher de ressentir un certain malaise. Pourquoi s'était-elle ainsi obstinée à faire du mal à ses parents ? Une simple carte postale – *Je suis en vie, ne me cherchez pas* – aurait suffi pour les rassurer, et savoir qu'elle n'avait pas été tuée leur aurait peut-être permis de tenir le choc au lieu de sombrer comme ils l'avaient fait. Mes propres parents avaient provoqué bien des dégâts, avec leurs caractères impossibles, mais je ne me voyais pas les faire souffrir comme Carly avait fait souffrir les siens. Rien ne justifiait un tel acte.

Je l'ai laissée là pour descendre frapper chez Sean.

« Comment ça va, ma belle ?

— J'ai une invitée surprise.

— Elle est aussi splendide que toi ?

— Ce sera à toi d'en juger. Le truc, c'est qu'elle va passer quelques nuits chez moi, et je n'ai nulle part où la faire dormir.

— C'est vrai que ton plancher est un peu dur. Tu veux que je te prête un matelas ?

— Ce serait génial. »

Sean est allé farfouiller dans la remise derrière la maison. Pendant ce temps, j'ai fait couler un bain pour Carly, allant même jusqu'à y jeter quelques sels de bain pour parfumer l'eau. Quand je suis rentrée dans ma chambre, elle était déjà en sous-vêtements. Je lui ai prêté une de mes serviettes.

« Tu as du shampooing et du savon ? a-t-elle demandé.

— Il y en a à côté de la baignoire. »

Alors qu'elle s'enroulait dans la serviette, on a frappé à la porte, et Sean est entré sans attendre ma réponse, un matelas une place sous le bras. Il s'est figé à la vue de Carly, détaillant du regard sa silhouette filiforme et la longue crinière noire qui lui tombait sur les épaules.

« C'est qui, cette déesse ? »

J'ai fait les présentations. Sans réfléchir, je l'ai appelée Carly.

« C'est Megan, en fait, a-t-elle corrigé.

— Alors pourquoi elle t'a appelée Carly ?

— Une vieille histoire.

— Ah, niveau histoires tordues, on en connaît un rayon en Irlande. N'hésite pas à venir prendre une tasse de thé avec moi, Meg. Voici ton matelas. Il est un peu humide, mais je t'ai pris une vieille couverture pour l'enrouler dedans. Ça couvrira l'odeur. »

Le matelas était une véritable infection, et la couverture sentait elle aussi le moisi. Dès que Carly est descendue prendre son bain, je me suis précipitée chez Diarmuid. Il habitait le plus grand logement de l'immeuble : un salon équipé d'une cuisine, et une chambre à part entière juste à côté. Son salon était rempli de gigantesques piles de vieux journaux, de livres et de disques, et même d'une quantité impressionnante de bouteilles de vin vides. Quand je vivais chez mes parents et que ma mère trouvait ma chambre mal rangée, elle me demandait souvent si j'avais l'intention de finir comme les frères Collier : deux New-Yorkais qui avaient gardé chaque journal, chaque boîte de conserve, le moindre objet sur lequel ils pouvaient mettre la main, jusqu'à mourir entourés de montagnes d'ordures accumulées. Diarmuid semblait bien parti pour les imiter. Cette fois, j'ai été effrayée de constater que les piles de journaux frôlaient dorénavant le plafond, et que l'amas de bouteilles vides empêchait d'accéder à la fenêtre. Diarmuid lui-même n'avait pas l'air gêné de me faire traverser ce capharnaüm. Il m'a proposé une tasse de thé, mais j'ai décliné en expliquant que je cherchais juste un deuxième matelas parce qu'une amie avait débarqué sans prévenir des États-Unis, et que celui que m'avait déniché Sean était...

« C'est Sean tout craché. Il reste bien au chaud dans son terrier, en bas, et quand on lui demande quelque chose, il nous refile de la daube. Tu as de la chance, je garde un matelas sous mon lit. Pas très épais, mais propre, et sans trace de moisissure. »

Je l'ai suivi dans sa chambre, où les murs avaient disparu derrière des monticules de livres et de vinyles.

« Ta bibliothèque est impressionnante.

— Ma mère est passée me rendre visite hier. En voyant tout ça, elle a dit que j'allais finir au Gorman. »

Le Grangegorman était l'hôpital psychiatrique le plus célèbre de Dublin. Sean l'appelait « l'Académie du rire », et m'avait expliqué que le locataire précédent de ma studette y avait été enfermé après qu'on l'avait surpris à hurler des insultes à un groupe de touristes japonais désemparés, juste devant le portail de Trinity.

D'un côté, l'inquiétude de la mère de Diarmuid était on ne peut plus légitime. Un claustrophobe n'aurait pas tenu une minute dans cette pièce. Mais, grâce à sa manie de tout garder, j'avais gagné un matelas relativement propre et complètement sec. Il m'a même prêté un drap-housse en laine pour le recouvrir, et invitée à revenir le voir si j'avais besoin de quoi que ce soit. « On ne sait jamais ce que je peux avoir, ici. »

Au premier étage, Carly chantonnait dans la salle de bains. Comment pouvait-elle chantonner ? Je me suis aussitôt sentie coupable de ce mouvement d'humeur et de ce jugement hâtif. Il me restait beaucoup à apprendre sur sa nouvelle vie, énormément de questions à poser. Mais, avant tout, Carly/Megan avait besoin de dormir.

J'ai récupéré le matelas de Sean et je suis descendue pour le lui rapporter. Quand il m'a ouvert la porte, je lui ai expliqué que j'avais trouvé un matelas en meilleur état chez Diarmuid.

« Si on fouille chez Diarmuid, on est sûrs de trouver des bouts de cadavre et toutes les pages manquantes du Livre de Kells.

— Il y manque des pages ?

— Ne joue pas à la plus maligne, tu veux.

— Bon, qu'est-ce que j'en fais, de ce matelas ?

— Fiche-le dehors.

— Je ne suis pas sûre qu'on ait le droit de faire ça.

— Alors laisse-le ici. Je m'en occuperai. »

Dix minutes plus tard, le matelas gisait sur le trottoir. Avant de ressortir, j'étais remontée dans ma chambre pour y trouver Carly déjà endormie dans son sac de couchage, avec ses vêtements crasseux et sa serviette mouillée jetés pêle-mêle sur mon lit. *Elle est épuisée*, me suis-je rappelé tandis que je rangeais son linge sale dans mon sac à lessive et que je descendais étendre la serviette dans la salle de bains et nettoyer la baignoire. Puis, munie de mes livres, d'un carnet et de mon sac de linge sale, j'ai décidé d'aller faire une lessive à la laverie de Trinity et d'en profiter pour avancer dans les poèmes d'Austin Clarke que Kennelley nous avait demandé de lire pour la semaine suivante. Je ne comprenais pas pourquoi on le considérait comme un poète majeur du XXe siècle, après Yeats et Kavanagh – pour moi, il était trop fruste, trop égaré dans ses brumes mystiques. Au bout d'une heure, j'ai récupéré mon linge propre et sec et j'ai remonté Grafton Street en scrutant les salles du

Bailey, du David Byrnes, puis du Neary's à la recherche de quelques amis. La chance n'était pas de mon côté. J'ai fini par m'installer toute seule au Neary's et grignoter un sandwich au fromage arrosé d'une Guinness, en me demandant à quoi ressemblerait le lendemain en compagnie de Carly.

En l'occurrence, j'aurais mieux fait de me préoccuper de ma nuit. Mon invitée surprise ronflait comme un sonneur, et je me suis couchée ce soir-là avec l'impression de me tenir juste à côté d'un pot d'échappement défectueux. J'ai essayé de me couvrir les oreilles avec mon oreiller, sans succès. Après une bonne heure de ce supplice auditif, j'ai décidé de m'acheter des bouchons d'oreille à la première heure le lendemain. Restait maintenant à savoir comment je ferais pour survivre à une longue journée de cours et de travaux dirigés.

En désespoir de cause, j'ai allumé ma lampe de chevet et je me suis plongée dans l'exemplaire de l'*Herald Tribune* que j'avais acheté la veille dans un kiosque à journaux en face du Gaiety Theatre. C'était un luxe, mais également la seule manière que j'avais de me tenir informée en détail des événements de l'autre côté de l'Atlantique. Certes, l'*Irish Times* avait un correspondant à New York, et relayait les informations majeures sur ce qui se passait aux États-Unis ; mais, dans l'*Herald Tribune*, je pouvais suivre la progression du scandale du Watergate décrit par Woodward et Bernstein. David Halberstam écrivait depuis le Vietnam pour témoigner de la manière dont cette maudite guerre – ainsi que celle qui menaçait le Cambodge – échappait de plus en plus à notre contrôle. Je me suis renseignée sur les péripéties économiques de Wall Street, et j'ai lu une critique dithyrambique de *Rainbow*, la nouvelle œuvre de Thomas Pynchon, que le journaliste décrivait comme « le plus grand métaroman américain depuis *Moby Dick* ».

Je ne pouvais me défendre d'une pointe de nostalgie en parcourant les pages de cette édition du week-end de l'*Herald Tribune*, au point même de regretter de n'avoir pas vu Walt Frazier, Earl Monroe et Bill Bradley mener les Knicks de New York à la victoire. J'ai été très frustrée d'apprendre qu'un de mes groupes préférés, The Band, jouerait au Roosevelt Stadium de New York en juillet et que je ne pourrais pas y assister. Mais, d'une certaine manière, je ressentais une certaine distance par rapport à toutes ces informations que je dévorais si avidement. Pour moi, les États-Unis étaient synonymes de trop de drames survenus au cours des cinq dernières années, à commencer par les assassinats de Martin Luther King et Bobby Kennedy. De manière plus intime, ce pays était lié à des blessures émotionnelles encore vives. C'était aussi pour cette raison que la ronfleuse invétérée vautrée sur mon plancher me faisait si peur. En effet, elle m'empêchait de dormir, mais elle venait surtout me rappeler toutes les horreurs qui m'avaient poussée, comme elle, à tourner le dos à la banlieue américaine où j'avais tant souffert.

Et voilà qu'elle reparaissait, telle Eurydice remontant des Enfers.

Le sommeil a fini par avoir raison de moi aux alentours de deux heures du matin. Mais Carly, qui s'était effondrée vers dix-neuf heures, s'est levée avant l'aube et j'ai été réveillée par un véritable vacarme dans ma cuisine. J'ai ouvert un œil.

« Salut. Où est-ce que tu ranges ton café ?

— Je bois du thé, maintenant.

— Génial.

— On n'a qu'à aller au Bewley's, si tu veux, ils ont du café et des gâteaux.

— "Du café et des gâteaux"… Tu parles comme une Anglaise.

— On est en Irlande, ici.

— On dirait que tu imites leur accent.

— Et pourtant, tout le monde me répète tout le temps que je suis une pure Américaine, ai-je dit avec lassitude.

— Bon, c'est où, ton café avec des gâteaux ? Je meurs de faim.

— C'est parce que tu as dormi pas loin de douze heures, toi, au moins.

— Tu as mal dormi ?

— Tu ronfles.

— Ah oui. Calvin, le type avec qui j'étais à Oakland, disait que je ressemblais à une locomotive qui aurait eu un cancer de la gorge. Il s'était acheté des bouchons d'oreille. Tu n'as qu'à faire pareil. On y va, oui ou non ? »

Un quart d'heure plus tard, au Bewley's, je luttais contre une migraine naissante due à mon manque de sommeil – et au caquetage incessant de Carly.

« Du coup, j'ai décroché mon permis de conduire californien, j'ai changé de couleur de cheveux, et j'ai perdu dans les vingt kilos. J'ai travaillé un petit moment à la librairie City Lights, mais quand je me suis mise à dealer de l'herbe là-bas, le patron – Lawrence Ferlinghetti, paraît que c'est un poète connu, mais je n'ai pas lu ses trucs – m'a dit que je ne pouvais pas rester. J'avais pensé qu'il serait plus cool.

— Il n'avait peut-être pas envie que la police fasse une descente et l'oblige à fermer boutique.

— Sauf qu'il est censé être artiste, pas homme d'affaires.

— C'est un mec bien, ai-je insisté. Il a risqué la prison en imprimant *Howl* d'Allen Ginsberg…

— Toujours à étaler ta science, à ce que je vois.

— Pardon ? »

Cette fois, Carly a compris qu'elle était allée trop loin, et a résolu de faire machine arrière.

« Pardon, pardon… Calvin disait tout le temps que je ne sais pas fermer ma gueule. C'est vraiment sympa de m'héberger.

— Pourquoi tu vendais de la drogue ?

— Mais c'est quoi, ton problème, merde ? a-t-elle sifflé.

— Je me pose vraiment la question. En Californie, avec Ronald Reagan comme gouverneur, tu risquais des années de prison.

— Calvin a fait de la prison. Pour détention d'armes, tout ça. Mais c'était à cause des Panthers.

— Tu es sortie avec un membre des Black Panthers ?

— Ne prends pas cet air choqué.

— Ce n'est pas rien. »

Elle a allumé une cigarette en se servant de celle qu'elle venait de finir.

« Je prends ça comme un compliment.

— Avec Calvin aussi, tu vendais de la drogue ?

— Non, je faisais la révolution. La drogue, c'est une habitude que j'ai prise en traînant avec Reggie.

— Qui est Reggie ?

— Un motard avec qui je couchais, a-t-elle expliqué. En Arizona. Un peu nazi sur les bords, mais il avait carrément la classe. Et il était dealer. Il m'a proposé de me faire un peu d'argent en l'aidant à revendre son herbe. Il me donnait vingt pour cent sur tout ce que je vendais. Je me suis fait quatre mille balles en moins de deux mois. Du coup, j'ai pu m'acheter une Harley et disparaître dans la nature quand il s'est fait coffrer.

— Tu avais une Harley ?

— Calvin me l'a confisquée. Il ne voulait pas que sa copine fasse la folle sur une bécane de ce genre.

— Ne me dis pas que tu l'as laissé faire.

— Ça va, ne le prends pas comme ça.

— J'ai juste du mal à t'imaginer…

— … me laisser marcher sur les pieds par un Noir ? »

Elle avait parlé très fort, et des têtes se sont tournées vers nous. Le Bewley's n'était pas coutumier de ce genre d'échange.

« Les gens nous regardent, ai-je fait remarquer.

— Quoi, je parle trop fort ? Ça te gêne ?

— Un peu, oui.

— C'est vrai que tu t'es toujours souciée du regard des autres.

— Tu plaisantes ? Je te défendais tout le temps, au lycée. Et quand tu as disparu et que tout le monde t'a crue morte…

— Laisse-moi deviner : tu as fait la Chivah avec mes parents.

— Tous ceux qui t'aimaient et t'appréciaient étaient bouleversés.

— C'est bizarre, mais je m'en balance complètement.

— Pourquoi ? Tes parents ne te battaient pas, que je sache. Ton père était peut-être un peu distant, mais c'était un type raisonnable. Et je veux bien croire que ta mère te tapait sur le système, avec sa manie de toujours parler de ce qu'on ressent. C'est un truc de psy. Mais, à partir du moment où ils ne t'ont jamais torturée ni séquestrée dans la cave, je ne comprends pas que tu leur en veuilles autant.

— Venant de quelqu'un qui hait ses parents, et pour de bonnes raisons, d'après ce que tu m'as raconté…

— Mes parents sont vraiment difficiles à vivre, et leur mariage est sans doute le plus malheureux que je connaisse, mais je ne leur ferais jamais une chose pareille. À moins que tu ne m'aies pas tout dit…

— Comme quoi ? Que mon père me violait ?

— C'est vrai ?

— Non. Tu l'as dit : il était distant, toujours au-dessus de tout.

— Alors rien ne t'empêchait de leur envoyer une carte postale, une lettre…

— Sauf que Carly Cohen est morte. S'ils se doutaient une seule seconde que ce n'est pas le cas, ils se mettraient à ma recherche. Là, je suis tranquille, la piste est froide. Mais bon, le problème n'est pas là ; je ne suis pas débile, tu sais, je vois bien que tu regrettes déjà de m'avoir ouvert ta porte.

— Je n'ai jamais dit ça.

— Pas besoin. C'est écrit sur ton visage. Mais ne t'en fais pas, je ressortirai de ta vie bien assez tôt.

— Tu peux rester aussi longtemps que tu le souhaites.

— Et comment tu feras pour dormir ?

— J'achèterai des bouchons d'oreilles.

— Fais gaffe, je suis tentée de te prendre au mot… tu ne vas pas tarder à te maudire de ta générosité.

— Écoute, il faut que j'aille lire un truc à la bibliothèque avant le début de mon cours.

— Quelle veine tu as, de faire des études dans une université comme celle-ci.

— Rien ne t'empêche de faire pareil. Tu es super intelligente.

— Ça va, pas la peine d'essayer de me flatter.

— Je ne te flatte pas. J'ai bien compris que, quoi que je fasse, tu ne m'apprécieras sans doute jamais vraiment. Mais tu ne m'as toujours pas dit comment tu avais trouvé mon adresse, ou même su que je vivais à Dublin. »

Elle a écrasé sa cigarette en secouant la tête.

« Pas maintenant. Je peux avoir un double de tes clés, histoire de pouvoir retourner prendre un bain et me changer ?

— J'ai lavé ton linge sale hier soir.

— Tu es vraiment une petite fille modèle.

— Qu'est-ce qui te prend d'être aussi odieuse ?

— J'imagine que c'est ce qui arrive quand on en veut au monde entier. »

Il a fallu retourner jusqu'à Pearse Street pour récupérer mon double de clés. Puis je suis partie après avoir proposé à Carly de me retrouver vers dix-huit heures au Mulligan's. Au moment de sortir, je suis tombée sur Sean, qui semblait souffrir d'une grave gueule de bois et d'un sévère manque d'affection.

« Comment ça va, ma princesse ?

— Megan ronfle comme pas possible.

— Elle n'a qu'à venir dormir avec moi, plutôt que sur ton plancher.

— Si tu arrives à la convaincre, je te la laisse volontiers.

— Mon charme est légendaire. »

Subitement, une idée m'est venue.

« Tu sais quoi ? On se retrouve tous au Mulligan's vers six heures. Tu n'as qu'à venir.

— Seulement si tu me promets de ne pas lui en parler.

— Pourquoi je ferais une chose pareille ? »

La journée est passée vite malgré ma fatigue, et j'ai même réussi à participer aux travaux dirigés du Pr Norris et à ne pas m'endormir au milieu du cours du Pr Higgins. Après avoir fait mes devoirs à la bibliothèque, je suis allée nager à la piscine de l'université, ce qui m'a permis de me doucher dans les vestiaires. À six heures tapantes, j'étais devant le Mulligan's : je savais que, si je me conformais à la tradition dublinoise et que j'arrivais avec une heure de retard, Carly risquait d'en avoir assez d'attendre et de lever le camp. Quelle n'a pas été ma surprise de la découvrir déjà attablée avec Sean ; à la façon dont ils riaient à gorge déployée, à la collection de verres vides exposée sur la table, et au cendrier plein posé devant Carly, ils devaient être là depuis un bon moment.

« Tiens, la deuxième Miss America, a lancé Sean en faisant signe au serveur de m'apporter une pinte de Guinness.

— C'est elle, la miss, a répliqué Carly. Moi, je suis une bête de foire.

— Balivernes, ai-je rétorqué.

— *Balivernes.* Je lui ai dit qu'elle parlait comme une Anglaise.

— Vous n'allez pas commencer.

— Au fait, Alice ne t'a jamais parlé de son amie qui a disparu et qu'on n'a jamais retrouvée ?

— Non, jamais, a répondu Sean. C'est terrible, comme histoire. »

J'ai regardé Carly droit dans les yeux.

« Oui, terrible. Ses pauvres parents ne s'en sont jamais remis.

— Alice prend toujours le parti des parents.

— Ce n'est pas vrai. Pourquoi est-ce qu'on parle de ça, d'abord ?

— Parce que j'aime te faire marcher, a-t-elle dit avec un petit sourire.

— Fais-moi plutôt marcher, moi », a susurré Sean en lui passant un bras autour des épaules.

Carly a levé les yeux au ciel, mais ne s'est pas dégagée. J'ai évité son regard noir. C'était troublant, toute cette colère dirigée contre moi sans raison apparente – mais j'étais la première personne de son ancienne vie qu'elle revoyait depuis sa disparition. Peut-être était-ce pour ça qu'elle m'en voulait autant, une manière comme une autre d'exprimer sa rage face à tous ceux qui lui avaient rendu l'existence impossible à Old Greenwich. Mais avait-elle vraiment fait tout le voyage jusqu'à Dublin avec l'intention de libérer sa fureur contre moi, dont elle avait autrefois été si proche ? Pourquoi maintenant ? Et j'ignorais toujours qui lui avait dit où me trouver.

Quand Sean s'est éclipsé pour aller aux toilettes, je me suis penchée vers elle.

« Arrête de me traiter comme une ennemie. Je n'ai rien contre toi. Et il va falloir que tu me dises un jour...

— Il va falloir rien du tout. Mais contente de voir que je commence à te porter sur les nerfs.

— Pourquoi, bon sang ? »

Le retour de Sean l'a dispensée de répondre – ce qu'elle n'aurait sans doute pas fait de toute manière. Il a posé une pinte devant moi et remis son bras autour des épaules de Carly. C'est seulement à cet instant qu'il a remarqué la tension entre nous.

« C'est du passé, tout ça, a-t-il dit d'un ton incertain. N'en parlez plus.

— Alice a un paquet de squelettes dans ses placards. À commencer par son ex, qui s'est fait renvoyer de leur université de bourges parce qu'il avait rédigé des devoirs pour ses copains. »

J'ai écarquillé les yeux, aussi stupéfaite que furieuse.

« Mais comment tu sais tout ça ?

— J'ai mes sources.

— Mesdames, si on parlait d'autre chose que de vos mauvais souvenirs aux États-Unis ?

— Ne nous appelle pas "Mesdames", a dit Carly d'un ton cinglant. C'était bon pour nos mères, et regarde si ça leur a facilité la vie. Pas vrai, Alice ? »

J'ai hoché vaguement la tête. J'aurais donné n'importe quoi pour être ailleurs. Mais c'est le moment qu'ont choisi Paul, Lizzie et toute la clique pour débarquer – Roger inclus : il nous a adressé un signe de la main avant de se retourner vers la jeune femme qui l'accompagnait (très jolie, avec un teint de porcelaine typique des Britanniques) et de l'embrasser sur la bouche de façon ostensible.

« Encore un ex à toi ? a demandé Carly.

— Ça aussi, tu l'as appris de tes "sources" ?

— Pas besoin. Ça se voit à ton regard douloureux.

— Il n'y a rien eu de douloureux dans cette histoire.

— Bien sûr. C'est pour ça que tu fais cette tête en le voyant avec une fille aussi mignonne. »

En réalité, si je faisais « cette tête », c'est parce que je me sentais soudain terriblement seule. Il ne s'agissait pas d'une solitude affective, liée à mon célibat relativement récent ; plutôt l'impression pénible d'une solitude existentielle. Mon passé américain était trop brumeux, et la présence de Carly ici, à Dublin, montrait clairement que je ne pourrais jamais complètement m'en détacher. Elle n'était là que depuis vingt-quatre heures, mais je savais déjà que, si elle restait, elle ne m'attirerait que des ennuis.

J'ai préféré ne rien lui répondre. Par chance, Paul et Lizzie ont abordé notre petit groupe et se sont immédiatement lancés dans l'interrogatoire qu'ils réservaient à tout nouveau venu : qu'est-ce qui t'amène à Dublin, comment est-ce que vous vous connaissez, qu'est-ce que tu as fait comme voyages dernièrement… ?

Carly, qui ne semblait jamais rechigner à parler d'elle, s'est lancée dans un long discours sur « la répression fasciste de l'Amérique de Nixon, et le régime de l'apartheid imposé à nos frères et sœurs noirs ». À l'entendre, elle avait aussi aidé à ériger des barricades à Paris, et lancé des cocktails Molotov sur la police avant d'être bombardée de gaz lacrymogène dans la gare Saint-Lazare.

« C'était de la folie. On gueulait : "Nixon, assassin !" Et le monde nous écoutait. Comme la fois où on a organisé une manif contre Pinochet avec d'autres gauchistes radicaux, il y a cinq semaines, à Santiago du Chili. »

Cette fois, je suis réellement tombée des nues.

« Tu étais au Chili ?

— Je viens de le dire.

— Mon frère Peter est là-bas. »

Carly m'a adressé un sourire tout en allumant une énième cigarette.

« Je suis au courant, a-t-elle dit. C'est pour ça que je suis là. J'étais avec lui au Chili. »

6

COMME JE L'AVAIS ESPÉRÉ, Carly n'est pas rentrée dormir dans ma chambre ce soir-là. Au moment où je quittais le pub – peu après sa révélation à propos de Peter –, elle avait ingurgité suffisamment de Guinness et de Powers pour succomber au charme rondouillard de Sean. Je me sentais un peu machiavélique, mais Carly était assez grande et avait suffisamment de volonté pour prendre ses propres décisions sans parler de sa nouvelle personnalité, Megan Kozinski. À en juger par tous les hommes avec qui elle disait avoir couché, elle était de taille à choisir de céder ou non aux avances de Sean, si grossier, transpirant et malsain qu'il puisse être. Et, malgré tous ces défauts, je devais lui reconnaître un certain charme voyou, de l'aisance et une habileté à manier les mots qui dénotait une intelligence évidente. Je n'étais pas d'humeur à déterminer lesquels de ces attributs avaient contribué à séduire Carly. J'étais juste soulagée qu'elle ne revienne pas ronfler sur mon plancher cette nuit, ce qui me dispensait d'étrenner les bouchons d'oreilles achetés spécialement chez un pharmacien de Dame Street pendant l'après-midi.

Mais le sommeil persistait à me fuir. J'étais très troublée par ce qu'elle m'avait appris sur mon frère, quand bien même elle avait habilement refusé de me livrer plus de détails.

« On en parlera demain, avait-elle dit en jouant avec mon paquet de cigarettes.

— Je veux juste être sûre qu'il va bien.

— Quand je suis partie, il y a un mois, il s'en sortait. Enfin, aussi bien que quelqu'un qui lutte contre une junte militaire.

— Qu'est-ce que ça veut dire ?

— Ce n'est pas le moment. Ni l'endroit.

— Comment est-ce que tu es tombée sur lui ?

— Arrête de me poser des questions.

— C'est mon frère. Et il fait des choses dangereuses, dans un pays dangereux.

— Ton père s'est arrangé pour qu'il ne lui arrive rien. Peter sait que, s'il se fait choper, il sera rapatrié aussi sec. Votre père ne rêve que de ça.

— Tu l'as vu, lui aussi ?

— Ne sois pas ridicule. Je ne suis pas dans le commerce du cuivre, et je ne traîne pas avec les salauds qui soutiennent Pinochet et son régime de brutes.

— Mon père n'est là-bas que pour affaires.

— Ça ne m'étonne pas que tu défendes ton papa, tiens.

— Je fais juste attention de ne pas tirer de conclusions sans preuves.

— Oui, tu es une bonne fille. »

C'en était trop. J'étais sortie en trombe, en regrettant aussitôt d'avoir réagi ainsi. Comment avais-je pu tomber dans le panneau et me laisser provoquer par cette manipulatrice potentiellement dangereuse ?

Roger m'avait vue partir, m'avait adressé un petit signe de tête, et était retourné à sa conversation avec la nouvelle femme de sa vie. Paul, en revanche, avait entendu une bonne partie de mon échange avec Carly, et m'avait suivie dehors.

« N'écoute pas ce qu'elle raconte.

— Mais il y a pas mal de vrai dans ce qu'elle a dit. Je peux te faire confiance ?

— Bien sûr. »

Cette question était purement formelle ; au sein d'une université, d'une ville, même, où les ragots faisaient partie intégrante de la culture et où confier un secret à quelqu'un revenait à le crier dans un mégaphone, Paul était l'une des rares personnes vraiment fiables que je connaissais. Il avait compris que, pour se bâtir une influence sociale et professionnelle, il devait jouer la carte du confident inviolable, pour qui un secret resterait toujours un secret, et dont on ne devait jamais craindre la moindre indiscrétion. J'avais donc vidé mon sac : comment mon frère était arrivé au Chili, où mon père s'était associé avec la junte pour des motifs décidément troubles.

« À mon avis, cette Megan est allée retrouver ton frère au Chili dans le seul but de t'atteindre, toi, avait commenté Paul. Pourquoi se donner toute cette peine, faire tout le voyage, quitte à se mettre en danger dans un pays en crise ?... Je n'en sais rien. Tout ce que je peux te conseiller, c'est de lui soutirer tout ce que tu veux savoir sur ton frère, mais de ne pas chercher plus loin que ça. Espérons qu'elle se plaise avec ton logeur et qu'elle te laisse tranquille. Elle m'a tout l'air d'une fille à problèmes. Je n'ai passé qu'une heure avec elle, donc tu peux me reprocher de me fier aux apparences, mais, honnêtement, tu n'as aucune raison de la laisser te pourrir la vie. »

De bons conseils. Que j'ai décidé de mettre en pratique dès mon réveil, le lendemain. Toutes les affaires de Carly étaient éparpillées dans ma chambre, et je les ai rassemblées et rangées dans son sac. J'ai résisté à la tentation de lire son journal, qu'elle avait laissé bien en évidence au milieu de ses vêtements, et qui aurait pu m'en apprendre davantage sur Peter. J'ai roulé son sac de couchage, puis je me suis habillée et préparée pour mes cours. Avant de partir, j'ai déposé le matelas devant la porte de Diarmuid, avec un petit mot de remerciement ; puis, chargée des bagages de Carly, je suis descendue frapper légèrement à la porte de Sean. J'ai dû m'y reprendre à trois fois avant qu'il m'ouvre, encore somnolent, vêtu de son éternel gilet. Il m'a regardée en plissant les yeux.

« Qu'est-ce que je peux faire pour toi ? »

Son haleine empestait l'alcool de la veille.

« Je me suis enfermée dehors. Tu peux me passer le double de Megan ? ai-je demandé, manquant dire "Carly" avant de me rattraper au dernier moment.

— Une seconde. »

Il a refermé la porte, pour la rouvrir quelques instants plus tard muni de mon second trousseau de clés.

« Tiens, j'ai descendu ça pour elle. »

Et je lui ai tendu les affaires de Carly. Il a eu l'air légèrement paniqué. Commençait-il, lui aussi, à regretter de l'avoir laissée franchir son seuil ? Mais avant qu'il réponde quoi que ce soit, je me suis éclipsée avec un sourire poli.

Plus tard, alors que je buvais mon verre de Guinness habituel au bar de Trinity, Carly s'est engouffrée dans la salle comme une furie.

« Pour qui tu te prends en me virant comme ça ? » a-t-elle rugi.

Tous les étudiants présents se sont retournés vers nous.

« Arrête de hurler.

— Ne me donne pas d'ordres, putain...

— Bon, ça suffit, là-bas. »

C'était Ruth, campée derrière son comptoir.

« Si je veux gueuler..., a commencé Carly.

— ... tu le feras dehors », l'a coupée Ruth d'un ton qui indiquait clairement qu'elle n'était pas d'humeur à discuter.

Avec une grimace furieuse, Carly s'est laissée tomber sur la chaise en face de moi, s'est emparée de ma bière et en a bu la moitié d'une traite.

« Il ne te reste plus qu'à m'en payer une autre, ai-je tranquillement fait observer.

— Va te faire mettre.

— Alors je n'ai plus rien à te dire. »

Elle a posé une main sur mon bras, toute colère envolée pour laisser place à une contrition aussi soudaine qu'inattendue.

« Je sais que je suis insupportable, a-t-elle murmuré.

— C'est bien de s'en rendre compte.

— Je peux t'offrir un autre verre ?

— Ce serait un début. Et la barmaid s'appelle Ruth. Je pense que tu lui dois des excuses. »

Carly s'est levée en hochant la tête. Quand j'ai risqué un coup d'œil vers le bar quelques secondes plus tard, elle était déjà en grande conversation avec Ruth, et avait même réussi à la faire rire. Elle y est restée dix bonnes minutes avant de revenir, tout sourire, chargée de deux pintes et d'un paquet de Sweet Afton – sa préférence allait aux cigarettes sans filtre, aussi fortes que possible.

« Elle est vraiment sympa. Quand je lui ai dit que j'étais allée au Chili, elle m'a parlé des réunions politiques auxquelles elle assiste tous les mercredis soir.

— Tu ne perds pas de temps, ai-je fait remarquer.

— Je n'y peux rien si je suis sociable.

— Surtout quand il est question de politique radicale. Si tu finis vite ta bière, tu devrais arriver devant le réfectoire juste à temps pour le discours quotidien de notre maoïste attitré, David Vipond. Il est tout à fait ton genre.

— Tant de sarcasme.

181

— Tu l'as cherché. Depuis le moment où tu es arrivée, tu n'as pas arrêté une seule seconde d'être odieuse.

— Ça ira mieux si je te demande pardon ?

— Ce n'est pas ça qui te rendra mon double de clés. Mais, de toute façon, je suis sûre que le lit de Sean est plus confortable qu'un matelas posé à même le sol.

— Sauf qu'il y a un problème de taille avec le lit de Sean.

— Et quel est ce problème ?

— Sean.

— Tu t'y feras.

— Tu ne peux pas me supporter, hein ?

— J'ai besoin que tu me dises ce que tu sais sur mon frère.

— Pourquoi est-ce que je te dirais quoi que ce soit ? Tu m'as foutue dehors.

— Tu n'es pas dehors. Tu as juste changé d'étage, c'est toujours la même maison. »

Carly a esquissé une moue dégoûtée avant d'allumer une cigarette.

« Je pourrai revenir dormir chez toi ?

— En échange d'infos sur mon frère ? Va te faire foutre. »

L'indignation dans ma voix l'a fait sourire.

« On a un problème, alors.

— Si tu crois que je vais céder à ton chantage…

— Je ne vois pas comment tu pourrais faire autrement. »

J'ai pris ma pinte et mes affaires et je me suis installée à une autre table. Le temps que j'allume une clope dans le but de me calmer, Carly était de nouveau en face de moi.

« C'est Peter qui m'a dit que tu étais à Trinity, la première nuit qu'on a passée ensemble. Le lendemain, je lui ai demandé ton adresse. J'ai prétexté que j'avais envie de t'écrire.

— Tu as couché avec mon frère ?

— Moi, et pas mal d'autres femmes qui faisaient partie du groupe.

— Quel groupe ?

— *El Frente de liberación revolucionaria.* Si tu préfères : le Front de libération révolutionnaire. Un mouvement clandestin dont l'objectif avoué est de renverser le régime de Pinochet. On a adopté une tactique de harcèlement : leur pourrir la vie en sabotant des centres de communication, en balançant des cocktails Molotov sur leur quartier général la nuit, en collant dans toute la ville les portraits des militants gauchistes disparus, soit assassinés, soit en train de se faire torturer dans une geôle.

— Mais comment tu t'es retrouvée à Santiago ? Et pourquoi ?

— Quand les choses ont mal tourné à Oakland…

— Comment ça, "mal tourné" ?

— À ton avis ? Calvin avait de sérieux soucis avec les autorités. Et moi, j'étais avec lui. Si ça tournait mal pour lui, je tombais avec. Surtout que j'étais impliquée.

— Impliquée dans quoi ?

— Dans ses conneries.

— Tu ne peux pas être plus précise ?

— C'est quoi, toutes ces questions ? On dirait un flic.

— T'as qu'à ne pas être aussi vague. Quelles conneries ? Ne me dis pas que tu es recherchée par la police. Ou par le FBI.

— Tu poseras la question à Calvin. Mais, aux dernières nouvelles, il s'est fait pincer. Il est en instance de procès, et il va sans doute passer un paquet d'années à San Quentín.

— Pour quoi ? Activités criminelles ? Politiques ?

— Activités criminelles pour des raisons politiques. Enfin, j'ai réussi à me barrer sans qu'on puisse faire le lien avec moi.

— Comment tu peux en être aussi sûre ?

— Juste une supposition fondée sur le fait que, quand j'ai embarqué dans un avion pour Santiago, personne n'a tenté d'empêcher Megan Kozinski de quitter le territoire.

— Et quand tu es arrivée au Chili ? »

Carly se trouvait de nouveau en veine de confidences. Elle m'a raconté comment elle avait eu vent du *Frente de liberación revolucionaria* par des membres d'une organisation étudiante à Berkeley, et le mal qu'elle avait eu à le dénicher une fois sur place – l'organisation n'avait évidemment ni bureaux ni quartier général. Mais toutes ses années sur la côte Ouest lui avaient permis d'améliorer grandement son espagnol, et elle avait fini par atterrir dans un bar à El Jimineo, un quartier très populaire de Santiago. Le barman, à qui elle avait posé la question, avait dû la prendre pour un agent de la CIA ou une taupe américaine à la solde du régime : beaucoup de nos compatriotes servent d'informateurs là-bas. Il lui avait dit de revenir le soir même, si elle désirait rencontrer l'homme qu'on nommait El Capitán, le chef de l'organisation clandestine. Malgré le danger évident – peut-être qu'il travaillait pour le régime de Pinochet, lui aussi –, Carly était retournée là-bas à l'heure dite et s'était retrouvée face à quatre hommes très agressifs, déterminés à tabasser cette *gringa* venue mettre son nez dans leurs affaires.

« Et là, il y a ce grand type élégant, clairement américain, qui s'avance du fond de la salle et qui leur dit de se calmer. Il parlait espagnol sans accent. J'ai pensé : *Ça y est, ils vont jouer au bon flic, mauvais flic, histoire de me faire cracher le morceau.* Quand il a demandé d'où je venais, j'ai répondu Phoenix, en Arizona, parce que c'est ce qui est inscrit sur mon passeport. Pas de chance, il y était allé pour participer à des manifestations en faveur des droits civils, et il s'est mis à me poser tout un tas de questions sur la ville. Je n'ai pas été fichue de répondre, évidemment. Alors il a demandé aux autres de nous laisser – il voulait me parler seul à seule –, et il m'a expliqué qu'il s'appelait Peter Burns, qu'il était né à Manhattan mais qu'il habitait à Old Greenwich, dans le Connecticut. Et moi, la pire espionne sous couverture du monde, je n'ai rien trouvé d'autre à dire que : "Oh mon Dieu, tu es le frère d'Alice." Vingt minutes et deux clopes plus tard, je lui avais tout raconté. Il voyait très bien qui j'étais, avec tout le barouf qu'il y avait eu après ma disparition. Mais ce qui l'intéressait, c'était le temps que j'avais passé chez les Panthers. Il s'y connaissait, question idéologie et opérations clandestines. Et je crois qu'il se méfiait toujours un peu, car il a voulu savoir exactement qui m'avait parlé de son organisation révolutionnaire.

« Enfin, bref, j'ai dû finir par le convaincre, parce qu'il a rappelé les quatre autres et leur a dit que j'étais *nuestra hermana revolucionaria*, leur sœur révolutionnaire. J'étais aux anges. J'avais l'impression de rejoindre un club très fermé. En réalité, comme je l'ai vite constaté, le Front de libération révolutionnaire se déplaçait en permanence, par petits groupes qui se retrouvaient de temps en temps pour décider des actions à entreprendre. Avec Peter, on a dû dormir dans une dizaine de lits différents en même pas trois semaines. »

Elle m'a laissé le temps de digérer cette nouvelle. J'ai fait de mon mieux pour cacher ma gêne, en vain.

« Ça te met mal à l'aise ?

— Ta relation avec Peter ne me regarde pas.

— Mais ça te dérange qu'une vieille copine de lycée se tape ton frère. »

Se tape. Je ne supportais pas cette expression, si laide, si vulgaire. Carly savait à merveille choisir ses mots pour pousser les autres à bout.

« À part le fait de coucher avec toi, Peter ne courait aucun autre danger ? »

Elle a eu un sourire discret.

« Ton frère, tout comme moi, est dévoué à la cause : renverser la classe dominante, les oppresseurs qui asseyent leur puissance sur l'argent. Et il essayait quand même de faire chuter une junte militaire. On pénétrait dans les écoles en pleine nuit pour cacher des tracts révolutionnaires partout. On a réussi à déclencher une alerte à la bombe dans une station radio de l'État en plein discours de Pinochet. On a même kidnappé le rédacteur en chef d'un grand journal à la solde du régime.

— Qu'est-ce qui lui est arrivé ?

— Je n'avais rien à voir là-dedans. Peter non plus. Enfin, pas directement.

— Comment ça ? Qu'est-ce qui est arrivé à ce rédacteur en chef ?

— Il n'avait rien d'un journaliste d'investigation ou d'un reporter de guerre. C'était juste un cire-pompes de la junte.

— Et ça vous donnait le droit de le kidnapper ?

— Le kidnapper, et lui mettre une balle dans la tête, comme le veut l'usage.

— Ne te fiche pas de moi.

— Loin de là. On l'a gardé avec nous pendant presque trois semaines, et on a proposé un échange à Pinochet : s'ils relâchaient le numéro deux de notre organisation, *El Teniente*, on leur rendrait leur lèche-bottes préféré. En guise de réponse, ils ont jeté son cadavre devant l'ex-siège du Parti socialiste, une ruine encore fumante. Ils lui avaient arraché les yeux et coupé les couilles, avant de lui défoncer le crâne à coups de marteau et de barre de fer. El Capitán n'a pas eu d'autre choix que de faire exécuter notre otage. Mais, au moins, ça s'est fait proprement. Pas de torture, pas de mutilation. Une simple balle dans la tête.

— Ne me dis pas que c'est Peter qui a tiré.

— C'est à lui qu'il faut demander ça.

— Arrête de faire comme si c'était un jeu. Je suis sérieuse.

— Vraiment ? Je n'aurais jamais deviné. Si tu veux savoir, on déplaçait notre otage toutes les quarante-huit heures, pour garder une longueur d'avance. Et c'était moi qui le surveillais. Figure-toi qu'il avait fait un an d'études à l'école de journalisme de Columbia, et qu'il parlait super bien anglais. Il a essayé de m'amadouer en me parlant de sa femme, de ses trois mômes, de tous les concerts de jazz qu'il allait voir dans un fameux club près de Columbia…

— Le West End Cafe.

— Exactement. Je sais que tu y allais avec ce petit comptable coincé d'Arnold, à l'époque. Tu avais promis de m'y emmener. J'attends toujours.

— Et tu m'en veux encore, après tout ce temps ?

— En fait, oui.

— C'est pour ça que tu viens me raconter toutes ces histoires à dormir debout ?

— Ce ne sont pas des histoires. Le type s'appelait Alfonso Duarte. Va voir à la bibliothèque, s'ils ont des microfilms de l'*International Herald Tribune*, je te parie qu'il y aura un article sur son meurtre.

— Est-ce que c'est Peter qui l'a tué ? »

Nouveau sourire sardonique tandis qu'elle s'allumait une énième cigarette. Je mourais d'envie de la lui faire bouffer.

« J'ai touché une corde sensible, on dirait.

— Et comment.

— Tu m'as virée de chez toi. Moi, la fille disparue, présumée morte, harcelée pendant des années, je viens jusqu'à Dublin pour te voir, et tu m'accueilles en me foutant dehors au bout d'une nuit. »

Ses accusations ont éveillé en moi une pointe de culpabilité, mais pas suffisamment pour oublier la menace qu'elle représentait. Cette fille était mauvaise, malsaine… et instable. J'avais deux possibilités : céder à son chantage et la laisser revenir dans ma petite chambre en espérant qu'elle m'en dirait plus sur Peter, ou bien camper sur mes positions tout en essayant de lui soutirer un maximum d'informations tant que je le pouvais encore. Mon père m'avait un jour recommandé de ne jamais négocier avec un maître chanteur, parce qu'il prendrait ma bonne volonté pour de la faiblesse, et ferait tout son possible pour l'exploiter :

« Je ne veux plus de toi chez moi, ai-je donc déclaré après quelques gorgées de bière. Je ne veux plus te voir. »

Carly a accusé le coup. Depuis plus de trois ans qu'elle avait disparu, elle semblait avoir canalisé son mal-être et sa colère en cette espèce de dureté qui ne s'exprime que par le biais de la violence et de l'intimidation ; mais, comme la plupart des brutes, elle se retrouvait le bec dans l'eau dès que sa victime avait enfin le courage de se dresser contre elle.

« Ton frère a du sang sur les mains, a-t-elle craché.

— Toi aussi.

— Moi, je m'en fiche.

— Où est Peter ?

— Aucune idée. Il a fallu que je me tire vite fait du pays après la mort de Duarte. Heureusement, il me restait du fric après le braquage de San Jose…

— Un braquage ?

— À la First National Bank of California. Calvin et deux de ses frères Panthers ont fait le hold-up. Moi, je conduisais. Résultat, cent mille balles, facile. Calvin m'en a filé dix mille et m'a dit de foutre le camp. Je m'étais fait faire un passeport quand j'avais commencé à traîner avec lui, parce que les Panthers s'arrangent pour que tous ceux qui s'impliquent dans le mouvement puissent quitter le pays en vitesse à n'importe quel moment. J'avais lu pas mal de trucs sur le coup d'État au Chili, et j'avais bien envie de m'y rendre, surtout que des potes m'avaient parlé du *Frente de liberación revolucionaria*. J'ai dû faire une bonne dizaine de banques différentes pour échanger mon cash contre des chèques de voyage ; les flics auraient pu se douter d'un truc si j'avais débarqué, l'air de rien, avec dix mille dollars d'un coup. Alors je l'ai jouée fine, et j'ai pris l'avion pour Miami, puis Santiago, sans aucun problème. Évidemment, quand j'ai rejoint le Front, je ne leur ai pas dit que j'avais tout ce fric sur moi. En bons socialistes, ils auraient voulu que je partage, tu vois. Comme je savais qu'ils allaient fouiller toutes mes affaires – les Panthers font ça aussi –, j'ai trouvé un endroit où tout planquer, dans une poche secrète que j'ai cousue moi-même au fond de mon sac, dans le rembourrage. Et j'ai débarqué comme une fleur, avec tout juste deux cent cinquante dollars en poche.

— Que c'est prévoyant de ta part. Remarque, tu avais déjà de l'expérience avec les radicaux de gauche, après les Panthers. "Se taper" un de leurs leaders, c'est le seul moyen pour une petite bourge du Connecticut comme toi de jouer les révolutionnaires.

— Je t'emmerde. »

Elle s'est levée et a vidé sa bière.

« Dis-moi, est-ce que Peter va bien ? ai-je insisté.

— Tu m'insultes, et ensuite tu me demandes des infos ?

— Est-ce qu'il a tué ce type, Duarte ? »

En se penchant pour ramasser son paquet de clopes, elle m'a adressé un sourire carnassier.

« El Capitán lui a ordonné de le faire. Mieux : il lui a dit de lui fourrer le canon de son flingue dans la bouche avant de tirer, pour que Duarte le regarde droit dans les yeux au moment où il clamserait. C'était un test. Et ton grand frère chéri l'a réussi haut la main. »

J'ai fermé les yeux. La tête me tournait. J'ignorais si je devais croire à cette histoire, ou si c'était juste une autre de ses inventions abracadabrantesques destinées à me faire du mal. La seule chose que je savais, c'était que cette folle n'avait plus rien à faire dans ma vie.

« Ne t'approche plus de moi.

— On verra », a-t-elle rétorqué.

Après son départ, j'ai dû fumer trois cigarettes coup sur coup et aller commander un Powers à Ruth. Je ne buvais jamais de whisky au déjeuner, mais j'en avais bien besoin cette fois-ci. Disait-elle la vérité ? Si oui, alors mon frère était réellement un meurtrier. Mais peut-être n'existait-il même pas d'Alfonso Duarte au sein de la junte de Pinochet. Mon carnet de cours était toujours ouvert sur la table. J'ai noté le nom du prétendu rédacteur en chef sur un coin de page, ainsi que les mots *El Frente de liberación revolucionaria*. J'allais devoir faire quelques recherches. Qui sait, la bibliothèque de Trinity possédait peut-être des archives du *Times* de Londres et de l'*International Herald Tribune*. Mais comment Peter aurait-il pu se laisser entraîner dans l'activisme au point de suivre de tels ordres ? Je penchais plutôt pour une nouvelle invention sinistre de Carly, formulée dans le seul but de me déstabiliser – ce qu'elle avait parfaitement réussi à faire. Il était certain qu'elle avait rencontré Peter, sinon elle n'aurait pas pu obtenir mon adresse. Jamais elle n'aurait appelé mes parents, au risque qu'ils la reconnaissent et révèlent son secret. Quant à la seule autre personne avec qui j'étais restée en contact après le lycée, Arnold, elle ne pouvait pas savoir qu'il était à Cornell à moins de le demander à ses parents à lui... ce qui aurait eu les mêmes conséquences, puisque les Dorfman se seraient empressés de prévenir les Cohen, ainsi que la police. Carly ne connaissait personne à Bowdoin, et mon adresse à Dublin ne figurait pas dans l'annuaire, pour la bonne raison que je n'avais pas de téléphone à mon nom. Non, elle avait forcément obtenu mes coordonnées par Peter, et Peter se trouvait au Chili depuis des mois...

J'avais besoin de marcher. C'était une de ces rares journées sans pluie, et je n'avais plus de cours avant le lendemain. Je suis descendue vers les quais pour attraper un bus ; vingt minutes plus tard, celui-ci me déposait à Phoenix Park, mon dernier refuge en date, mentionné par Sean au détour d'une conversation où nous évoquions son besoin de s'éloigner de la ville de temps à autre. C'était à l'extrémité ouest des quais, un immense espace vert dont les lacs, les forêts, les sentiers isolés donnaient au promeneur l'impression de se retrouver plongé en pleine nature – alors que la grisaille urbaine de Dublin n'était qu'à quelques kilomètres. La résidence du Président irlandais se trouvait là-bas, tout comme celle de l'ambassadeur des États-Unis. La première fois que j'y étais entrée, quelques semaines plus tôt, j'avais senti que ce parc merveilleux était exactement l'asile dont j'avais besoin. Il n'avait certes pas la splendeur dramatique de Wicklow, mais, à moins d'une demi-heure de Trinity, je n'aurais pas pu trouver meilleur endroit pour m'isoler avec mes pensées infernales.

Mais, aujourd'hui, j'étais plus furieuse qu'autre chose. Comment osait-elle accuser Peter d'un tel crime ? Même s'il était radical, mon frère avait toujours prôné la non-violence, condamnant invariablement toute forme d'assassinat, même au nom d'une cause légitime. Il avait même fait du bénévolat pendant des mois dans les États du Sud, inspiré par la lutte pacifique de Martin Luther King. Jamais il n'aurait accepté de tuer un homme de sang-froid.

Cela dit, il avait quitté Yale Divinity sans prévenir personne pour s'envoler vers Santiago. En partie pour narguer notre père, ça ne faisait aucun doute – son propre fils prenant le parti du camp opposé au sien, le parti du bien, contre la junte –, mais de là à s'allier à un groupuscule révolutionnaire violent, à commettre des meurtres pour eux, de là à enfoncer le canon d'un pistolet dans la bouche d'un homme dont le seul crime était de publier la propagande du régime – un homme qui avait certainement une femme et des enfants... Non, Peter ne se serait pas laissé entraîner à de telles extrémités. J'en étais persuadée. Au bout de trois heures à arpenter le parc, alors que la nuit commençait à tomber, j'ai fini par me convaincre qu'informer ma mère de la réapparition soudaine de Carly Cohen était la pire chose à faire pour l'instant. Enfin, pas autant que contacter mon père *via* son bureau à New York pour lui demander si, par hasard, ses « contacts » au Chili étaient au courant que son fils aîné fricotait avec le Front de libération révolutionnaire... À condition que ce mouvement existe réellement.

Le lendemain, après une heure passée en compagnie d'une bibliothécaire de Trinity très serviable (pour être honnête, je n'ai jamais rencontré de bibliothécaire qui ne m'ait pas été d'une grande aide), j'ai pu mettre la main sur des informations récentes concernant le Chili, dans le *Times* de Londres du 4 mars 1974. Leur section « étranger » contenait un article sur la découverte du corps d'Alfonso Duarte, rédacteur en chef d'un « journal de Santiago soutenu par le gouvernement », devant les locaux de sa rédaction. Le meurtre avait été revendiqué par un groupuscule marxiste-léniniste, *El Frente de liberación revolucionaria*.

J'ai très mal dormi. Pour ne rien arranger, des éclats de voix provenant du rez-de-chaussée m'ont tirée du sommeil en pleine nuit. En sortant sur le palier, j'ai reconnu les voix de Carly et Sean en train de se disputer, visiblement très éméchés.

« Si tu crois que je vais te toucher cette nuit, vieux dégueulasse…

— Va te faire foutre en Allemagne de l'Est ! Quoique, même ces putains de nazis communistes te trouveraient trop extrémiste pour eux. »

J'ai refermé ma porte aussi silencieusement que possible. Quel soulagement de ne plus avoir à héberger cette fille. Je détestais ce qu'elle était devenue : sa rage à l'encontre du monde était telle qu'elle y aspirait tous ceux qui s'approchaient d'elle, tel un vortex de ressentiment… C'est pourquoi, quand elle s'est mise à tambouriner sur ma porte une trentaine de minutes plus tard, j'ai gardé le silence, paralysée dans mon lit. Elle a fini par réveiller tout l'étage à force de hurler pour que je lui ouvre, et j'ai entendu Diarmuid lui ordonner de se taire.

« Je sais qu'elle est là ! a-t-elle beuglé. Elle n'a qu'à m'ouvrir ! »

Sean s'en est mêlé pour tenter de la raisonner, mais ce n'est que lorsque Diarmuid a menacé d'appeler la police qu'elle a enfin accepté de se calmer. Le silence est retombé dans la maison, et j'ai sombré dans un sommeil agité.

Je n'avais pas cours le lendemain matin, ce qui m'aurait permis de faire une grasse matinée bien méritée si Sean n'avait pas frappé à ma porte à huit heures vingt.

« Ouvre, Alice. Je sais que tu es là.

— Elle est avec toi ? ai-je demandé d'une voix pâteuse.

193

— Non, Sa Majesté dort comme une souche dans mon lit. »

J'ai enfilé ma robe de chambre, avec l'impression que mon cerveau était enveloppé dans du coton.

« Merci pour les joutes oratoires de cette nuit, ai-je ronchonné en guise de bonjour.

— Merci de m'avoir collé cette folle.

— C'est toi qui as voulu coucher avec elle. Pourquoi tu m'as réveillée ?

— Parce que le facteur vient de me réveiller, moi, pour me donner ça. »

Il m'a tendu une enveloppe jaune à mon nom, estampillée Western Union. Un télégramme. Je n'en avais jamais reçu, mais je savais déjà que les télégrammes étaient rarement porteurs de bonnes nouvelles.

« Désolée que ça ait gâché ta nuit.

— Elle était déjà gâchée », a-t-il répliqué avec mauvaise humeur.

J'ai refermé la porte et je suis allée m'asseoir à mon petit bureau, craignant le pire : Peter tué par le régime de Pinochet, ou mon père décédé d'une crise cardiaque, comme je l'avais toujours redouté – ce qui me laisserait seule entre les griffes de ma mère.

J'ai pris une longue inspiration et exhalé lentement. Sans résultat. Alors je me suis tournée vers mon calmant préféré : après deux bouffées de Dunhill, j'ai déchiré l'enveloppe et lu ce qu'elle contenait.

Tu peux venir à Paris ? Je suis vivant – mais tout juste. Il faut qu'on parle.

Et c'était signé :

Peter.

7

J'AI PRIS L'AVION TROIS JOURS PLUS TARD. Le billet de dernière minute a coûté une petite fortune : presque soixante livres. J'avais précisé à Peter que j'étais un peu juste côté finances, et il avait proposé de me payer le billet. Il m'avait informée par la même occasion qu'il avait réservé une chambre pour moi dans le même hôtel que lui, La Louisiane, à Saint-Germain-des-Prés. J'avais voulu en savoir plus.

Qu'est-ce qui se passe ? Ta copine Carly Cohen m'a raconté de sales histoires.

La réponse était arrivée le lendemain.

Ne l'écoute pas. Je t'expliquerai. Je t'attendrai à Orly jeudi soir.

J'avais dû reporter mon entretien avec le Pr Norris, prévu le vendredi matin. Ce dernier n'avait pas fait de difficultés, mais avait décelé ma nervosité malgré mes efforts pour paraître détendue.

« Pardonnez ma curiosité, Alice, avait-il dit en haussant un sourcil, mais une escapade de dernière minute à Paris est généralement synonyme de romance. On dirait que vous allez à l'échafaud. Il y a quelque chose dont vous voudriez me parler ? »

Il était comme ça – très curieux de nature, et pas du genre à reculer devant une question personnelle.

« Un souci familial, c'est tout.

— Ah, la *merde* familiale est la pire sorte de *merde* qui soit. "C'est tout" ne lui rend pas justice.

— Je ne peux vraiment pas en parler.

— Compris... ou devrais-je dire *entendu* ? Mais si vous voulez l'oreille d'un confesseur, et que vous préférez éviter la version cléricale, n'hésitez pas à faire appel à moi. »

Je l'avais remercié, tout en songeant que, même si sa proposition partait d'une bonne intention, je ne commettrais jamais l'erreur de lui confier quoi que ce soit, après tous les ragots qu'il avait colportés sur ses collègues de Trinity. Un secret n'en est plus un quand on le partage. J'étais partie après m'être mise d'accord avec lui pour décaler notre entretien à lundi après-midi.

Un violent orage au-dessus de Dublin avait retardé notre vol de deux heures, et il était minuit passé quand nous avons atterri à Orly. Peter m'attendait à l'extérieur de la zone de retrait des bagages. Quand je l'ai aperçu, j'ai eu un coup au cœur : il semblait avoir vieilli de dix ans depuis la dernière fois que nous nous étions vus. Maigre à faire peur, le teint aussi anémique que si tous ses globules rouges avaient disparu de son sang, il fumait une cigarette avec une rapidité déconcertante, l'air de ne pas avoir dormi depuis plusieurs jours. L'expression de son regard était hantée, éteinte. Il a tenté de m'adresser un sourire, mais le résultat n'était pas probant. Nous nous sommes brièvement étreints. Il ne m'a dit ni : « Bienvenue à Paris », ni : « Ça fait du bien de te voir, merci d'être venue. » Tout ce à quoi j'ai eu droit, ç'a été :

« On a raté le dernier bus, et je n'ai pas beaucoup de monnaie sur moi. Tu as changé de l'argent avant de venir ?

— Oui, dans les trois cents francs. Je ne peux pas me permettre plus.

— Un taxi nous coûtera dans les soixante-dix, quatre-vingts francs.

— C'est au-dessus de mes moyens.

— Pareil pour moi. »

Peter a eu une idée et m'a emmenée jusqu'à la station de taxis située juste devant le terminal. Là, il a demandé à un chauffeur – dans un français rudimentaire – s'il connaissait quelqu'un qui serait disposé à nous conduire dans Paris pour quinze francs. Quand l'homme a secoué la tête en disant que c'était une somme absurdement ridicule, Peter a plaidé la pauvreté. L'homme a levé les yeux au ciel.

« Américains ? » a-t-il demandé.

Peter a hoché la tête.

« Je viens de Côte d'Ivoire, a poursuivi le chauffeur dans un anglais très correct. Ne me parlez pas de pauvreté. »

Nous nous sommes mis d'accord pour trente francs en échange du trajet jusqu'à l'hôtel. La voiture de l'homme était une vieille Renault presque dépourvue de chauffage, et des ressorts menaçaient de transpercer le revêtement en vinyle des banquettes. Sur fond de pop africaine à plein volume, le taxi nous a fait passer par un enchevêtrement de petites rues étroites. Je me suis penchée vers Peter pour murmurer :

« Tu es sûr qu'il nous emmène au bon endroit ? »

Le chauffeur m'a répondu à sa place.

« N'ayez crainte, mademoiselle, je suis un homme honnête. »

J'ai viré au cramoisi.

« Je suis vraiment désolée, monsieur.

— Bien sûr, mademoiselle. »

Je voyais son sourire crispé dans le rétroviseur. Le sous-entendu était clair : *J'ai l'habitude des racistes comme vous.*

« Ne t'en fais pas », a chuchoté Peter.

Sur quoi le chauffeur a immédiatement renchéri :

« Exactement. Aucune raison de vous en faire. »

À la suite de cet échange malheureux, nous avons limité notre conversation au strict minimum jusqu'à notre arrivée à l'hôtel. Peter m'a interrogée sur mes études à Trinity. J'ai voulu savoir depuis quand il était à Paris.

« Dix jours. »

J'ai été tentée de lui demander pourquoi il avait attendu une semaine avant de me contacter, s'il était en contact avec nos parents, ce que je fichais ici au juste, et pourquoi il n'aurait pas pu m'expliquer ce qu'il voulait par écrit ou par téléphone. Mais ce n'était clairement pas le moment. Peter s'est allumé une Gauloises. Il était pratiquement deux heures. Je captais des instantanés à travers les vitres sales de la voiture : un café encore ouvert, un couple en train de s'embrasser contre un arbre, quelques détails d'une architecture extravagante, le jeu de lumière dorée d'un lampadaire sur la fine couche de neige qui recouvrait le trottoir. Le romantisme de cette ville ne demandait qu'à me happer ; mais mes pensées étaient ailleurs. Peter serait-il complètement honnête avec moi, ou garderait-il pour lui une partie de la vérité ?

Quand nous sommes arrivés à l'hôtel, il m'a demandé de payer le taxi.

« Je me charge de régler ta chambre. Mais ne t'attends pas à un palace. Je ne suis même pas sûr qu'ils aient ne serait-ce qu'une étoile, ici. »

C'était une manière bien diplomate de présenter les choses. L'hôtel La Louisiane était un véritable gourbi : la peinture du hall était écaillée, le mobilier hors d'âge, et une ampoule nue pendait du plafond au-dessus d'un réceptionniste qui aurait visiblement préféré se trouver en enfer plutôt qu'ici. Il m'a réclamé mon passeport d'un claquement de doigts et a noté quelques informations sur un formulaire, avant de me jeter une clé et de désigner du doigt l'escalier.

Ma chambre, au deuxième étage, était encore plus petite que ma studette à Dublin – mais ressemblait furieusement à ce qu'elle était avant travaux. Papier peint en lambeaux, un vieux lit de cuivre avec une seule couverture rose sur ce qui s'est révélé être des draps en polyester, un lavabo tout taché... Au moins, le chauffage fonctionnait, mais il produisait des bruits métalliques à intervalles réguliers. Nulle part où s'asseoir, ni où écrire. À l'exception d'une autre ampoule nue au plafond, la seule lumière provenait d'un vieil halogène en cuivre abîmé, à l'abat-jour beige tacheté de brûlures de cigarettes, posé à côté du lit. Cet endroit respirait la déprime.

« Je peux savoir pourquoi tu as choisi l'hôtel le plus sordide de tout Paris ? ai-je demandé à Peter.

— Vois ça comme une aventure. Tu as lu *Le Tropique du cancer*, de Henry Miller ? C'est dans ce genre de chambre d'hôtel que Miller est devenu écrivain.

— C'est quand même trop immonde pour moi. Mais bon, ça ne doit pas être très cher.

— Tu veux boire un verre ? Il y a plein de bars encore ouverts dans le quartier.

— J'aimerais bien, mais je suis épuisée. Et après tout ce que Carly m'a raconté...

— Je te l'ai dit dans mon télégramme : ne crois pas un mot de ce que dit cette folle furieuse.

— N'empêche que tu as dû quitter le Chili précipitamment.

— Ça peut attendre demain ? » a-t-il plaidé.

Une vague de fatigue m'a submergée.

« Oui, on verra ça demain.

— Je viendrai frapper à dix heures et demie. »

Malgré les claquements de métronome du radiateur, malgré les insultes qui fusaient dans la rue en contre-bas, malgré les vomissements sonores de mon voisin de chambre, j'ai réussi à m'endormir pour n'émerger que le lendemain matin, au bruit de plusieurs coups frappés à ma porte.

« Réveillée ? a demandé Peter depuis le couloir.

— Maintenant, oui. »

Le temps de me débarbouiller au lavabo et de m'ha-biller, j'étais prête à sortir. Il faisait gris et froid. Peu m'importait. J'étais déjà sous le charme de Paris. Dans la vie, il y a peu de choses aussi exaltantes que de décou-vrir en vrai un lieu que la littérature, la photographie et le cinéma ont rendu mythique. Ce qui m'a sauté aux yeux, c'est la cohérence visuelle de la ville ; New York, où l'ancien est si souvent sacrifié pour laisser place au moderne, et Dublin, avec son mélange d'élégance, de dénuement et de déréliction, en sont tous deux dépour-vus. Mais j'étais surtout fascinée par les scènes de la vie quotidienne dans cette cité légendaire et splendide. Tout le monde fumait, tout le monde parlait fort – en particulier au marché de la rue de Buci, où Peter m'a emmenée petit-déjeuner dans un café. Pendant que j'ob-servais l'étal du poissonnier de l'autre côté de la rue, où des hommes en épais tablier de caoutchouc et armés de tranchoirs décapitaient des poissons aux yeux vitreux, la serveuse s'est mise à flirter avec Peter.

« Ma sœur », a-t-il précisé en me désignant du doigt.

Après un dernier coup d'œil appréciateur, la serveuse est allée passer notre commande.

« Tu lui as dit que j'étais ta sœur pour qu'elle ne se fasse pas d'idées ? Tu veux la revoir ?

— Alice…

— Juste pour savoir, ai-je ajouté d'un ton neutre.

— Je ne suis pas désespéré à ce point.

— Bien sûr que non.

— Ne sois pas si sarcastique. J'ai vraiment besoin d'un café. Je ne dors pas beaucoup ces temps-ci.

— Pourquoi ?

— Plus tard. »

On nous a servi du *café au lait* dans des bols en porcelaine. Nous y avons trempé nos croissants. Pendant que nous fumions notre première cigarette de la journée, Peter m'a parlé des petits cinémas du quartier, où il passait le plus clair de son temps à regarder de vieux films pour une bouchée de pain tout en se cachant des difficultés de la vie.

« Hier, avant que tu arrives, j'ai vu *La Prisonnière du désert*, de John Ford, *Vertigo*, de Hitchcock, et ce film noir incroyable de Fritz Lang, *Règlement de comptes*. Glenn Ford y joue un flic devenu fou après que sa femme a été tuée par la pègre, et il y a aussi Gloria Grahame en femme fatale : Lee Marvin lui jette du café à la figure, mais elle finit par se venger – même si elle meurt à la fin.

— C'est le principe de la vengeance, non ? Faire payer l'autre, quitte à se gâcher la vie pour ça… Exactement ce qui est arrivé à ta petite copine, Carly Cohen. »

Peter a fermé les yeux comme si la seule mention de Carly le rendait malade.

« On peut au moins finir notre café avant d'en venir à ça ?

— Si tu y tiens… »

Mais, après le café, Peter a insisté pour me faire découvrir Saint-Germain-des-Prés. On est descendus jusqu'à la Seine, où il m'a montré le Pont-Neuf, avant de s'égarer dans une fantastique librairie du nom de La Hune – où j'aurais immédiatement élu résidence, si j'avais eu la chance de lire le français. Puis nous avons pris un deuxième café aux Deux Magots, où, selon Peter, Sartre et Beauvoir avaient rédigé bon nombre de leurs œuvres après la guerre, parce que l'hôtel où ils logeaient n'était pas chauffé. Peter m'a emmenée voir les hautes voûtes gothiques de Saint-Sulpice, et m'a expliqué, devant les tableaux de Delacroix, que cette immense église symbolisait le mouvement janséniste du catholicisme local. Il connaissait également une crêperie en face du jardin du Luxembourg, dont le propriétaire était breton et servait un cidre assez fort élaboré dans ce que Peter appelait « le Maine français ».

C'était une façon merveilleuse de découvrir Paris. Attablée devant ma galette, tandis que Peter me racontait qu'il avait pour ambition d'apprendre la langue et de s'installer ici, je n'ai pas pu m'empêcher d'admirer une fois de plus sa curiosité et sa sophistication. Il n'avait passé qu'une semaine dans la capitale française pendant son année d'études à Heidelberg, et voilà que, au bout de dix jours à peine, il s'était constitué une liste de repaires et de lieux de prédilection. Il se promenait avec un exemplaire du *Pariscope*, dans lequel il avait entouré à la plume tous les films et concerts de jazz qu'il comptait aller voir.

« Tu n'as pas d'amis ici ? ai-je demandé.

— Non. À part un mec qui était dans ma classe à Pennsylvania State, et qui travaille maintenant à l'ambassade... Mais, étant donné les circonstances, je ne pense pas qu'il serait ravi de me voir.

— Pourquoi ?

— À ton avis ?

— À cause du Chili ?

— Possible.

— Tu es en cavale ?

— C'est un peu mélodramatique.

— Comme le fait que tu sois ici, à Paris, que tu m'aies fait venir pour me parler face à face, et que tu évites soigneusement le sujet depuis quatre heures.

— Je ne veux pas parler de ça ici. Il ne faut pas qu'on puisse nous entendre. Allons faire un tour dans le jardin du Luxembourg. »

Il a réglé l'addition et on est sortis. Le soleil tentait vainement de percer l'épaisse couche de nuages, et il restait quelques traces de neige dans le parc. Peter m'a guidée jusqu'à son recoin favori de ce jardin très formel et méticuleusement entretenu : un banc qui faisait face à l'imposant dôme du Panthéon. On s'est assis, Peter a sorti ses cigarettes. Des femmes élégantes se promenaient en poussant des landaus. Un vétéran âgé, mais à la silhouette toujours mince, droite et solennelle, les yeux d'un bleu glacé et le revers de son pardessus impeccable orné d'une petite collection de médailles, est passé devant nous avec une dignité tout aristocratique. Peter s'est lancé dans un cours magistral sur le Panthéon et les illustres Français enterrés à l'intérieur : il avait été construit sous Louis XV ; Léon Foucault y avait démontré la rotation de la Terre en 1851 en accrochant son fameux pendule sous le dôme ; Voltaire, Rousseau, Hugo, Zola y reposaient…

J'ai décidé qu'il était temps d'arrêter de tourner autour du pot.

« D'après Carly, l'ai-je coupé, ton *capitán* révolutionnaire t'a ordonné de tuer un journaliste. Et tu lui as fait sauter la cervelle en lui fourrant un flingue dans la bouche. »

Ç'a eu l'effet escompté.

« C'est pas vrai…, a-t-il murmuré.

— Tu confirmes, là ?

— Je n'ai pas tué Alfonso Duarte.

— Donc tu connais son nom.

— Toi aussi, on dirait.

— Alors, ce sont tes amis radicaux qui l'ont tué ? »

Il a gardé les yeux rivés sur la mince pellicule de neige qui craquait sous nos pieds.

« Oui, c'est eux.

— C'est toi qui as pressé la détente ?

— Non.

— Regarde-moi dans les yeux, Peter. Est-ce que c'est toi ? »

Il a relevé la tête pour me faire face.

« Je n'ai pas tué Alfonso Duarte.

— Alors pourquoi ta copine t'accuse-t-elle ?

— Parce qu'elle est dérangée, et cruelle. Elle ne s'est jamais remise de tout ce qu'elle a subi au lycée. Je trouve ça triste.

— Elle a vraiment vécu l'enfer.

— Ça excuse ce qu'elle est devenue, pour toi ?

— Non. Je n'approuve pas ce qu'elle a infligé à ses parents, disparaître sans donner de nouvelles, en les laissant croire qu'elle est morte. Et puis son séjour au Chili pour jouer à la révolutionnaire avec ta bande d'activistes gauchistes, c'était n'importe quoi. Elle est allée trop loin.

— Tu n'as pas le droit de parler comme ça du Front. S'il a vu le jour, c'est seulement à cause des atrocités commises par Pinochet et sa clique de tortionnaires. J'étais aux premières loges, j'ai vu tout le mal qu'ils ont fait au peuple chilien.

— Et assassiner un journaliste, ce n'est pas une atrocité ?

— Je ne voulais pas qu'on le fasse. Mais je n'ai pas eu mon mot à dire. On a enlevé Duarte parce que la junte avait arrêté un journaliste de notre bord, qui travaillait pour un journal révolutionnaire clandestin. Ils l'ont torturé, castré, et ils l'ont battu à mort à coups de marteau avant de jeter son cadavre devant chez lui. C'est sa fille de six ans qui l'a découvert le lendemain matin. Alors, oui, kidnapper Duarte, c'était œil pour œil… Mais

204

on avait besoin d'une monnaie d'échange pour que le régime libère dix de nos hommes emprisonnés. On ne l'a pas torturé. On n'a jamais levé la main sur lui. On n'a même pas essayé de lui soutirer d'informations. Tout ce qu'on voulait, c'était un échange. On savait que si on en demandait dix, ils libéreraient peut-être trois ou quatre des nôtres. Mais non. Ils les ont tabassés à mort, tous les dix. Et ils ont balancé leurs corps dans des endroits stratégiques de Santiago. El Capitán n'avait plus le choix. Il fallait tuer Duarte. On ne pouvait pas le relâcher après tout ça.

— *On. Les nôtres.* Tu étais vraiment impliqué dans les affaires du Front, pas vrai ?

— Mais je me suis quand même opposé au meurtre.

— Ce n'est pas toi qui l'as tué ? »

Il a secoué la tête.

« Mais tu as assisté à l'exécution. »

Après un moment, il a acquiescé.

« Alors, qui a tiré ? » ai-je insisté.

Une fois encore, il a détourné le regard vers la neige à nos pieds.

« Carly. »

C'était comme si j'avais reçu un coup de poing dans l'estomac.

« Je ne te crois pas.

— Mais elle, quand elle te dit que c'est moi, tu la crois ?

— Je n'ai jamais dit que je la croyais. Je n'ai fait que te répéter ce qu'elle m'a dit.

— Les mensonges qu'elle t'a racontés, tu veux dire. Comment elle a essayé de m'attribuer son crime.

— Pourquoi ferait-elle une chose pareille ?

— Pourquoi ? *Pourquoi ?* Tu déconnes, j'espère. On parle d'une fille qui se vante d'avoir braqué une banque avec les Panthers. Qui raconte à qui veut l'entendre

205

qu'elle est allée récupérer des cargaisons d'armes pour eux, en pleine nuit. Et, après ça, elle débarque au Chili et devient une des activistes du Front de libération révolutionnaire...

— Et tu l'accueilles dans ton lit, par la même occasion.

— En temps de guerre, la morale et l'éthique n'ont plus cours. Tu couches avec qui veut de toi. Parce que tu ne sais jamais quand tu te prendras une balle dans le crâne.

— Et Duarte, tu l'as laissé coucher avec qui il voulait avant de l'abattre ?

— C'est Carly qui a tiré, pas moi.

— Mais tu étais là quand elle l'a fait. Tu es coupable par association.

— Depuis quand tu es aussi moralisatrice ?

— Depuis que mon frère joue au révolutionnaire en tuant des gens. »

Peter s'est levé.

« Il y a beaucoup de choses que tu ignores, et je compte bien te les expliquer... Mais pas maintenant. Je n'y arrive pas. J'ai besoin de marcher un peu pour mettre de l'ordre dans mes idées.

— Autrement dit : dégage pendant quelques heures, le temps que je trouve comment rationaliser mes crimes et mes conneries.

— Tu n'es pas en position de me juger.

— Tu rigoles ? Je n'arrive pas à croire tout ce que tu me racontes. Tu ne te sens pas coupable du tout ? C'est peut-être pour ça que tu ne dors plus la nuit.

— Si je suis allé au Chili, c'est à cause d'une femme que j'ai rencontrée à Yale. Valentina Soto. Je suis tombé amoureux d'elle. Quand elle est retournée chez elle après le coup d'État pour lutter contre Pinochet, je l'ai suivie.

Et elle a été tuée par la junte, il y a tout juste deux semaines.

— Tu étais avec elle quand elle est morte ? »

Il a hoché la tête, très vite, plusieurs fois. Il était au bord des larmes. Malgré ma colère et ma confusion, je ne pouvais ignorer la détresse dans son regard.

« Si tu étais avec elle, comment as-tu fait pour t'en sortir, toi ? »

Il a regardé ailleurs.

« C'est là que ça devient compliqué. »

Puis il a fouillé ses poches à la recherche d'une cigarette, l'a allumée avant de jeter un œil à sa montre.

« Il est presque trois heures. On n'a qu'à se retrouver à l'hôtel vers six heures. Ça te va ? Tu arriveras à retrouver le chemin ?

— Je suis une grande fille, je te rappelle. Je vais m'en sortir. Mais est-ce que toi, ça va aller ?

— Non. »

Il s'est éloigné à grandes enjambées, sans ajouter un mot. Je suis restée assise sur le banc dix bonnes minutes, prise de vertiges. Carly avait-elle vraiment tué cet homme ? Était-elle vraiment cinglée et tordue au point d'accuser mon frère de ce meurtre, qu'elle avait elle-même commis de sang-froid ? Elle s'était forcément doutée que je confronterais Peter à cette version des faits, que j'exigerais de connaître la vérité – et que sa dénégation creuserait entre nous un fossé de doute. Était-ce là son objectif, saboter autant que possible ma confiance en mon frère ?

Le froid a fini par me faire lever. J'ai passé une heure au Panthéon, à admirer la dernière demeure des hommes illustres de France. Je me suis demandé ce que ça faisait, de vieillir. Mon grand-père m'avait toujours fait grande impression en dépit de son âge avancé, et quand il était mort, à quatre-vingt-huit ans, c'était comme s'il avait vécu des siècles. Ce jour-là, ma mère m'avait dit : « À seize ans, tu ne te rends pas compte à quelle vitesse la vie va te filer entre les doigts. Chaque année qui passe te paraîtra plus courte, et tu finiras par redouter le calendrier et la notion même de temps. Crois-moi, quand j'avais ton âge, je trouvais les années longues : entre la rentrée et le début de l'été suivant, c'était comme une éternité. Maintenant, je cligne des yeux en septembre, et voilà qu'on est en juin. Partout, depuis toujours, tous ceux qui ont vécu se sont posé la même question : comment le temps peut-il passer si vite ? »

Zola avait-il pensé ça, lui aussi ? Le Pr Hancock avait parlé de lui un jour, pendant un cours sur Joseph McCarthy et sa tristement célèbre chasse aux sorcières. D'après lui, Émile Zola était l'un de ces rares hommes de conviction prêts à mettre en jeu leur carrière et leur réputation pour s'élever contre une injustice. D'ailleurs, sa mort par asphyxie au monoxyde de carbone en 1902 pourrait avoir été un meurtre. Cinq ans plus tard, la République française avait fait exhumer son corps pour l'enterrer en grande pompe au Panthéon. Comme l'avait fait remarquer Hancock, Zola était, entre autres talents, un romancier qui s'intéressait de très près à la question de la morale. À ce titre, je me demandais comment il aurait réagi face à mon dilemme du moment : fallait-il croire mon frère, accusé d'un crime odieux par la même personne qu'il affirmait en être coupable ? Quoi qu'il en soit, j'étais certaine d'une chose : quel que soit son degré d'implication dans ce meurtre, il s'en était fait le complice par bien des aspects.

Il neigeait légèrement quand je suis ressortie du Panthéon. Un tel froid était très inhabituel pour la saison – du moins, c'est ce que Peter m'avait dit –, mais on était au mois de mars, et il me restait encore deux heures de jour. J'ai décidé de marcher au hasard, pour voir où mes pieds me mèneraient. Je trouverais bien une station de métro vers cinq heures et demie, juste à temps pour rentrer à l'hôtel. Je n'en voulais pas à Peter de m'avoir abandonnée, au contraire : il n'y a pas de meilleur moyen de découvrir Paris qu'en s'y promenant seul, sans personne pour nous aiguiller ici ou là, ni nous imposer ses préférences. Je me suis délibérément perdue dans des ruelles. J'ai traversé de grands boulevards, fascinée par les vitrines des magasins. J'ai passé dix minutes éblouissantes dans une fromagerie, à songer que, si je vivais dans ce pays, je me nourrirais exclusivement de pain, de fromage et de vin rouge, sans oublier une quantité malsaine de cigarettes pour éviter d'enfler comme une outre. J'ai observé la vie qui se déroulait autour de moi : dans le café où je me suis arrêtée pour prendre un verre de vin, un couple de bourgeois se regardait dans les yeux avec une indifférence étudiée. Un jeune loubard en blouson de cuir bon marché tentait de draguer une jeune femme d'à peu près mon âge – terriblement mince, les cheveux courts, col roulé noir, jean noir serré, veste noire en mouton retourné. J'ai envié son élégance désinvolte. À côté d'elle, avec mon éternel manteau militaire, mon pantalon pattes d'eph' marron, ma chemise de flanelle et mes chaussures de randonnée, je devais avoir l'air d'une caricature d'étudiante américaine. Il fallait que j'apprenne la langue de ce pays. Il fallait que je vive ici. Je me sentais liée à cette ville, non par une quelconque vision romantique, mais par le sentiment profond que j'y étais à ma place. J'habiterais un petit appartement – une mansarde, à coup sûr – et trouverais un travail à l'*International Herald Tribune*. Peut-être même que j'arriverais enfin à me mettre à écrire. J'aurais des amis passionnants, je passerais mon temps dans des cafés et mes soirées dans de petits cinémas, histoire de devenir une vraie cinéphile. Et, surtout, je serais loin de tout ce qui pourrait me faire du mal : la danse folle de l'Amérique, et celle de ma famille.

Peter avait laissé un mot sous la porte de ma chambre où il s'excusait de m'avoir laissée seule et me demandait de frapper à sa porte quand je rentrerais. Je suis montée à la chambre 312. Elle était beaucoup plus vaste que la mienne et était meublée d'un grand fauteuil, d'un lit plus large et d'un bureau encombré de carnets, d'aérogrammes, de journaux et, posés près d'une machine à écrire portable, de clichés d'une femme brune d'environ vingt ans, à la beauté indéniable.

« C'est Valentina ? »

Peter a hoché la tête sans rien dire.

« Elle est belle.

— Elle l'était, oui. »

J'ai changé de sujet.

« Pas mal, ta chambre. On dirait que tu es parti pour devenir le prochain Hemingway.

— Je n'ai rien à voir avec Hemingway. On sort ? »

Nous avons atterri dans une brasserie près de la Sorbonne. Le Balzar était très art déco, et fréquenté par des académiciens, des écrivains et toutes sortes d'intellectuels. Une fois installés sur la terrasse chauffée, nous avons commandé deux Pernod, et Peter m'a montré comment diluer le mien et le rendre d'un blanc laiteux en y ajoutant de l'eau.

« Il est trop tôt pour dîner, a-t-il annoncé. Si tu commandes à manger avant vingt heures, ici, tu es immédiatement catalogué comme un bouseux.

— À Old Greenwich aussi, les gens mangent tôt.

— Je sais. À Santiago, personne ne dînait avant neuf heures et demie du soir.

— Tu as mangé avant ou après l'exécution de Duarte ?

— Tu ne vas pas lâcher l'affaire, pas vrai ? »

« — Tu t'attendais à quoi ? Alors, tu as eu le temps de réfléchir à ce que tu allais me raconter, et à ce que tu allais garder pour toi ?

— Oui, c'est un des nombreux sujets que j'ai repassés dans mon esprit chaotique pendant que je marchais.

— Tu n'as rien de chaotique, Peter. Tu peux toujours te poser en grand théologien et déborder d'idées, tu ne seras jamais autre chose qu'un être rationnel.

— Tu n'as peut-être pas tort. Mais, en l'occurrence, il n'y avait pas grand-chose de rationnel dans la situation où je me suis fourré.

— Raconte. »

Il a regardé autour de nous, comme s'il s'attendait à ce qu'on nous écoute. Les seules personnes assises près de nous étaient un vieux couple de Français et il y avait fort peu de chances qu'ils travaillent pour les services secrets internationaux. Peter a pris une gorgée de Pernod et s'est allumé une cigarette.

« On dirait que tu vas à l'échafaud.

— Ce n'est pas loin de la vérité. Tu n'imagines pas à quel point je me sens coupable.

— Parle-moi de Valentina. »

Et Peter a commencé à parler. Valentina faisait un doctorat à Yale. Études comparées des langues. Son père était un riche banquier de Santiago, un homme difficile et compliqué, autoritaire et dominateur, avec de hautes relations. Sa mère, une mondaine, le genre de femme qui ne vit que pour organiser de grands dîners, faire les magasins et jouer au tennis dans les country clubs où se réunit le gratin de Santiago. Valentina avait deux sœurs aînées qui faisaient le bonheur de leur père, très semblables à leur mère, toutes les deux mariées jeunes. Elle, c'était la rebelle, l'intellectuelle curieuse, consciente que l'existence que voulait lui imposer son père ne lui conviendrait pas. Alors elle avait travaillé son anglais, obtenu des résultats fantastiques à l'université de Santiago, et quand Yale l'avait admise pour un doctorat, elle avait convaincu son père de financer ses études. D'après Peter, l'explication de cette soudaine et relative ouverture d'esprit paternelle était la suivante : comme elle soutenait Allende et son gouvernement socialiste, mieux valait lui faire quitter le pays. Qui sait, avec tous les contacts qu'il avait dans la haute société, il savait que quelque chose se préparait contre le Président chilien, et il ne voulait pas qu'elle se retrouve mêlée à tout ça. Peter l'avait rencontrée au début de l'année universitaire. Elle sortait de classe, et lui traversait la cour principale en courant, tête baissée, en retard à un rendez-vous avec son tuteur... Il l'avait percutée de plein fouet. Il existe une expression en français : *avoir un coup de foudre*. C'est exactement ce qui s'était passé. Leurs regards s'étaient croisés, et ils avaient tout de suite pensé que le destin venait de s'accomplir.

J'ai dû faire la grimace, parce que Peter a haussé les épaules.

« Je sais, je sais, tu dois me prendre pour un romantique invétéré.

— Je ne crois pas au destin, c'est tout.

— Attends de tomber vraiment amoureuse.

— Ce n'est pas le destin, c'est un choix.

— Si on peut tomber amoureux juste en percutant quelqu'un dans la cour de Yale...

— Laisse-moi deviner : tu vas me parler de Martin Luther ?

— Il n'a jamais rien écrit sur le hasard, a rétorqué Peter.

— Au temps pour moi. On en était où ? »

Peter a pris une longue gorgée de Pernod.

« Au bout d'une semaine, on était déjà inséparables.

— Et tu n'en as parlé à personne dans la famille.

— Quand tu rencontres l'amour de ta vie... »

J'ai froncé le nez une deuxième fois, mais je n'ai pas relevé.

« En fait, les magouilles de papa au Chili t'ont encouragé à faire profil bas ? ai-je dit. Il connaissait peut-être le père de Valentina ?

— Bien sûr que j'ai pensé à ça. Et j'en ai parlé à Valentina presque dès le début. Elle s'est renseignée discrètement, et il se trouve que, oui, nos deux pères se connaissaient très bien. Du coup, papa n'aurait sans doute pas apprécié de me voir sortir avec une gauchiste avérée. Enfin, bref, on était heureux, et incroyablement amoureux. C'était ma dernière année à Yale Divinity, mais j'avais déjà postulé pour devenir enseignant-chercheur à l'université et rester avec Valentina pendant son doctorat. »

Puis il y avait eu le coup d'État. Valentina avait appris que trois de ses meilleurs amis de l'université avaient disparu, et que son père conseillait le régime de Pinochet dans le domaine de la finance. Peter l'a suppliée de ne pas y retourner, parce que c'était beaucoup trop dangereux, mais elle ne l'a pas écouté. C'était une véritable patriote chilienne, dans le meilleur sens du terme. Elle n'a pas eu d'autre choix que de rejoindre les opposants au régime de Pinochet. Alors elle est partie. Peter n'a eu aucune nouvelle pendant un mois, six semaines... Jusqu'au jour où il a reçu un coup de fil en pleine nuit d'un certain Enrico qui disait être dans le même « groupe » que Valentina. Il lui a raconté qu'elle avait été arrêtée pendant un kidnapping qui avait mal tourné. Il n'a pas pu lui dire grand-chose de plus, la ligne était mauvaise. Mais Valentina lui a donné le numéro de Peter pour qu'il l'appelle au cas où les choses dégénéreraient. Elle devait être détenue dans un centre réservé aux ennemis du régime. Peter a demandé si son père essayait de la faire libérer. Enrico a répondu : « Son père la préfère en prison. » Puis il a raccroché. Ensuite, plus rien. Peter a fortement hésité à appeler notre père pour lui demander d'intervenir. Mais s'il lui parlait de son histoire avec Valentina, et du souci qu'il se faisait pour elle, notre père risquait sans doute d'user de son influence pour le faire refouler à l'aéroport ou pour l'empêcher d'entrer dans le pays. Il était donc obligé d'y aller lui-même, seul, pour entrer en contact avec le Front de libération révolutionnaire.

« Tu croyais vraiment que tu pourrais la tirer des griffes du régime ? ai-je demandé.

— J'étais mort d'inquiétude. Pour moi, chaque jour sans nouvelles augmentait la crainte qu'elle ne soit morte. Et j'avais cette certitude complètement irrationnelle que, si j'allais à Santiago, je pourrais faire quelque chose. Alors j'ai pris tout l'argent que j'avais mis de côté depuis cinq ans, j'ai acheté un billet pour Santiago, et j'ai rejoint le Front. Ils se sont méfiés, au début : un *gringo* fraîchement débarqué… Mais Valentina leur avait parlé de moi. Ils m'ont interrogé pour vérifier que je la connaissais vraiment, que j'étais vraiment celui que je prétendais être. Et puis, ils m'ont raconté les détails de ce qui était arrivé à Valentina. Elle avait été arrêtée alors que, avec trois camarades, elle essayait d'enlever un banquier. L'opération avait mal tourné, les flics avaient surgi, et l'un des membres du commando du Front avait tué le banquier juste avant de se faire descendre à son tour. Le pire, c'est que le banquier était l'un des plus proches amis de son père.

— Alors, au lieu de te rendre compte que tu ne pouvais rien faire et qu'il était plus sage de rentrer vite fait à Yale…

— Tu ne comprends pas. La femme que j'aimais était aux mains d'un régime violent.

— Après avoir tenté de kidnapper un banquier, qui, même s'il fricotait avec la junte, n'avait probablement jamais tué personne.

— Il travaillait pour le ministère des Finances. Coupable par association... comme tu l'as si bien dit tout à l'heure. Mais oui, tu as raison, j'aurais pu m'éclipser à ce moment-là. Une partie de moi, la partie rationnelle, me disait : *Va-t'en tout de suite.* Mais je suis aussi un romantique – je le sais, maintenant –, j'avais soif d'aventures, je rêvais de sortir du monde académique strict dans lequel je vivais depuis des années. Je voulais me prouver que j'avais les *cojones* de m'opposer à une dictature. Alors j'ai dit au Capitán que je voulais moi aussi combattre Pinochet. Et ils ont fait de moi leur camarade.

— Carly a débarqué quand ?

— Quelques mois plus tard. Imagine ma surprise quand elle a dit qu'elle m'avait connu à l'époque d'Old Greenwich. Elle m'a demandé plein de choses sur toi. Quand elle a voulu avoir ton adresse, soi-disant pour t'écrire, je la lui ai donnée sans me poser de questions.

— Et tu as couché avec elle sans te poser plus de questions.

— Je te l'ai déjà dit : les situations comme celle-là... On risquait de mourir d'un jour à l'autre. Valentina me manquait. J'avais besoin de réconfort.

— Alors, avec Carly, ce n'était pas le destin ?

— Va te faire voir. »

Je me suis levée.

« Avec plaisir. Tes histoires me mettent extrêmement mal à l'aise.

— Rassieds-toi, s'il te plaît.

— Alors surveille ton langage, comme dirait papa.

— Je te demande pardon. »

Je me suis rassise et j'ai terminé mon Pernod d'un trait, avant de faire signe au serveur d'en apporter deux autres.

« Carly t'a raconté ses exploits avec les Panthers ? Le frère d'armes avec qui elle couchait ? Son passé de junkie ? Tu savais qu'elle avait participé à un braquage de banque ?

— Oui, elle m'a parlé de tout ça. Parce que c'est comme ça qu'elle a trouvé El Capitán et le Front. Et je suis au courant pour son mec, Calvin. Elle m'a dit qu'ils avaient braqué une banque ensemble.

— Elle m'a raconté que sa part s'élevait à dix mille dollars, et qu'elle les avait cachés pour ne pas que vous mettiez la main dessus.

— Je l'ignorais, mais c'est peut-être à cause de ça qu'elle a quitté les États-Unis. D'après ce qu'elle m'a dit, le lendemain du braquage, l'un de ses frères Panthers l'a appelée au motel pourri où elle se cachait avec Calvin pour la prévenir que les flics risquaient de débarquer. Calvin était sorti faire des courses, alors elle a décollé sans l'attendre, et il s'est fait pincer. Mais bon, une fois de plus, avec Carly, on ne sait jamais trop où se situe la vérité.

— Par contre, j'aimerais bien savoir comment elle a réussi à quitter le pays après ça.

— Ce soir-là, après avoir balancé le corps, on est rentrés à la planque.

— Tu as fait ça ?

— Je n'avais pas le choix. Ordre du Capitán. Rassure-toi, je vivrai avec le poids de la culpabilité pendant le restant de mes jours. Bref, on est retournés dans la cave qui nous servait de planque pour quelques nuits – on changeait d'adresse tous les deux trois jours –, et quand je me suis réveillé le lendemain matin, elle était partie. Avec son sac et tous ses papiers. Et aussi l'équivalent de cinq cents dollars en pesos chiliens, qu'on m'avait confiés pour couvrir les "frais d'opération".

— Elle t'a volé de l'argent, donc.

— Effectivement. Elle est partie tôt, avant l'aube. À mon avis, elle est allée directement à l'aéroport de Santiago et elle a pris le premier avion qui quittait le pays. Mais, là encore, ce ne sont que des suppositions. Parce que c'est Carly, et que rien de ce qu'elle dit ne peut être pris pour argent comptant.

— Et toi, comment tu as fait pour t'en sortir ? »

Ma question l'a ébranlé. Ses yeux se sont remplis de larmes. Prise de remords, je lui ai gentiment pris le bras.

« Désolée. C'était un peu abrupt.

— Non, c'est ma faute. Je n'aurais jamais dû donner ton adresse à Carly. Ni la laisser entrer dans mon lit. Je n'aurais jamais dû aller à Santiago.

— Qu'est-ce qui s'est passé ?

— Deux jours après l'exécution de Duarte, on était en route vers une nouvelle planque au nord de la ville quand la police nous est tombée dessus. On était trois dans la voiture. Les flics ont traîné mes deux camarades au bord de la route et les ont abattus à bout portant. Puis ils m'ont fait rentrer de force dans leur voiture et ont démarré en abandonnant les cadavres. Le tout en quelques secondes. Le flic assis à l'arrière avec moi m'a décoché un coup de poing à la tempe. Je crois que je me suis évanoui quelques instants, parce que j'ai eu l'impression de reprendre conscience après avoir reçu une gifle. Il m'a frappé à nouveau. Cette fois, je suis tombé dans les pommes pendant un moment. Quand j'ai repris connaissance, j'étais dans une petite pièce aux murs en béton, sans fenêtre, sans lumière… Juste un matelas répugnant et un seau. On m'a laissé là-dedans pendant deux jours, avec un mal de crâne horrible, à me nourrir de pain et d'eau, sans voir personne sauf quand

217

je me suis mis à hurler, alors un gardien est entré me donner deux coups de pied dans le ventre. J'ai vomi partout. J'ai cru que j'allais mourir dans cette cellule. Et puis un autre gardien est arrivé le lendemain et m'a emmené dans une salle de bains sordide. Il m'a dit de me déshabiller, m'a jeté un savon sale et m'a poussé sous une douche froide. Je me suis lavé comme j'ai pu en luttant pour ne pas m'évanouir. Ensuite, le gardien m'a donné des vêtements propres, mais trop grands pour moi, et une paire de sandales. Puis il m'a poussé le long de couloirs interminables, dans une zone qui ressemblait à des bureaux, jusqu'à une pièce aux murs peints en vert hôpital. Trois hommes m'attendaient : deux Chiliens en bras de chemise et cravate bon marché, avec leurs revolvers dans des étuis d'épaule, et un type en costume beige et cravate à rayures de Yale. Un Américain. Il m'a dit qu'il s'appelait Howard Lonergan et qu'il travaillait à l'ambassade, mais sans préciser ce qu'il y faisait. En tout cas, il voulait que je sache qu'il était là en sa qualité d'officiel. Il a demandé aux deux autres, dans un espagnol excellent, s'il pouvait parler avec moi, et il s'est approché pour chuchoter :

« "Peter, je sais qui vous êtes. Je sais où vous avez grandi, dans quelles écoles vous êtes allé, et dans quelle université" – il a montré sa cravate. "Je suis en contact avec votre père, qui est au Chili en ce moment même, en compagnie de votre frère. Il est au courant de la gravité de votre situation. Les services secrets savent que vous avez pris part au meurtre d'Alfonso Duarte. Si vous leur dites ce qu'ils veulent savoir, on pourra peut-être négocier avec eux pour qu'ils vous laissent sortir du pays. Alors je vous conseille de coopérer avec ces messieurs." Je lui ai demandé s'il garantissait ma sécurité. Il a secoué la tête. "Tout ce que je peux vous garantir, c'est que vous vivrez l'enfer si vous ne coopérez pas. Et que je ne pourrai rien pour vous." Qu'est-ce que je pouvais faire ? Ils avaient tué mes camarades sous mes yeux, ils m'avaient battu, ils m'avaient enfermé dans une cellule immonde pendant plusieurs jours... J'ai parlé.

— Tu leur as tout dit ?

— Non, pas tout.

— Comment ça ?

— J'ai prétendu que celui qui avait tiré, c'était Gustavo, l'un des hommes qu'ils avaient abattus.

— Mais pourquoi tu as fait ça ? »

J'avais presque crié.

« Je ne voyais pas l'intérêt d'impliquer d'autres personnes, a répondu Peter. D'après leurs questions, ils ignoraient qu'il y avait une Américaine parmi nous.

— Pourquoi tu ne leur as pas dit la vérité ?

— Qu'est-ce que ça m'aurait apporté ?

— Elle a tué ce type, non ?

— Oui, elle l'a tué.

— Et toi, tu ne l'as pas dénoncée.

— Essaie de comprendre : j'avais déjà vu Duarte et deux de mes camarades se faire assassiner brutalement sous mes yeux. J'avais été frappé au point de tomber dans les pommes. Je venais de passer deux jours dans le noir, vautré dans mon vomi. Comme tu peux t'en douter, ce n'était pas la grande forme. Et voilà que je me retrouvais dans des vêtements propres, après une douche, et qu'on me proposait du café, du jus d'orange et des petits pains... Après deux jours d'eau et de croûtes rassies, j'ai apprécié. Sans compter que cet ancien élève de Yale, avec son costume, m'avait plus ou moins prévenu que, si je ne coopérais pas, je resterais un bout de temps dans cet endroit de cauchemar.

— Et même en sachant ça, tu ne l'as pas dénoncée.

— Non. Je le reconnais. Mais si je l'avais fait, ils auraient sûrement pensé que j'étais de mèche avec elle.

Alors que le mec que j'avais donné était déjà mort. Comme je te l'ai dit, je suis à peu près sûr qu'ils ignoraient l'existence de Carly. Quelqu'un les avait prévenus de notre déplacement et ils nous avaient tendu une embuscade, c'est tout. Ils m'ont interrogé pendant huit heures, ils m'ont insulté, traité de petit *gringo* stupide qui se mêle de ce qui ne le regarde pas, et j'ai chanté comme un pinson, encouragé par Howard Lonergan, qui hochait sans arrêt la tête comme pour me dire : "Continuez, dites-leur tout ce que vous savez."

« À la fin, ils m'ont appris que, grâce à mon père et à ses contacts au gouvernement, ils allaient se contenter de m'expulser du Chili. Mais, avant, ils voulaient savoir pourquoi j'étais venu chez eux. Je leur ai raconté que c'était par idéalisme, pour me rebeller contre Nixon et Kissinger. L'un d'eux m'a demandé si, par hasard, ce n'était pas plutôt à cause d'une femme. J'ai nié. Il m'a traité de menteur, et il a brandi une photo de Valentina en disant qu'ils savaient tout de notre rencontre à Yale et de notre relation. Lonergan me faisait des signes de tête, l'air grave, pour confirmer qu'il s'était renseigné sur nous. Le flic a ouvert un dossier plein de photos de nous deux prises à New Haven, sur lesquelles on se tenait par la main. J'ai demandé qui les avait prises. Lonergan a répondu froidement : "On avait un œil sur elle, parce qu'elle soutenait Salvador Allende." Alors j'ai avoué. Oui, on était amoureux, et, oui, je l'avais suivie au Chili et j'étais entré au Front à cause d'elle. Les deux flics sont sortis en disant qu'ils allaient revenir. Lonergan en a profité pour m'assurer que j'avais bien agi, et que j'allais sortir vivant de cette panade. Cinq minutes plus tard, la porte s'est rouverte. Et Valentina est entrée. Elle a poussé un petit cri en me voyant, et j'ai reçu un choc. Elle avait l'air si mal en point, le visage tuméfié, son dos courbé à force d'être enfermée dans un espace minuscule, et les yeux voilés par la souffrance... Elle avait vieilli de dix ans en quelques semaines, toujours aussi belle, mais brisée par la torture. L'un des flics lui a dit en espagnol quelque chose que je n'ai pas compris, et elle s'est mise à pleurer. Quand j'ai voulu me lever pour la prendre dans mes bras, Lonergan m'a retenu par l'épaule. Elle a commencé à hurler que j'étais un pion de la CIA, que je les avais trahis, elle et le Front, que je n'étais qu'une pourriture. J'ai crié au flic : "Qu'est-ce que vous lui avez dit, bordel ?" Pour toute réponse, il m'a frappé à l'estomac et envoyé au tapis, plié en deux. Ils sont repartis avec Valentina. Lonergan s'est accroupi à côté de moi pour me dire que je n'avais pas été très malin sur ce coup-là, puis il les a suivis.

« Après une dizaine de minutes, deux hommes armés sont entrés et m'ont emmené à l'extérieur, puis fait monter dans un car avec une vingtaine d'autres prisonniers. Valentina était là, elle aussi, la tête baissée. Elle pleurait. J'ai voulu lui parler, mais l'un des gardes m'a asséné une gifle pour me faire taire avant de me pousser sur un siège. Les gardes ont fait des allées et venues dans la travée centrale pendant toute la demi-heure qu'a duré le trajet. On est arrivés dans un aérodrome et on nous a poussés à bord d'un avion-cargo où cinq des hommes les plus effrayants que j'aie jamais vus, tous en uniforme de l'armée chilienne et armés de matraques, nous ont menottés un par un à des rampes de métal qui couraient le long de la carlingue. Quand tout le monde a été menotté, l'avion a décollé. J'étais attaché près d'un hublot, et la nuit était claire. On survolait le Pacifique. Et, au bout d'une heure de vol, d'un seul coup, les militaires se sont levés et ont fait quelque chose d'insensé : ils ont ouvert la trappe de chargement. J'ai compris tout de suite ce qu'ils avaient en tête, et les autres prisonniers aussi, parce qu'ils se sont mis à hurler, à supplier, à injurier nos tortionnaires… Mais les gardes sont restés imperturbables. Ils étaient bien rodés : deux d'entre eux tenaient fermement chaque prisonnier, pendant qu'un troisième déverrouillait les menottes. Ensuite, ils le tiraient jusqu'à la trappe et le jetaient dans le vide. Un par un, tous les prisonniers ont disparu, happés par les ténèbres. Je ne voyais rien, j'entendais juste leurs cris, leurs suppliques, et je n'arrivais pas à croire que c'était réel, que j'allais mourir moi aussi. J'ai essayé de me tourner pour tenter d'apercevoir Valentina, croiser son regard une dernière fois avant d'être jeté dans l'océan – mais les menottes m'empêchaient de regarder derrière moi. Soudain, je l'ai entendue crier mon prénom, et deux mots : *Te amo…* un hurlement, et puis le silence. Elle avait disparu.

« Un militaire s'est approché de moi. Je m'attendais à subir le même sort qu'elle, mais il m'a mis une main sur l'épaule et m'a dit, en mauvais anglais : "Quelqu'un veut que tu restes en vie, *estúpido*. Qui voudrait sauver une petite merde comme toi ?" Puis il m'a craché au visage.

« Ils m'ont gardé enchaîné à la rampe pendant tout le retour vers Santiago. Après l'atterrissage, ils m'ont détaché et poussé dans une Jeep. Une heure plus tard, on était à l'aéroport international. On m'a accompagné jusqu'à un bureau dans les locaux de la sécurité. Howard Lonergan m'y attendait, avec le sac à dos qui se trouvait dans le coffre de notre voiture quand la police nous était tombée dessus : il contenait deux tenues à moi, mon passeport… il y avait même la machine à écrire que j'avais emportée. Lonergan a dit aux deux flics qui m'avaient escorté jusque-là de nous laisser, puis il m'a fait signe de me changer. Pendant que j'enfilais mes vêtements, il a désigné mon Olivetti dans sa mallette noire, et il a dit : "Quel genre de révolutionnaire emporte sa

machine à écrire avec lui ? Un dilettante, rien d'autre."
Je lui ai demandé pourquoi j'avais été épargné. Il m'a
répondu que mon père avait de nombreuses relations
haut placées à Santiago, et qu'il travaillait pour eux.

« C'est comme ça que j'ai eu la confirmation de ce
dont je me doutais depuis des années. Notre père fait
partie de la CIA. Mais je n'ai pas cherché à en savoir
plus, ma situation ne me le permettait pas. J'ai juste
demandé à Lonergan pourquoi le père de Valentina,
qui faisait partie de ces gens haut placés, qui travaillait
pour Pinochet lui-même, n'avait pas sauvé sa fille. Il
m'a répondu sans me regarder qu'il me faudrait le lui
demander directement.

« Il m'a donné une enveloppe. Elle contenait mille
cinq cents dollars en liquide. "Un petit cadeau de votre
père. Il voulait venir... étant donné les circonstances,
on a jugé préférable qu'il s'en abstienne." J'avais envie
de lui jeter cet argent à la figure, mais, pour la première fois depuis mon arrivée à Santiago, j'ai pris une
bonne décision. J'ai glissé l'enveloppe dans mon sac et
j'ai demandé à Lonergan de remercier mon père de ma
part. Il m'a expliqué que j'allais embarquer dans un
avion pour Miami et que, une fois là-bas, je prendrais
une correspondance pour LaGuardia.

« "Et quand j'arriverai à New York ?" ai-je demandé.
J'étais persuadé que le FBI ou la CIA m'attendrait à l'aéroport. Mais tu sais ce qu'il m'a répondu ? "Quand vous
arriverez, vous pourrez faire tout ce qui vous chante !
C'est un pays libre, après tout." »

8

DEUX NUITS PLUS TARD, de retour à Dublin, j'ai été réveillée par des éclats de voix empreints d'une rage corrosive. Sean et Carly, passablement ivres, se jetaient des insultes à la tête.

« Radicale, mon cul ! Tu n'es qu'une sale opportuniste !

— Et toi un gros connard prétentieux, sans parler de ta petite bite. »

C'était loin d'être les pires choses qu'ils s'échangeaient. J'ai lancé un regard à mon réveil. Deux heures huit. Génial. J'avais cours à neuf heures le lendemain matin, et je n'étais pas encore remise de tout ce que j'avais appris au cours du week-end. Mais ce qui m'affectait le plus, c'était d'avoir vu mon frère souffrir à ce point. Il lui faudrait vivre avec ces souvenirs monstrueux jusqu'à la fin de sa vie, et je savais que mon père avait une part de responsabilité là-dedans. Les militaires chiliens – ou les agents de la CIA – l'avaient-ils averti qu'ils s'apprêtaient à flanquer à son fiston la peur de sa vie en le faisant monter dans cet avion ? Mon père avait-il consenti à cette torture psychologique ? Il nous avait souvent raconté à quel point son propre père, officier de la Navy, croyait aux vertus de la punition – au point de l'enfermer dehors toute une nuit glaciale de janvier, parce qu'il n'avait pas respecté l'heure du couvre-feu imposée par le Commodore, ainsi qu'il l'appelait (c'était d'ailleurs son rang dans la marine). Quand mes frères étaient plus petits, il lui était arrivé de les corriger avec sa ceinture. Plus tard, il avait privé Adam de sortie pendant trois semaines car il avait bu une bière après un match de hockey. Serait-il allé jusqu'à risquer la vie de Peter pour lui donner une leçon ?

En entendant Carly traiter Sean de « débile mou et sans talent », j'ai tressailli. Quelle pourriture, cette fille. Elle n'avait aucune idée de ce que Peter avait traversé ni de ce qu'on lui avait fait. Dire qu'il ne l'avait pas dénoncée... C'est à lui qu'elle devait sa liberté. Et elle se pavanait partout en haïssant tout le monde, en racontant des mensonges éhontés pour justifier sa malveillance et ses sales méthodes. Elle était devenue pire que les monstres qui lui menaient autrefois la vie dure.

En bas, la dispute ne faisait qu'empirer. J'ai fermé les yeux. Diarmuid est sorti dans l'escalier pour leur dire de se taire, sur quoi Carly lui a vertement rétorqué de « fermer sa grande gueule » (elle s'imprégnait déjà des expressions locales). Moi, je revivais péniblement la fin du récit de Peter, sur la terrasse du Balzar. Après les derniers mots, il avait baissé la tête et s'était mis à sangloter de manière si incontrôlable qu'il avait préféré fuir. Après avoir jeté de l'argent sur la table, je m'étais précipité à sa suite pour le retrouver effondré de chagrin sur le perron de la Sorbonne. J'avais voulu le prendre dans mes bras, et il avait fallu m'y reprendre à plusieurs fois : il ne cessait de me repousser en répétant qu'il ne méritait pas qu'on le console. J'ai insisté jusqu'à ce qu'il se laisse faire, puis je l'ai doucement ramené au Balzar. Il n'était que dix-neuf heures, mais au diable les conventions françaises : j'ai commandé deux steak frites, ainsi qu'une bouteille de vin. Pendant que le serveur s'éloignait, je me suis tournée vers Peter.

« Ta seule erreur, ç'a été de croire qu'un mouvement révolutionnaire se proposait de changer les choses en jouant la non-violence façon Gandhi. Si tu dis que tu n'as pas tué Duarte et que tu as voulu convaincre les autres de l'épargner, je te crois. Si tu dis que Carly a appuyé sur la détente, je te crois. Et si tu dis que tu n'as rejoint le Front que pour sauver la femme que tu aimais... je te crois. »

Il m'a pressé la main.

« Ça compte énormément pour moi. Tu sais, pendant l'interrogatoire, les deux flics m'ont raconté que Duarte était entièrement dévoué à ses deux filles. L'une d'elles est handicapée. Ils m'ont dit que sa famille avait été anéantie par sa mort. Je n'ai peut-être pas tiré moi-même, mais j'ai laissé faire. J'ai même aidé. Je ne pourrai jamais me pardonner ça.

— Peut-être pas. Mais dis-toi bien que tu t'étais lancé dans une guerre. Et à la guerre, les deux camps commettent des horreurs. Ils auraient assassiné ce type, avec ou sans toi.

— Je faisais quand même partie du groupe.

— Et les soldats qui ont jeté des dizaines de personnes dans le vide, tu crois vraiment qu'ils pourront s'en remettre ?

— Ils n'auront qu'à se dire qu'ils ne faisaient qu'obéir.

— À mon avis, ça ne les empêchera pas de perdre le sommeil pendant des années. Tu n'as tué personne, Peter. Tu as même essayé d'empêcher un meurtre. »

Le serveur a apporté notre vin. Peter a descendu son premier verre d'une traite et l'a immédiatement rempli.

« Je crois que je vais me saouler, ce soir.

— Je t'accompagnerai avec plaisir.

— Merci.

— Désolée d'avoir été si dure avec toi. Je ne savais pas ce que tu avais traversé. Et je t'en voulais à cause de Carly. »

Alors je lui ai raconté toutes les frasques de Carly depuis son arrivée à Dublin. Il a poussé un sifflement.

« Merde alors.

— C'est un assez bon résumé.

— Qu'est-ce que tu vas faire d'elle ?

— Pour l'instant, elle a élu domicile chez Sean, mon logeur, au rez-de-chaussée. Il doit regretter amèrement de l'avoir accueillie. Et je garderai d'autant plus mes distances, après tout ce que tu viens de me raconter.

— Ne lui répète jamais, jamais, ce que je t'ai dit. Surtout pas que tu sais qu'elle a tué Duarte.

— Mais si elle t'accuse publiquement du meurtre ?

— Pourquoi elle ferait une chose pareille ?

— Parce qu'elle est cinglée, tu le sais bien. J'ai la trouille de retourner à Dublin en sachant qu'elle habite dans la même maison.

— Peut-être que Sean se décidera à la ficher dehors.

— C'est un mec. Du moment qu'il peut coucher avec elle, aucune chance. »

Peter a eu un petit sourire coupable.

« C'est une de nos faiblesses. »

Une question me brûlait les lèvres depuis la fin de son récit, et j'ai enfin trouvé le courage de la poser : pourquoi le père de Valentina ne l'avait-il pas sauvée ?

« Avec toute son influence, ai-je poursuivi, il aurait sûrement pu intervenir.

— Je vois les choses autrement. Valentina avait participé à l'exécution d'un des banquiers les plus importants du régime. La junte devait être décidée à le lui faire payer. Je n'ai jamais rencontré son père, mais d'après ce qu'elle m'a dit de lui, c'était le genre d'homme à faire passer son orgueil avant tout le reste. Je suis sûr et certain qu'il savait pertinemment ce qui attendait Valentina. Et qu'il aurait pu l'empêcher. En s'abstenant de protéger sa fille, il a probablement renforcé son statut au sein de la junte. Il a montré qu'il était prêt à sacrifier son propre sang pour prouver sa loyauté. Et je ne serais pas surpris qu'il y ait eu une part de bon vieux machisme latino dans sa décision. Elle avait trahi la famille, bafoué son autorité et tué l'un de ses amis. Elle méritait le pire des châtiments. Et à la fin, il pouvait préserver son foutu orgueil.

— On dirait que tu parles de papa.

— À une exception près : il m'a sauvé. Je le déteste pour les décisions qu'il prend, parce qu'il soutient cette dictature et fait partie de la CIA. Mais il est intervenu pour me sauver la vie.

— Évidemment. Ce n'est pas un monstre. Tu l'as remercié, au moins ? »

Peter a secoué la tête.

« Tu ne crois pas que tu devrais lui envoyer une lettre, ou quelque chose dans le genre ?

— Non, surtout pas de preuve écrite, a-t-il répondu. Ça pourrait le compromettre. Je le ferai de vive voix, la prochaine fois que je le verrai.

— Si tu le revois un jour. »

Peter s'est tu. Nos plats sont arrivés. Pendant le repas, j'ai changé de sujet pour aborder le scandale qui faisait rage depuis des mois dans l'administration Nixon – et que tout le monde appelait maintenant par son nom officiel : le Watergate. D'après Peter, au train où allaient les choses, Nixon serait destitué avant la fin de l'été. Et Saïgon ne tarderait pas à tomber.

« Tu savais que papa avait fait jouer toutes ses relations, il y a quelques années, pour être sûr qu'Adam ne serait pas appelé dans l'armée ? C'est en partie pour ça qu'il l'a envoyé dans cette école de commerce de seconde zone. Mais, même avec son MBA en poche, il faisait encore une cible idéale pour le bureau de conscription – à la loterie, sa date d'anniversaire était arrivée douzième sur trois cent soixante-cinq, donc il était pratiquement assuré d'être envoyé au front. Pourquoi est-ce qu'il a passé autant de temps à faire des études, à ton avis ? Remarque, maintenant que Nixon a mis fin à la conscription, ça n'a plus grande importance.

— Tu comptes retourner à Yale ? »
Peter nous a resservi du vin.

« En arrivant à New York, je suis allé directement au comptoir d'Air France et j'ai pris un billet de dernière minute pour Paris. Le lendemain matin, j'étais ici. Ça fait une douzaine de jours que je suis à Paris. Peut-être que j'arriverai à pondre un bouquin sur mon expérience au Chili. Au pire, je trouverai toujours des piges à faire pour l'*International Herald Tribune*. C'est compliqué pour un Américain d'obtenir une carte de séjour, ici, mais je peux essayer.

— Alors tu restes ?

— Il est hors de question que je remette les pieds aux États-Unis, avec tout ce qui se passe là-bas. Et comme ça, je retarde d'autant le moment de revoir Adam et papa.

— Adam n'a rien à voir avec tout ce qui t'est arrivé.

— Il travaille pour papa – pour *eux*. Et ça ne m'étonnerait pas qu'il trempe dans les magouilles de la CIA, lui aussi.

— Il ne fait que suivre papa dans tout ça, tu le sais.

— Et alors ? Personne ne l'oblige à le faire. Je vois bien ce que tu veux dire : j'ai autant de chose à me reprocher que lui. Mais la différence, c'est que je le reconnais. Et que je le regrette.

« — Ce n'est pas comme s'il jetait des gens dans le Pacifique du haut d'un avion...

— D'accord, d'accord. Je ne devrais sans doute pas le juger comme ça.

— J'imagine qu'on ne devrait jamais juger personne. Mais c'est compréhensible, avec toutes ces horreurs. Maman sait où tu es ?

— Je lui ai envoyé un télégramme en arrivant ici. Je me suis douté que papa lui aurait raconté ce qu'il avait fait, et j'étais sûr qu'elle m'attendrait à LaGuardia. Du coup, à Miami, j'ai échangé mon billet afin de prendre un vol pour JFK à la place. Je ne me sentais pas prêt à l'affronter. »

Notre mère avait beau m'épuiser, me faire culpabiliser à tout bout de champ et mettre ma patience à rude épreuve, j'imaginais aisément son angoisse, voire sa terreur, lorsqu'elle avait appris que son fils aîné était aux mains d'une junte militaire notoirement peu amène. La planter comme Peter l'avait fait – surtout après que papa lui avait sauvé la vie – me semblait vraiment cruel... et un peu lâche. Ça ne lui aurait pas coûté grand-chose de passer quelques jours à Old Greenwich avec elle, histoire de lui accorder un peu de son temps et de lui faire sentir l'importance qu'elle avait pour lui. Ou peut-être était-ce ma propre culpabilité qui me faisait penser ça. Je m'en voulais sans doute un peu de limiter nos contacts au minimum depuis mon arrivée en Europe. D'avoir, toujours, cette impression qu'il me fallait la fuir à tout prix.

« Je suis mal placée pour te faire la leçon, mais je pense tout de même que tu lui dois des excuses, et, pourquoi pas, un coup de téléphone.

— Je te répète que je lui ai envoyé un télégramme l'autre jour en arrivant à Paris. Je ne lui ai pas donné mon adresse parce que je ne veux pas que papa me retrouve.

— Alors, quand elle m'appellera…

— J'aimerais autant que tu lui dises qu'on a discuté par téléphone, rien de plus. Et que tu ne sais pas où j'habite. »

Encore des mensonges, des secrets à garder.

« Je lui dirai que je t'ai vu, ai-je annoncé. Elle se fait probablement un sang d'encre sur ton état de santé après ton passage dans une prison chilienne.

— Dans mon télégramme, je lui ai dit que je n'allais pas si mal.

— Et tu as menti. Tu as une mine terrible, Peter. Tu ne dors plus, tu dis ? Crois-moi, ça se voit. Tu ne pourrais pas aller chez un médecin pour qu'il te prescrive quelque chose contre les insomnies ?

— J'ai mérité ces insomnies.

— Tu es encore en état de choc.

— Tu te figures que je vais pouvoir recommencer à vivre comme si de rien n'était ?

— Bien sûr que non, mais te punir en refusant de te soigner n'a aucun sens. Ça ne fera qu'aggraver ta dépression. »

Avant de repartir pour Dublin, j'ai réussi à persuader Peter de demander au réceptionniste un peu louche de l'hôtel les coordonnées d'un médecin. Nous l'avons appelé. Les visites à domicile coûtaient une petite fortune, mais le Dr Khalidi acceptait de recevoir Peter dans son cabinet du Xe arrondissement. J'ai accompagné Peter afin de m'assurer qu'il se rendait bien au rendez-vous. Le quartier, près de la gare du Nord, était un tout autre monde comparé à Saint-Germain-des-Prés. Sordide et délabré, il était surtout peuplé d'immigrés, en majorité d'Afrique du Nord, et l'atmosphère y semblait plus tendue. Ce n'était décidément pas le genre d'endroit où se promener en pleine nuit, en particulier pour une Blanche comme moi. Le cabinet du docteur Khalidi se trouvait dans un immeuble vétuste, devant lequel une poignée de prostituées attendaient le chaland d'un air de profond ennui. L'une d'elles a tenté d'aborder Peter – mais il a secoué la tête avant de me suivre à l'intérieur.

En haut de trois volées de marches peu éclairées, nous avons poussé la porte d'une salle d'attente miteuse où deux Africaines en tenue bigarrée étaient assises en compagnie d'un vieil homme portant un calot sur le crâne et d'un autre, plus jeune, qui devait être son fils. Tous deux fumaient à la chaîne sans décrocher un mot. Des odeurs de cuisine peu appétissantes flottaient dans tout le bâtiment. On nous regardait comme des émissaires d'une autre planète. Le médecin – un homme rondouillard d'une cinquantaine d'années – a passé la tête dans l'entrebâillement de la porte, nous a vus et a demandé à Peter :

« Vous êtes le monsieur de l'hôtel ? »

Quand Peter a acquiescé, il l'a fait passer avant les autres patients. Trois minutes plus tard, mon frère ressortait muni d'une ordonnance. Il m'a fait signe de le suivre dehors.

« Ce type m'aurait fait une ordonnance pour n'importe quoi, a-t-il dit une fois dans la rue. Amphétamines, tranquillisants, speed... Je n'avais qu'à demander. Bref, il m'a prescrit quelque chose qui devrait me faire dormir, mais sans me rendre trop vaseux le reste du temps. Il a dit que je ne serais pas obligé d'arrêter de boire de l'alcool.

— Tu en as de la chance. »

Nous avons trouvé une pharmacie en face d'une boucherie halal (je n'avais jamais entendu ce mot – Peter m'a expliqué que c'était « la version musulmane du *casher* ») dans laquelle un homme démembrait une carcasse de vache à l'aide d'un couperet. J'étais ébahie par l'exotisme inattendu de ce quartier, ce Paris à des lieues des clichés de cartes postales ; un aperçu de sa capacité à accueillir l'étranger qui me donnait envie d'en savoir plus, au point que je me prenais à rêver de destinations auxquelles je n'avais jamais pensé auparavant : le Maroc, l'Algérie... En tant qu'Américaine, j'étais si ignorante du vaste monde, et si assoiffée d'aventures. Debout derrière Peter alors qu'un pharmacien à lunettes noires préparait son ordonnance tout en parlant français et arabe à d'autres clients, j'ai résolu de visiter ces terres inconnues, pour voir où me mènerait la mélodie de la vie. Peut-être vers un lieu où le rêve de liberté n'est pas qu'une illusion. Un royaume d'infinies possibilités.

Au cours de la journée qui nous restait, nous avons soigneusement évité le sujet du Chili et de tout ce qui s'y était déroulé. Peter voulait tout savoir de Dublin. Il m'a exhortée à braver ma crainte de Belfast pour juger par moi-même si le danger y était si réel. Il m'a emmenée dans une petite gargote marocaine, où j'ai goûté ma première pastilla et mon premier couscous, puis dans un club de jazz appelé le Sunset où nous nous sommes installés au bar, en écoutant un Noir américain et deux musiciens français swinguer au son de ce que Peter appelait du be-bop. Il me donnait l'impression de tout savoir, de tout connaître. Pourtant, pour un homme en quête perpétuelle de simplicité, il avait une nette tendance à flirter avec le chaos.

Le lendemain matin, il m'a annoncé qu'il avait dormi profondément grâce aux cachets prescrits par le médecin. Mon vol de retour pour Dublin décollerait en début d'après-midi. J'avais l'intention de prendre le métro jusqu'à Opéra, d'où partait un bus pour Orly. En m'étreignant devant *La Louisiane*, mon frère semblait profondément triste.

« Je me sentais seul avant que tu arrives. Et ça va recommencer.

— Tu devrais essayer de rencontrer des gens, te faire des amis.

— Ce n'est pas ma priorité pour l'instant. »

Je n'ai pas insisté. Notre étreinte en bas de notre hôtel délabré a duré longtemps. Je lui ai fait promettre de ne pas se laisser aller au désespoir – et de sauter dans un avion pour me rejoindre s'il sentait qu'il était sur le point de perdre pied. Je lui ai dit qu'il devait trouver un moyen de se pardonner. Je lui ai dit que je l'aimais. Puis je suis retournée à mon existence irlandaise.

Laquelle existence pâtissait grandement de la présence de Carly au rez-de-chaussée – à commencer par ses fréquentes disputes nocturnes avec Sean, que je commençais sincèrement à plaindre. La nuit précédente, après l'intervention de Diarmuid, ils avaient fini par battre en retraite dans la studette de Sean. Un silence précaire était retombé sur le 75a, Pearse Street. Ce matin-là, en traversant la cour de Trinity à l'heure du déjeuner, j'ai entendu David Vipond déclamer ses imprécations habituelles contre le contrôle capitaliste du haut des marches du réfectoire. « Fondons un État ouvrier en Irlande », « Démantelons les structures de la classe dominante qui nous exploite » ; son refrain était le même tous les jours. Comment pouvait-il aimer à ce point le son de sa propre voix ? J'avais lu des articles sur les discours interminables de Fidel Castro, et les psalmodies propagandistes sans fin de ce monstre qui gouvernait la Roumanie d'une main de fer, Nicolae Ceaușescu. Ça ne m'aurait pas étonnée que Vipond ait pris ces dictateurs pour modèles. Je ne me suis pas arrêtée pour l'écouter – j'avais déjà commis cette erreur une fois. Mais, soudain, une autre voix s'est élevée pour débiter une harangue révolutionnaire, et m'a stoppée net dans mon élan. C'était une voix de femme, avec un accent américain. Une voix que je ne connaissais que trop bien.

« Et en ce moment, à l'instant précis où on vous parle, les impérialistes américains sont en train de détruire des villes et des villages au Vietnam. En ce moment même, les impérialistes américains inondent la planète de leur idéologie capitaliste, parfaitement conscients que le consumérisme est une forme de contrôle social et géopolitique… »

J'ai levé les yeux vers Carly, perchée sur une caisse en bois. Elle m'a gratifiée d'un sourire vindicatif.

« En ce moment même, les impérialistes américains privatisent à nouveau les mines de cuivre du Chili, et soutiennent un régime qui assassine les combattants de la liberté et exploite le prolétariat. »

Alors que je m'apprêtais à m'éloigner, une autre voix, connue aussi, a prononcé mon nom.

« Je m'attendais à te voir là-haut, toi aussi, en train de scander WOWU. »

J'ai pivoté pour me retrouver face à Ciaran Quigg, qui arborait une barbe de trois jours et son éternelle veste en tweed sur un col roulé noir. Il me détaillait du regard. Son intérêt m'a troublée.

« Qu'est-ce que ça veut dire, WOWU ?

— *Workers Of the World, Unite !* Le cri de ralliement de ces marxistes de pacotille. Je ne pensais pas que ton amie les rejoindrait. Les Américains ne tapent pas du pied gauche, d'habitude.

— Ce n'est pas mon amie.

— Curieux qu'elle soit venue frapper à ta porte, dans ce cas.

— Qui t'a raconté ça ?

— Dublin est tout petit. Et Trinity encore plus.

— Ce n'est plus mon amie.

236

— À cause de tous ses discours communistes à la mords-moi-le-nœud ?

— Parce que je ne veux pas de ce genre de personne comme amie.

— Voilà qui est sévère.

— Sévère mais juste.

— Tu veux en parler autour d'une pinte ?

— Pour être tout à fait honnête, j'ai envie de tout sauf d'en parler.

— Entendu. Juste la pinte, alors.

— Pas maintenant, j'ai cours dans une demi-heure.

— Ce soir ? Ce serait bien, je cherche quelqu'un pour venir avec moi voir *L'Ombre d'un franc-tireur*, de Sean O'Casey, à l'Abbey.

— La dernière pièce que j'ai vue là-bas était assez redoutable.

— Quand elle est d'O'Casey, en général, c'est réussi. Ça te tente ? »

Je savais que si je disais oui, je rouvrirais une porte entre nous. J'ai dit oui.

J'avais gardé un mauvais souvenir d'O'Casey après avoir assisté à une mise en scène affligeante de *Junon et le paon* en off Broadway avec Arnold – pleine de clichés sur l'Irlande, et de jurons en gaélique. *L'Ombre d'un franc-tireur*, en revanche, m'a fait l'effet d'une révélation. Avec Dublin pour décor, comme ça l'était dans toute l'œuvre d'O'Casey, elle se déroulait pendant la guerre d'indépendance, aussi appelée « Les Troubles » – surnom réducteur dont avait aussi écopé le conflit en Irlande du Nord. J'aimais beaucoup que le personnage principal soit un poète plus ou moins raté, Donal Davoren, qui habitait avec son ami Seamus Shields dans un appartement pourri à Dublin. Ses voisins se persuadent qu'il est en réalité un franc-tireur de l'IRA en cavale, et Donal ne les contredit pas – d'autant que ça ajoute à son charme aux yeux de Minnie Powell, sa jeune et séduisante voisine célibataire. Seamus, quant à lui, est une espèce de fainéant qui supporte la cause républicaine autant qu'il la dédaigne. Son soi-disant associé en affaires, M. Maguire, cache un sac plein de grenades dans l'appartement de Donal et Seamus avant de se faire tuer en participant à une embuscade. À cause de cet incident violent, les Britanniques instaurent un couvre-feu à Dublin. Alors que la division auxiliaire s'apprête à fouiller l'immeuble, Donal et Seamus découvrent le sac d'explosifs. Minnie Powell leur sauve la mise en embarquant le sac pour éviter que Donal se fasse arrêter, mais les auxiliaires la surprennent en possession des grenades. Elle est arrêtée, et tuée alors qu'elle essaie de s'enfuir. Donal, bouleversé, se rend compte que, en se comportant comme le franc-tireur qu'il n'a jamais été, il a provoqué la mort de Minnie.

Cette pièce m'a fortement marquée, moi qui étais encore bouleversée par le cauchemar chilien de Peter. Je lui trouvais des similitudes avec Donal. Peter aussi s'était jeté dans un marasme révolutionnaire auquel il ne s'était pas vraiment préparé, pour finalement se retrouver en eaux horriblement troubles. Et Carly, ne cesserait-elle jamais de chercher une arène d'extrémisme politique dans laquelle évacuer sa rage envers le monde ?

Ciaran, sans doute parce qu'il venait de Belfast, avait beaucoup à dire en sortant du théâtre. Il m'a donc proposé de retraverser la Liffey pour prendre une Guinness au Stag's Head avant la fermeture. Assis sous la tête de cerf empaillée, dans ce pub qui était devenu l'un de mes préférés avec le Mulligan's, il m'a expliqué que la pièce soulignait pour lui une triste vérité à propos de l'Irlande : c'était toujours la même histoire, les mêmes bêtises claniques. Les Irlandais ne pouvaient pas s'empêcher de s'entre-déchirer.

Je lui ai demandé à quoi ressemblait la vie en zone de guerre.

« Bah, la routine. Des cadavres empilés dans la rue tous les matins, des petits hommes en tenue de camouflage qui rampent dans le jardin. On guillotine les criminels de guerre en face de l'hôtel Europa – le plus plastiqué du monde. Mais le mieux, avec ces exécutions publiques, c'est que ça fait une chouette sortie en famille. Tout le monde emmène ses enfants faire un pique-nique en face de...

— C'est bon, j'ai compris. Je ne te poserai plus la question.

— La vérité, pour autant qu'il existe une vérité dans ce domaine, c'est que la vie continue. Le quartier de mes parents, juste à côté de l'université, est assez calme, et même bucolique. Bien sûr, le chaos de Falls Road et de Shankill Road déborde de temps en temps jusque chez nous, et puis il faut être bien au fait de la géographie sectaire de Belfast. Mais, à part ça, on s'habitue vite à voir des tanks et des soldats anglais dans les rues. On se contente de vivre normalement en espérant qu'il ne nous arrivera rien de fâcheux, ni à ceux qu'on aime.

— Tu connaissais des gens qui sont morts à cause des Troubles ?

— Voilà, tu recommences à vouloir t'enfoncer au cœur des ténèbres irlandaises.

— C'est juste une question.

— Si tu veux savoir, une ancienne camarade d'école primaire a été gravement blessée lors d'un attentat à la bombe à Londres, l'an dernier. C'était à la gare de King's Cross. La pauvre... Elle avait quitté Belfast pour échapper à toute cette violence, et s'est retrouvée en plein dedans à Londres.

— C'est un drôle de destin.

— Ou juste la faute à pas de chance. Les dieux qui jouent les crevures... Tu ne crois pas vraiment à toutes ces foutaises de destin, si ?

— Je crois que les gens écrivent leur propre destinée, même sans le vouloir.

— Mais ce qu'on fait sans le vouloir est souvent ce qu'on cherchait à faire, quand bien même le résultat ne serait pas beau à voir.

— Exactement. »

Sans réfléchir, je me suis mise à lui parler de Bob, du Pr Hancock, de toutes les raisons qui m'avaient fait fuir le pays et chercher refuge à Dublin.

« Eh bien, a-t-il dit quand j'ai eu terminé, je crois qu'on a bien mérité un ou deux verres de Black Bush, après tout ça. »

J'étais assez d'accord. J'ai allumé une autre cigarette tandis qu'il allait au bar commander deux whiskeys et deux nouvelles pintes.

« Tu sais que tu n'es pas une vraie Américaine ? a-t-il lancé en revenant.

— Pourquoi donc ?

— Tu fumes non-stop, et tu aimes bien boire.

— Tu n'es jamais allé aux États-Unis, on dirait.

— Il faudra que tu m'y emmènes.

— J'y réfléchirai... Mais les gens boivent et fument, là-bas aussi. On n'a peut-être pas exactement la même culture du pub – la vie sociale chez nous ne tourne pas uniquement autour de ça –, mais mon père et ses collègues pourraient donner une sacrée leçon aux gens d'ici en matière de picole et de tabagisme. »

Ciaran a souri.

« Après toutes ces horreurs avec ton professeur et ton copain, ça ne m'étonne pas que tu aies voulu changer de continent. Et comme tu ne le racontes pas au premier venu...

— Je ne suis pas du genre à m'épancher.

— Ce qui n'est pas non plus très américain. Enfin, peut-être que je te ressors le même genre de stéréotype national que toi tout à l'heure : "Tu viens d'Irlande du Nord, tu es forcément ravagé par les atrocités de la guerre."

— Il y a des sujets que je préfère éviter.

— Comme ton amie gauchiste, tu veux dire ?

— Je te le répète : ce n'est plus mon amie.

— Et tu ne veux toujours pas m'expliquer pourquoi ?

— Non.

— Je sais garder un secret.

— Tu l'as dit tout à l'heure : aucun secret ne le reste longtemps, ici.

— C'est vrai, a-t-il répondu. Mais je sais tenir ma langue.

— J'ai été trahie trop souvent pour te croire sur parole. »

Il a effleuré le dos de ma main.

« Je vais devoir gagner ta confiance, on dirait.

— C'est ça, ai-je dit en retirant ma main. Cette ville fonctionne avec la même mentalité vindicative qu'une bourgade de province.

— Du coup, tu la détestes ?

— En fait, il y a beaucoup de choses qui me plaisent à Dublin. C'est surtout ce mélange entre douceur de vivre et brutalité. Je n'ai pas confiance, mais je me sens bizarrement attirée par la nature contradictoire de cette ville. Ça doit vouloir dire quelque chose sur moi. »

Le barman a annoncé : « Dernières commandes ! » et Ciaran a proposé de payer une ultime tournée. Mais j'avais une dissertation à rendre le lendemain après-midi, et il fallait que je me lève tôt pour la terminer.

« Pour ne rien arranger, mon ex-amie et son amant se sont lancés dans un concours quotidien d'insultes nocturnes. C'est pour ça que je suis défigurée par des cernes.

— N'importe quoi. Tu es belle.

— Foutaises.

— Tu as appris des expressions locales, on dirait.

— On dirait, oui.

— Je peux au moins te raccompagner ?

— Serais-tu un vrai gentleman ?

— Ce n'est pas à moi de le dire. »

Sur le chemin de Pearse Street, il m'a raconté l'histoire absurde d'un prêtre de sa connaissance – fin lettré, relativement ouvert d'esprit, attentionné, les pieds sur terre, mais également un très grand buveur – qui, arrêté au volant de sa Mini complètement ivre, avait répliqué à la question du policier qui lui demandait s'il avait bu : « Comment voulez-vous que je supporte de vivre ici si je ne bois pas ? » Le policier, ne sachant pas quoi répondre, l'avait laissé partir.

Une fois devant chez moi, Ciaran est resté très correct : pas d'approche désespérée ni de tentative de se faire inviter dans ma chambre. Il s'est contenté de déposer un léger baiser sur mes lèvres avant de dire :

« On pourrait refaire ça un de ces jours.

— Je n'aurais rien contre. »

De l'intérieur nous parvenaient les bribes d'une nouvelle dispute entre Carly et Sean.

« Les tourtereaux sont chez eux, a fait remarquer Ciaran.

— Malheureusement. Mais j'ai des bouchons d'oreilles. »

Les bouchons d'oreilles en question n'ont pas été d'un grand secours quand Carly, complètement ivre, s'est mise en tête de défoncer ma porte.

« Je sais que tu es là ! » hurlait-elle.

La voix de Sheila n'a pas tardé à se faire entendre.

« Qu'est-ce que tu fous, espèce de harpie ?

— Elle se cache, elle m'a laissée tomber. »

Carly continuait à tambouriner de toutes ses forces sur le battant, et je continuais à faire la morte.

« Et ça t'étonne ? a rugi Sheila en retour. Fous-moi le camp chez ton branquignol avant que j'appelle la *Garda*, tarée de rouge. »

Sheila savait se montrer redoutablement convaincante quand on l'énervait. Même dans son état d'ébriété avancée, Carly s'est rendu compte qu'elle avait le choix entre obtempérer et se mettre la police à dos – ce qu'elle cherchait très probablement à éviter. Elle est donc redescendue, non sans invectiver copieusement Sheila, et a claqué derrière elle la porte de ce veinard de Sean.

Le lendemain après-midi, elle était de retour sur les marches du réfectoire et appelait une nouvelle fois au combat contre le capitalisme et les États-Unis. J'ai battu en retraite vers le bureau de poste d'Andrews Street où j'ai appelé ma mère en PCV. J'avais décidé, pour des raisons évidentes, de téléphoner depuis l'une des cabines fermées afin d'éviter que des oreilles indiscrètes entendent ce que j'allais dire. Retenant mon souffle, j'ai attendu que l'opératrice irlandaise communique avec l'opératrice américaine, qui, à son tour, a transmis l'appel sur le téléphone de mes parents. Ça a sonné une fois, deux fois, trois, quatre, cinq, six… enfin, ma mère a décroché, hors d'haleine.

« J'écoute. Qui est-ce ? »

Quand l'opératrice l'a informée de mon identité, elle s'est exclamée « Dieu merci ! » et a accepté l'appel.

« Dis-moi que mon garçon va bien », a-t-elle immédiatement lâché.

J'ai eu un moment de confusion. Comment savait-elle que j'avais vu Peter ?

« Je ne vois pas de quoi tu parles.

243

— Ne te fiche pas de moi. Ton père a trouvé l'adresse de Peter dimanche dernier, et a réussi à lui parler. Peter a dit que tu venais tout juste de repartir.

— Comment il s'y est pris pour le retrouver ?

— À ton avis ? »

Ça ne pouvait signifier qu'une chose : la CIA. Ma mère était donc au courant ?

« Puisque papa lui a parlé…

— Tu te doutes bien que ton frère a coupé court à la conversation. »

Avant de passer l'appel, j'avais longuement réfléchi à ce que je pouvais dire. Ma mère ignorait sans doute tout des dangers qu'avait courus Peter. Que lui avait dit mon père ? Je n'aurais pas été surprise qu'il ait récrit toute l'histoire à sa sauce. Il avait tendance à minimiser ce qu'il lui racontait, et ce n'était pas sans raison. Je m'en suis donc tenue au minimum.

« Oui, je suis allée voir Peter à Paris. Il va bien.

— Tu mens. Ton père m'a dit que, s'il n'était pas intervenu, Peter serait rentré au pays entre quatre planches.

— Il a bien fait d'intervenir, alors.

— Pourquoi Peter ne m'a pas rejointe à l'aéroport ?

— C'est à lui qu'il faut le demander.

— Est-ce que tu imagines à quel point ça m'a blessée ? Mon fils manque se faire tuer par des gauchistes dérangés, s'en sort vivant grâce à son père et à l'Oncle Sam… et il me plante à LaGuardia, moi qui avais fait tout le chemin pour venir le chercher. Ce n'est pas comme si j'avais l'intention de le boucler à la maison jusqu'à la fin des temps. Je voulais juste passer quelques jours avec lui.

— Tu as raison, c'était salaud de sa part.

— Tu le penses vraiment ? a-t-elle demandé.

— Bien sûr que je le pense. Je l'ai même dit à Peter, qu'il n'aurait pas dû te faire ça…

— C'est la première fois que tu prends mon parti.

— Je suis désolée s'il t'a blessée.

— Tu peux me donner son adresse à Paris ?

— Il a besoin d'être un peu seul, en ce moment.

— Tu me vois sauter dans le premier avion pour emménager avec lui ? Je veux juste son adresse. Il me doit au moins ça.

— Alors attends qu'il te la donne. Pourquoi papa ne te l'a pas transmise, puisqu'il sait où le trouver ?

— Il ne me fait pas confiance, lui non plus. Tu sais pourquoi ? À mon avis, Peter a appris des choses sur lui que j'ignore, et il a promis de se taire tant que ton père ne me dit pas où le joindre. »

Un tel accord, pour peu qu'il existe réellement, ne m'étonnerait pas ; il devait probablement subsister une certaine complicité père-fils quand il s'agissait de s'opposer à notre mère. En tout cas, je devais faire bien attention à ce que je lui dirais, convaincue comme elle l'était que Peter avait failli être tué par des « gauchistes dérangés ».

« Peter se débrouille bien à Paris, ne t'en fais pas.

—. Vous conspirez tous contre moi.

— Je dirais plutôt qu'on conspire tous les uns contre les autres. »

J'ai raccroché. Mon père ne semblait pas disposé à lui parler de ce que ses copains de la junte avaient fait subir à Peter. Se doutait-elle qu'il lui avait menti ? Se demandait-elle – comme nous tous – s'il s'était constitué un harem de maîtresses en Amérique du Sud ? Elle avait peut-être choisi d'ignorer l'évidence, parce que c'était moins douloureux. On ne voit que ce qu'on veut voir. On n'entend que ce qu'on veut entendre. Et on préfère devenir myope, voire aveugle, plutôt que de poser les yeux sur la vérité qui se trouve juste devant nous.

La semaine suivante, j'ai reçu une lettre de ma mère – ou plutôt l'une de ses cartes de visite, avec une simple phrase tracée de son écriture soigneuse.

Lis ça, ça te fera réfléchir sur ce qui nous pousse à rester ensemble, à nous aimer, et à ne pas abandonner l'idée de famille.

Elle avait joint un bref article découpé dans le journal hebdomadaire local, le *Greenwich Times* : l'éminente psychologue pour enfants Kristen Cohen avait été retrouvée morte chez elle, à Old Greenwich, trois jours auparavant. Tout indiquait qu'il devait s'agir d'un suicide. Elle avait quarante-neuf ans. Sa femme de ménage l'avait découverte le lundi matin, allongée sur son lit, avec un flacon vide de tranquillisants sur la table de nuit. D'après ses amis, Mme Cohen, qui possédait un cabinet à Old Greenwich et avait écrit plusieurs ouvrages sur l'anxiété durant l'enfance, ne s'était jamais remise de la disparition de sa fille, Carly, survenue à l'automne 1971 à la suite de harcèlement au lycée et d'une agression par deux de ses camarades. Bien que le jeune homme et la jeune femme impliqués n'aient pas été inculpés, la question se posait encore de savoir si Carly Cohen avait été tuée : les recherches dans tout le pays n'avaient donné aucun résultat malgré la participation du FBI et du Bureau des personnes disparues. L'article comportait même une citation de ma mère, présentée comme une amie proche : elle parlait du courage de Mme Cohen face à une telle tragédie, et de la manière dont son couple avait implosé moins d'un an après le drame. Plus loin, un officier de police d'Old Greenwich attestait que, après une autopsie pratiquée par un médecin légiste de Stamford, toute cause criminelle avait été écartée. « Malheureusement, il est maintenant certain que Mme Cohen s'est donné la mort. »

J'ai reposé l'article, la gorge serrée.

Et je repensais toujours à cette lettre le lendemain lorsque, après une projection de *La Dernière Corvée* – avec Jack Nicholson – dans le grand cinéma The Ambassadors d'O'Connell Street, Ciaran et moi sommes entrés dans un pub, le Long Hall. Carly était là, assise dans un coin en compagnie de plusieurs hommes à la mine patibulaire en veste de cuir et anorak bon marché. Ni une ni deux, Ciaran m'a agrippée par le bras et forcée à faire demi-tour.

« Qu'est-ce qui se passe, enfin ? ai-je demandé une fois dans la rue.

— Demande à ta folle de copine. Tu sais qui c'est, les types avec qui elle boit un verre ? Seamus O'Regan est connu de tous les services de police de Dublin. C'est le dirigeant officieux de l'IRA en Irlande, un vrai fou, et dangereux. Une petite Américaine naïve n'a rien à faire avec ces gens-là. Bon sang, elle ne se rend pas compte de ce dont ce type et ses sous-fifres sont capables ! »

Brusquement, j'ai eu envie de tout lui raconter. Mais la peur m'a fait tenir ma langue : pouvais-je vraiment faire confiance à Ciaran pour garder le secret du passé trouble de Carly Cohen ? Si je lui parlais de sa disparition, de ses activités criminelles, et, s'il fallait en croire mon frère, du meurtre qu'elle avait commis au Chili… la vérité risquait de très vite refaire surface. D'un autre côté, je me faisais réellement du souci pour Carly, avec sa manie de chercher les problèmes en s'acoquinant à tous les gens dangereux et malsains qu'elle croisait.

« Tu crois qu'elle nous a vus ? me suis-je inquiétée.

— Elle ne regardait pas dans notre direction. Et crois-moi, si ses nouveaux amis se posaient des questions sur nous, l'un d'eux serait déjà en train de nous suivre. Alors, heureusement qu'elle ne nous a pas vus. »

L'article envoyé par ma mère me trottait encore dans la tête. J'ai décidé de le faire lire à Carly, et ce, dès le lendemain.

Mais ce soir-là, après quelques pintes au Neary's, j'ai accepté la proposition de Ciaran de passer la nuit chez lui. Son appartement était situé à Merrion Square, un quartier absolument charmant, au dernier étage d'un immeuble georgien légèrement désuet mais toujours grandiose.

« Il fait un froid de canard là-haut, m'a-t-il prévenue. Mais ça se réchauffe vite. Et puis, en attendant, on pourra entamer la bouteille de Bushmills que j'ai de côté. »

Au moins, il ne faisait pas de sous-entendu graveleux sur la manière dont nous pourrions nous réchauffer mutuellement. Je l'ai suivi dans l'appartement, soulagée, et j'ai vite compris pourquoi l'endroit allait mettre un moment à chauffer, avec ses quatre mètres de hauteur sous plafond et les deux énormes fenêtres donnant sur la place en contrebas. Le vieux lit a grincé lorsque nous y avons fait l'amour près d'une heure plus tard, réchauffés par le foyer électrique et les briquettes de tourbe rougeoyant dans l'âtre. Je savais qu'en acceptant de rentrer chez lui, je lui signifiais mon intention d'aller plus loin. Mais je ne m'attendais pas à une telle passion. Avec Bob, le sexe était agréable mais là, ça n'avait rien à voir. Entre Ciaran et moi, il y avait une complicité et une intimité incroyables. C'était comme si nous ne faisions plus qu'un, liés par un désir mutuel et inextinguible.

Nous sommes restés longtemps allongés sans rien dire. J'ai fait courir mon index sur les contours de son visage. Il a saisi le mien entre ses deux mains.

« Je ne te laisserai jamais partir.

— Je n'en ai pas l'intention.

— Ça ne veut pas dire non plus que tu m'appartiens.

— Je n'appartiens à personne.

— Je te veux telle que tu es. Mais je voudrais aussi partager tant de choses avec toi... merde, je deviens pathétique, là, non ?

— Ça ne me dérange pas. Moi aussi, j'ai envie de te dire ce genre de chose. »

Nous nous sommes tus, oscillant au bord du précipice qu'est une déclaration d'amour. Plus tard, nous reparlerions de ce moment, et notre timidité face à quelque chose d'aussi crucial nous ferait sourire. Même avant de me retrouver dans son lit, j'avais eu le sentiment que nous étions les deux faces d'une même médaille. J'adorais son sens de l'humour un peu tordu, son amour pour les livres, son goût pour les jeux de mots et l'irrévérence. Et, comme j'avais pu le constater quand il m'avait exfiltrée de ce pub avant que Carly et ses dangereux nouveaux amis ne m'aperçoivent, il était aussi capable de se montrer protecteur. Mais je n'avais pas prévu que l'amour me prendrait ainsi par surprise. Lors de notre première rencontre, j'avais trouvé Ciaran trop nerveux et hautain à mon goût, malgré son charme indéniable. Il m'a expliqué plus tard que, lorsqu'il était intimidé, il dissimulait son anxiété sous un masque de sarcasme et d'ironie. Et il m'avait trouvée « extrêmement intimidante », avec mon attitude extravertie de New-Yorkaise – autant de qualificatifs que je n'aurais jamais utilisés pour me décrire. Au contraire, j'avais craint qu'il ne me trouve trop ingénue. Il a éclaté de rire, parce que, selon lui, il n'y avait pas plus ingénu que tout ce qui touche à l'Irlande du Nord.

Tomber amoureux est une expérience aussi enivrante que terrifiante – surtout dans un cas comme le nôtre, où tout ça nous a presque pris par surprise. Il m'avait fallu trois rendez-vous pour m'assurer que j'aimais bien cet homme. Et soudain, au lendemain de notre première nuit passée ensemble, je me suis réveillée en pensant : *Ne me quitte jamais.*

Ce matin-là, nous sommes allés prendre le petit déjeuner au Bewley's. Prudence nous a vus la main dans la main et s'est précipitée vers moi en roucoulant :

« Oh, ma parole, tu as trouvé un amoureux ! Je vous apporte tout de suite du café et des brioches, vous devez en avoir besoin. »

Ciaran a levé les yeux au ciel, plus amusé qu'embarrassé par ces effusions.

« Elle a l'air de t'adorer, a-t-il fait remarquer tandis que Prudence s'éloignait.

— Elle est aux petits soins avec toute la clientèle, ici.

— Non, je l'ai déjà vue remettre à leur place des gens qu'elle n'aimait pas, ou qui n'avaient pas été assez polis avec elle. Tu l'as sûrement traitée comme un être humain, la première fois que tu es venue, et pas comme une serveuse.

— Je n'aime pas qu'on me donne des ordres, alors pourquoi j'en donnerais aux autres ?

— C'est parfaitement logique.

— Pourtant, je connais beaucoup de gens, mes parents par exemple, qui ne supportent pas qu'on leur donne des ordres... mais adorent en donner aux autres.

— C'est leur rôle de parents. Même les miens, qui ne sont pas du tout portés sur les châtiments corporels et les punitions, et qui se considèrent comme des exemples de progressisme parental, n'arrêtent pas de me dire quoi faire. Surtout en ce qui concerne le rangement.

— Mon père est un ancien Marine, alors, lui aussi, c'est son obsession. Il faut toujours avoir les chaussures cirées, et pas question de laisser traîner quoi que ce soit.

— Du coup, si je visite ton appartement un jour, ce ne sera pas le chaos total ?

— Je te ferai visiter...

250

— À condition que je ne te donne pas d'ordres ?

— Je ne pense pas que tu ferais une bêtise pareille.

— J'ai bien peur que tu ne surestimes mon intelligence, a-t-il fait remarquer.

— Le temps nous le dira. »

Il m'a pris la main au-dessus de la table.

« On se ressemble, tous les deux.

— C'est vrai », ai-je dit en entremêlant mes doigts aux siens. Prudence est revenue avec les cafés et les brioches.

« Vous allez devoir vous lâcher quelques minutes si vous voulez manger. »

C'est alors que Carly est entrée. Elle était en compagnie de David Vipond et m'a lancé un regard assassin avant de choisir la table le plus éloignée possible. J'ai pensé à l'article de journal qui se trouvait dans mon sac, à la lettre de ma mère, à la terrible nouvelle que je devais lui annoncer malgré ma peur d'aborder le sujet avec elle. Ciaran a immédiatement remarqué mon air préoccupé.

« Qu'est-ce qui se passe ?

— Il est trop tôt pour t'expliquer.

— Alors comme ça, il y a déjà des secrets entre nous, a-t-il répondu de son éternel ton sardonique.

— J'ai besoin de mieux te connaître avant de te parler de ça.

— Je te taquine, mon amour. »

C'était la première fois qu'il m'appelait ainsi. Par le passé, j'aurais tressailli en entendant ces mots après la première nuit. Mais pas avec lui. Je lui ai repris la main.

« Taquine-moi autant que tu veux. »

Il a regardé dans la direction de Carly, en pleine discussion animée avec Vipond.

« Tu crois qu'ils parlent des réformes agraires dans le cadre du plan quinquennal du Parti pour le prolétariat ?

— Ça ne m'étonnerait pas.

251

— Vipond a une araignée au plafond mais, au moins, il ne fait la révolution qu'en théorie. Rien que du vent et de la pisse, comme un chat de tannerie – eh oui, c'est de Joyce. Alors que ceux avec qui elle était hier soir... Eh bien, disons juste que, si elle entre dans leur jeu, elle pourrait très bien se retrouver enterrée près de la frontière avec une balle entre les deux yeux. On ne fait pas plus dangereux que ces mecs-là. »

Ciaran avait baissé la voix. Je l'ai imité.

« Alors pourquoi sont-ils en liberté ?

— Parce qu'ils n'ont encore jamais été pris la main dans le sac. Ils planifient tout, et leurs sous-fifres font le sale travail à leur place. Ce qui m'inquiète, c'est que, si elle se fait attraper, les services secrets l'interrogeront et découvriront que c'est une de tes amies d'enfance et qu'elle a logé chez toi en arrivant à Dublin. Ils se poseront tout un tas de questions sur toi, et ils pourraient très bien raconter à Trinity que tu es une terroriste potentielle.

— Mais on ne peut pas être coupable de connaître quelqu'un !

— Ici, quand il est question d'activités paramilitaires, le lien le plus ténu peut t'attirer des ennuis sans fin. Et comme elle habite toujours dans le même immeuble que toi...

— Tu crois que je devrais prévenir mon pauvre imbécile de concierge ?

— Il est sans doute au courant de ce qu'elle fait avec Vipond. Mais si tu lui dis que tu l'as aperçue avec des gars de l'IRA, ça veut aussi dire que tu sais qui ils sont. C'est une décision difficile. Tu ne peux pas appeler ses parents ?

— Ça fait partie du problème... et je suis vraiment désolée, mais je ne peux pas t'en dire plus maintenant. J'espère que tu me pardonneras. C'est juste...

— … compliqué ?

— C'est l'euphémisme de l'année. »

Quelques minutes plus tard, Vipond s'est levé et est sorti en trombe, laissant Carly seule à sa table.

« Il faut que j'aille lui parler, ai-je dit. Je reviens.

— Prends ton temps, mon amour. Il faut que je passe à la bibliothèque. »

J'ai eu envie de rire, mais j'étais trop angoissée à l'idée de la conversation qui allait suivre. Je me suis penchée pour embrasser Ciaran.

« On se retrouve à six heures au bureau des étudiants ?

— Excellente idée. »

Nous avons traversé la salle, lui pour sortir du pub, moi pour rejoindre Carly. Elle a levé les yeux à mon approche.

« Que me vaut l'honneur ? a-t-elle dit d'un ton venimeux.

— Je voudrais te parler.

— Pourquoi ? Tu veux qu'on redevienne copines ?

— Je peux m'asseoir ?

— Non. »

Je me suis assise.

« J'ai dit non », a-t-elle répété en haussant le ton.

Plusieurs personnes aux tables voisines se sont retournées vers nous.

« Écoute juste ce que j'ai à te dire.

— Après ce que tu m'as fait ? Ton mec est très mignon, au fait. Il est de Belfast, c'est ça ? Mais catholique, du genre qui essaie de rester neutre en politique pour ne pas se faire remarquer. Il ne faudrait pas saboter la carrière de prof de ses parents. »

Je l'ai fixée, les yeux ronds.

« Comment tu sais tout ça ?

— J'ai mes sources, a-t-elle dit une fois de plus. Alors, qu'est-ce que tu as à me dire ? »

J'ai pris une grande inspiration.

« Ta mère est morte. »

Ça l'a percutée comme un direct en pleine mâchoire. Elle a eu un brusque mouvement de recul, les paupières battantes, l'air soudain perdu et désorienté. Mais cette réaction a rapidement cédé le pas à la colère.

« Prouve-le », a-t-elle sifflé.

J'ai fait glisser l'article de journal vers elle. Elle l'a pris en faisant de son mieux pour masquer son choc à la lecture du titre – « Décès d'une pédopsychiatre dans sa maison à Old Greenwich : on suspecte un suicide » – et l'a parcouru en diagonale avant de le chiffonner en une boule compacte.

« Tu veux me faire culpabiliser, c'est ça ?

— Je voulais juste te dire que je suis désolée.

— C'est ta mère qui te l'a envoyé, je suppose. »

J'ai hoché la tête.

« Ça ne va pas lui plaire quand elle apprendra que tu aurais pu sauver son amie, a ricané Carly.

— Qu'est-ce que tu racontes ?

— Eh bien, tu n'as pas prévenu ma mère que j'étais encore vivante. »

J'ai eu l'impression que la terre s'ouvrait sous mes pieds. Parce que je savais pertinemment ce qui allait suivre.

« Ce n'était pas à moi de te dénoncer, ai-je objecté.

— Et regarde le résultat : tu as laissé ma mère se suicider.

— Je t'interdis de...

— De *quoi* ?

— Je t'interdis de m'accuser de ça !

— Mais si tu avais dit à ta mère, ou à la mienne, que je n'étais pas morte...

— Je ne pouvais pas savoir que ta mère allait...

« — Tu m'as dit toi-même qu'elle était dépressive depuis ma disparition. Que mon père l'avait quittée. Tu aurais pu empêcher ça.

— Ne joue pas à ce petit jeu avec moi. Si elle était dépressive, et si elle s'est tuée, c'est parce que tu as disparu et que tu n'as jamais eu la décence de lui donner de tes nouvelles.

— Ça te ressemble tellement de rejeter la faute sur moi. Je suis morte. Je suis devenue quelqu'un d'autre. Tu aurais pu la sauver juste en passant un coup de fil. Mais laisse-moi deviner : tu avais trop peur de te mouiller.

— J'ai bêtement décidé de respecter la parole donnée. Je pensais que ce n'était pas à moi de prévenir tes parents…

— Cette décision a tué ma mère. »

Je mourais d'envie de prendre la théière posée sur la table et de la lui fracasser sur le crâne. Mais il me restait un dernier vestige de rationalité : je n'aurais rien à y gagner. Mieux valait partir avant que la situation ne s'envenime.

C'est exactement ce que j'ai fait. Seulement, alors que j'allais franchir la porte, je me suis retournée un instant. Seule, les yeux dans le vague, brisée par ce qu'elle venait d'apprendre, Carly se mordait la lèvre en essayant de retenir ses larmes. J'ai immédiatement fait demi-tour pour la rejoindre – mais, à cet instant, elle m'a vue et s'est levée d'un bond. Saisissant son manteau et son sac, elle a foncé vers moi et m'a bousculée pour sortir la première et se perdre dans la bruine matinale.

Il n'était que dix heures trente. La tête me tournait. Les accusations de Carly, bien qu'injustes, avaient réussi à toucher une corde sensible : il me fallait bien admettre que, si j'avais écrit à ma mère quand Carly avait fait irruption à Dublin, Mme Cohen serait sans doute encore de ce monde. J'avais désespérément besoin de parler à quelqu'un, mais je craignais qu'en entendant toute l'histoire, Ciaran ne trouve ma situation trop compliquée, trop sinistre, pour rester avec moi. J'ai remonté Grafton Street pour gagner Stephen's Green et allumé une cigarette afin de me calmer les nerfs. J'aurais dû être à la bibliothèque à cette heure-ci. Mais je n'étais pas en état de me concentrer, terrassée par la mort de Mme Cohen, à me demander sans cesse comment j'avais pu redouter la vengeance de Carly au point de ne pas passer un simple coup de fil – qui aurait pu sauver la vie de sa mère. Si j'avais été catholique, je serais immédiatement allée à confesse, même si je doutais que les conseils d'un prêtre m'eussent été d'une grande utilité. On me dirait peut-être que dix ans de Pater et d'Ave m'absoudraient de cette faute… à moins qu'on me considère responsable de ce péché entre tous qu'est le suicide, et que j'aurais pu empêcher. Tout, dans ce dialogue dément avec moi-même, me ramenait au même point : j'étais coupable. Les larmes me sont venues. J'ai cherché frénétiquement une figure paternelle, mais sans col blanc, à qui je pourrais m'adresser. J'ai obliqué droit vers Earlsfort Terrace, traversant le parc en diagonale, et j'ai descendu Lower Leeson Street pour arriver enfin devant la porte de Desmond. Il était peu probable qu'il soit chez lui en fin de matinée, mais j'ai tenté ma chance. J'ai frappé deux fois. Pas de réponse. Deux fois encore. Mon désespoir se faisait plus profond à chaque seconde. Enfin, résignée, j'ai tourné les talons pour redescendre du perron. C'est alors que j'ai entendu sa voix.

« Attends, Alice. »

Je me suis retournée d'un bloc. Desmond se tenait dans l'encadrement de la porte, vêtu d'un tablier, un aspirateur à la main.

« Désolé, je ne t'ai pas entendue frapper. Je suis en plein ménage.

— Je peux entrer, s'il te plaît ? »

Il m'a dévisagée avec attention.

« Que s'est-il passé, bon Dieu ? »

Je me suis mise à sangloter. Desmond a laissé tomber son aspirateur, a passé un bras autour de mes épaules, et m'a entraînée à l'intérieur avant de m'ôter mon manteau pour m'installer dans un fauteuil devant la cheminée. Voyant que je pleurais toujours, il m'a servi un généreux verre de Redbreast.

« Bois ça », a-t-il dit, une main sur mon épaule.

J'ai vidé le verre en trois gorgées. Il l'a rempli à nouveau, et l'a posé sur le guéridon près de mon fauteuil.

« Voilà. Comme ça, si tu te sens mal, tu pourras en reprendre.

— Tu es un saint. »

J'ai farfouillé dans mon sac à la recherche de mes cigarettes, et Desmond m'a apporté un cendrier et une boîte d'allumettes. Puis il m'a regardée allumer une cigarette, s'est installé sur le canapé voisin et m'a dit de prendre mon temps, de ne surtout pas me presser. J'ai fumé ma cigarette. Je l'ai écrasée. J'ai pris une gorgée de whiskey. Et je me suis lancée. J'ai raconté toute l'histoire, sans omettre un seul détail, à commencer par la disparition de Carly plusieurs années auparavant. Desmond n'a pas prononcé un mot pendant mon récit, se contentant de pincer les lèvres à certains moments, comme lorsque je lui ai parlé du Chili et du journaliste que Carly, selon les dires de Peter, avait abattu de sang-froid, ou de son arrivée chez moi quelques semaines plus tôt, de son comportement inquiétant, de sa relation avec Sean et de leurs disputes incessantes. Quand j'en suis venue aux discours radicaux qu'elle tenait à Trinity, et aux hommes en compagnie desquels je l'avais surprise dans un pub, j'ai vu les yeux de Desmond s'écarquiller. Puis je lui ai raconté l'incident qui venait de se produire au Bewley's, et comment elle m'avait accusée d'être responsable du suicide de sa mère.

Il est intervenu.

« Tu n'as pas à t'en vouloir pour ce qu'a fait cette malheureuse, Dieu ait pitié de son âme. C'était à sa fille de lui épargner tout ce chagrin. Cette Carly m'a tout l'air d'une petite garce, et vicieuse, avec ça. Tu es sûre que ses amis républicains ne vous ont pas remarqués dans le pub, toi et ton homme ?

— Ils étaient en pleine conversation. Et Carly n'a même pas levé les yeux vers nous.

— Dieu merci. Ce Ciaran, il n'a pas de rapport avec la politique, j'espère ? »

Je lui ai expliqué que son père était professeur, et que toute sa famille, bien que catholique, restait en marge du conflit.

« Tant que tu lui fais confiance pour te dire la vérité là-dessus, je suis tranquille. Tu n'as vraiment pas besoin d'un type de là-haut impliqué dans tout ça.

— Je ne me fais pas de souci en ce qui le concerne.

— Et pour le reste ?

— C'est quelqu'un de très sain », ai-je répondu en utilisant un terme cher aux habitants de Dublin ; dans une ville où la menace majeure n'était pas tant la fourberie que l'aliénation, « sain » était la qualité la plus précieuse qui soit.

« Il faudra que tu me le présentes, un de ces jours. Je me sens un peu comme ton protecteur, tu le sais – d'ailleurs, si tu n'y vois pas d'inconvénient, je voudrais régler le problème que représente ta dangereuse amie.

— Ex-amie.

— Oui, ex-amie.

— Quand tu dis "régler le problème", tu ne fais allusion à rien de violent, j'espère ?

— Ne dis pas de bêtises. Je ne suis pas le genre d'homme à brutaliser une demoiselle.

— Pardon, pardon. C'est juste que, si tu appelles la police et s'il se trouve qu'elle a fait quelque chose d'illégal avec ses nouvelles fréquentations...

— Si elle avait fait davantage que papoter et conspirer avec ces gens-là, elle n'oserait plus se montrer à Dublin. Le mieux, c'est de lui faire quitter le pays aussitôt que possible, avant qu'elle puisse s'attirer de véritables ennuis. J'ai un ancien camarade d'école plutôt haut placé dans les services secrets. Je vais lui passer un coup de téléphone, l'inviter à boire un verre ou deux, et je lui raconterai ton histoire. Sans oublier le fait que cette jeune fille doit toujours être sur la liste des personnes disparues aux États-Unis. Je suis certain que les contacts de mon ami à l'ambassade américaine seront ravis de l'apprendre. En ce qui te concerne, je n'ai qu'un conseil : ne te prends pas la tête avec ces horreurs. Ne les laisse pas te pourrir l'existence.

— Mais si elle dit à mes parents que j'aurais pu prévenir sa mère et la sauver ?

— Dès qu'elle sera aux mains des autorités, avant son retour au pays, écris-leur une lettre pour tout leur expliquer. Je suis certain qu'ils comprendront. Surtout si tu leur racontes qu'elle t'a réduite au silence en menaçant de dénoncer ton frère pour des crimes qu'il n'avait pas commis.

— Mais ce serait déformer la réalité...

— ... ce qui, dans un cas comme celui-ci, n'a rien de criminel. Elle a bien prétendu que ton frère avait tué cet homme, non ? Et elle a formulé tout un tas de menaces à ton encontre. Étant donné ses "relations", ton père sera soulagé que tu n'aies pas cru à ces mensonges, je t'assure. Je te conseille de glisser dans ta lettre une allusion à ton rôle dans l'arrestation de cette jeune fille par les autorités. Mais ici, si quiconque s'avise de te montrer du doigt, tu devras feindre l'ignorance. Mon ami se chargera d'effacer toute trace de ton implication dans cette affaire. Bon, si j'ai bien compris, elle dort toujours dans les quartiers de Sean à Pearse Street ? »

J'ai acquiescé.

« Très bien. Voici ce que je te propose. J'appelle mon ami. Je lui dis que c'est assez urgent. Dès qu'il pointe le bout de son nez ici, je lui explique qu'elle est en fuite depuis des années, que sa famille aux États-Unis a retourné tout le pays pour la retrouver, qu'elle a été aperçue en mauvaise compagnie ici, à Dublin… et que je préfère te laisser en dehors de tout ça. Maintenant, sois raisonnable et dors chez toi pendant les prochains jours. Si tu es absente lorsqu'elle sera arrêtée, cela paraîtra suspect à ses yeux.

— Qu'est-ce que je dis à Ciaran ?

— Rien, tant que ce n'est pas réglé. S'il est aussi sympathique que tu sembles le croire, il comprendra pourquoi tu ne peux pas lui en parler pour l'instant. Et, s'il n'en est rien, tu sauras à quoi t'en tenir. Une dernière chose : si on te demande, cette conversation n'a jamais eu lieu. Mais je suis heureux que tu m'accordes ta confiance. Ça me touche profondément. »

Je me sentais moins seule avec mes problèmes. C'est l'un des avantages qu'il y a à se confier à un ami, en particulier un ami aussi bienveillant et paternel. Mais même si je pouvais faire confiance à Desmond pour rester discret, j'étais douloureusement consciente que les gens autour de moi ne tarderaient pas à se poser des questions. Il me faudrait jouer serré si je voulais faire illusion. Quelle que soit la tournure que prendraient les événements, je devrais avoir l'air totalement surprise et un peu dépassée.

Ce soir-là, Ciaran a passé la soirée chez moi pour la première fois. Nous nous sommes vite retrouvés au lit, et nous avons fait l'amour plus passionnément encore que la veille. Vers minuit, des éclats de voix avinés se sont fait entendre au rez-de-chaussée. Mais pour une fois, au lieu de leurs éternelles disputes, Sean et Carly chantaient ensemble *The Leaving of Liverpool*, une ballade sur l'émigration irlandaise que, très étonnamment, Carly semblait connaître par cœur. Ciaran s'est retourné vers moi en se couvrant la tête avec un oreiller.

« Ils poussent souvent la chansonnette comme ça ?

— D'habitude, ils se bouffent le nez comme des bergers allemands enragés. Estime-toi heureux.

— Je déteste cette chanson. Ce sont des conneries de vieux sentimentaux.

— C'est bientôt fini. »

Effectivement, le silence est retombé cinq minutes plus tard. Nous avons tous les deux sombré dans un sommeil léger, brusquement interrompu peu de temps après par des coups violents frappés à la porte d'entrée. Ciaran s'est réveillé en sursaut.

« Merde ! Ce n'est pas bon, ça. »

Les coups ont continué de pleuvoir. On entendait des portes s'ouvrir, des voix retentir dans l'entrée. Le ton est brusquement monté, et il y a eu des bruits de lutte. Je m'apprêtais à sortir sur le palier pour aller voir, mais Ciaran m'a retenue par le bras.

« Si c'est ce que je pense, a-t-il chuchoté, mieux vaut que tu ne montres pas le bout de ton nez. »

Carly s'est mise à hurler. D'autres portes se sont ouvertes. J'ai entendu Sean qui tentait de la calmer en disant : « Tu n'as pas le choix, il faut que tu les suives. » Carly a répondu par une longue plainte : « C'est cette salope qui m'a balancée ! Tu m'entends, Alice Burns ? Je sais que c'est toi qui as appelé les flics ! »

Je me suis pris la tête entre les mains. En bas, la lutte a continué pendant quelques minutes. Puis la porte d'entrée a claqué et une sirène de police s'est élevée dans la rue, pour s'éloigner presque aussitôt. Ciaran s'est assis près de moi au bord du lit et a passé un bras autour de moi.

« Si ce qu'elle a dit est vrai, je suis sûr que tu avais d'excellentes raisons de la dénoncer. » Quelqu'un a monté l'escalier au pas de course et a frappé à ma porte.

« Alice, Alice, a lancé la voix de Sean, visiblement secoué. Si tu es là, ouvre-moi. Tu dois m'expliquer ce qui se passe. »

Malgré les gestes véhéments de Ciaran, je me suis levée et j'ai entrouvert la porte.

« Qu'est-ce qu'il y a ? ai-je demandé avec un bâillement, pour faire bonne mesure.

— Je veux savoir pourquoi les putains de services secrets viennent d'arrêter ta copine.

— Quoi ?

— C'est tout ce que tu as à dire ?

— Euh, oui. Enfin, à part que tu dois être soulagé d'être enfin débarrassé d'elle. »

Ç'a été son tour d'avoir l'air perplexe.

« Je peux entrer ?

— Non, ai-je dit en secouant la tête. Je ne suis pas seule. » Cette nouvelle ne lui a pas tellement plu.

— On peut en parler demain, tu veux bien ? ai-je dit.

— D'accord, mais il faudra que tu m'expliques ce qui se passe.

— Comme si je le savais. Je peux retourner dormir, maintenant ? »

Il a hoché la tête et m'a laissée refermer la porte.

« Je sais exactement ce que tu penses, a murmuré Ciaran quand je l'ai rejoint dans le lit. Tu es en train de te demander si tu as assez confiance en moi pour me raconter toute l'histoire. »

Je lui ai pris la main et je l'ai serrée. Fort.

« Si tu es prêt à l'entendre, je suis prête à la raconter. »

9

AU MATIN, UNE VOITURE DE POLICE BANALISÉE s'était garée
devant notre immeuble. Sean était passé chez moi à
peine une demi-heure plus tôt pour me demander si je
voulais venir prendre un thé chez lui. Ciaran était déjà
parti en cours, et j'étais assise dans mon rocking-chair,
une cigarette à la main, à boire mon thé du matin tout
en avançant ma lecture de Dryden pour un cours du Pr
Brown. Par-dessus tout, j'essayais – en vain – de ne pas
penser aux événements de la veille au soir. Qui sait ce
que Carly racontait en ce moment même aux services
secrets et à l'ambassade des États-Unis ? Peut-être allait-
elle dénoncer Peter, ou inventer des mensonges éhontés à mon sujet. Dans ce cas, les autorités allaient-elles
revenir m'arrêter ? Si Carly leur disait que j'aurais pu
empêcher le suicide de sa mère, mes parents risquaient
d'être mis au courant avant que j'aie le temps de leur
écrire.

Toute à ces pensées, j'étais incapable de me concentrer
sur *Le Festin d'Alexandre*. Je m'attendais à chaque instant
à entendre des coups péremptoires frappés à la porte.

Quand Sean a toqué, j'ai failli tomber de ma chaise.
Le fait que ce soit lui et non la police ne m'a qu'à moitié rassurée : il venait sans doute me reprocher d'avoir
dénoncé Carly. Il me faudrait une fois de plus feindre

l'innocence… – quoique, ce n'était pas moi qui avais passé ce coup de fil.

Mais Sean était la contrition même. Quand je lui ai ouvert la porte, il m'a gentiment prise par l'épaule.

« Désolé pour cette nuit. J'étais un peu secoué après tout ça. J'espère qu'ils ont jeté cette folle dans les oubliettes les plus proches.

— Pas de problème. J'espère que tu me crois quand je te dis que ce n'est pas moi qui l'ai dénoncée. »

Je lui ai fait signe d'entrer, et je lui ai décrit les activités de Carly avec les maoïstes de Trinity, ainsi que la fois où je l'avais surprise en compagnie d'hommes que mon petit ami avait reconnus comme des activistes républicains.

« Il a dit qui c'était ? » a demandé Sean, les yeux ronds.

J'ai secoué la tête.

« Il les connaissait de réputation, c'est tout.

— Tu es sûre de ça ?

— Certaine. »

D'abord Desmond, maintenant Sean ; à la moindre mention de l'IRA, les Dublinois de ma connaissance devenaient extrêmement tendus. Mais il était crucial que je transmette ces informations à Sean, pour expliquer l'arrestation de Carly et le convaincre de ne pas s'impliquer dans ses histoires. J'aimais aussi penser que, une fois informé des fréquentations de Carly, Sean ne serait pas tenté de raconter toute l'histoire au voisinage.

Il a lancé un regard craintif par-dessus son épaule – alors même qu'il avait refermé la porte derrière lui.

« Toi et ton copain, a-t-il murmuré, ne dites jamais à personne que vous l'avez vue avec ces gens. Ce n'est jamais arrivé, c'est clair ? Si je te dis ça, c'est pour ta sécurité… et la mienne.

— D'accord. »

Il a eu l'air soulagé.

« Ne parlons plus de ça. Mais ce que tu m'as dit hier soir n'est que trop vrai. Je suis tellement soulagé d'être débarrassé de cette harpie. Bon, si tu n'as pas mangé, je peux te préparer un petit truc en bas. Ça te tente ? »

C'est au moment où je le suivais dans l'escalier que la police a frappé à la porte. Sean a jeté un regard par la fenêtre, a vu la voiture banalisée, et m'a fait signe de remonter chez moi en vitesse. J'ai obéi, fermant ma porte à clé pour ne la rouvrir que lorsque j'ai entendu les hommes quitter la maison en emmenant Sean. Puis j'ai attendu un bon quart d'heure avant d'oser me faufiler dehors. C'était un jour de bruine, humide, avec un soupçon de printemps dans l'air. En tournant le coin de Westland Row vers l'entrée secondaire de Trinity, j'étais terrorisée à l'idée qu'une main se pose lourdement sur mon épaule tandis qu'un homme en costume sombre demanderait : « Alice Burns ? »

Mais j'ai accompli le trajet sans encombre. Pendant tous mes cours de la journée, j'ai redouté le moment où la police ferait irruption dans la salle pour m'arrêter. Il ne s'est rien produit de tel. En rentrant chez moi en début d'après-midi, j'ai trouvé un mot que Dervla avait glissé sous ma porte :

L'ambassade américaine a appelé. Il faut que tu recontactes un certain McNamara…

Un numéro de téléphone était griffonné au bas de la feuille.

Je suis tout de suite redescendue frapper chez Sean. Par chance, il était de retour.

« C'est ouvert ! »

Je l'ai trouvé avachi dans un fauteuil, à regarder passer les quelques voitures et piétons derrière sa fenêtre sale. Il semblait bouleversé.

« J'ai passé une mauvaise matinée.

— Qu'est-ce qu'ils voulaient savoir ?

— Tout. Mes idées politiques, qui étaient mes amis, ce que je savais du passé de ta copine et de sa disparition. Tu m'as caché un paquet de choses, Alice. Pourquoi tu ne m'as jamais dit qu'elle était portée disparue depuis des années ? Tu savais qu'elle finirait par nous attirer des ennuis. Tu aurais pu contacter les autorités dès le début.

— Elle m'avait fait jurer de ne rien dire. »

C'était un pur mensonge, et malgré les paroles rassurantes de Desmond la veille je me suis sentie coupable et honteuse. Mais j'étais résolue à me montrer honnête au moins sur un point.

« Cette fille me faisait peur. Ça n'excuse pas mon silence, et j'aurais dû te prévenir, je sais. Mais toi aussi, tu aurais pu prendre une décision. Vous vous engueuliez déjà le lendemain du soir où tu l'as ramenée chez toi. Tu te doutais sûrement qu'elle ne t'attirerait que des ennuis. Pourquoi ne pas l'avoir foutue dehors ?

— Si j'avais su qu'elle était sur la liste des personnes disparues du FBI... Merde, Alice, tu aurais dû me prévenir !

— La police t'a posé des questions sur moi ?

— C'est tout ce qui t'intéresse, en fait, pas vrai ?

— On essaie tous de limiter les dégâts, je te signale. Alors ?

— Bien sûr qu'ils ont posé des questions sur toi. Et je t'ai défendue, figure-toi. Je leur ai dit qu'elle avait débarqué chez toi à l'improviste, que tu l'avais virée au bout d'une nuit, que j'avais été assez con pour la recueillir, et que tu n'avais rien à voir avec les activistes et les tarés qu'elle fréquentait.

— Merci. L'ambassade des États-Unis vient de me laisser un message, je sens qu'ils vont vouloir m'interroger. Je te promets que, s'ils me le demandent, je leur dirai que tu es complètement innocent dans cette affaire.

— Tu sais ce qu'un de ces gars m'a sorti ? "Un vieux porc comme toi, avec une jeunette de vingt ans. Tu mériterais qu'on te foute en taule." Ils ont un dossier sur moi, maintenant, et ils vont m'avoir à l'œil. Ils me l'ont dit. Merci de m'avoir entraîné là-dedans, vraiment. Tout ça, c'est ta faute.

— Si tu l'avais mise à la porte quand ç'a commencé à dégénérer…

— Le sujet est clos, Alice. Je compte sur toi pour ne pas m'impliquer davantage. Tant que tu paies ton loyer à temps et que tu ne causes pas de problèmes, tu peux rester ici. Mais désormais, fiche-moi la paix. »

Je suis ressortie, penaude, en me demandant s'il comptait raconter à tous les autres locataires que je l'avais trahi. David Vipond et sa bande de maoïstes forcenés me coinceraient sans doute dans un coin de la cour pour me forcer à faire mon « autocritique », façon Révolution culturelle. Pire encore, et si les durs à cuire du pub apprenaient que j'avais indirectement provoqué l'arrestation de leur camarade ? Peut-être débarqueraient-ils chez moi cette nuit pour me poser quelques questions.

Je n'avais pas le choix : je devais rappeler l'ambassade. J'ai tiré de ma poche le mot laissé par Dervla, et déniché une pièce de deux pence que j'ai insérée d'une main tremblante dans le téléphone de la résidence. Quand le standard de l'ambassade a décroché, j'ai demandé à parler au consul McNamara. C'est sa secrétaire, une Irlandaise, qui m'a répondu.

« Ah, mademoiselle Burns. Merci de vous manifester si vite. Êtes-vous à Dublin en ce moment ?

— Oui.

— Vous deviez être à Trinity College quand nous avons cherché à vous joindre. »

Elle savait donc où je faisais mes études. De quoi d'autre étaient-ils au courant ?

« C'est ça.

« Est-ce que vous pourriez venir demain à neuf heures pour un entretien avec le consul, et éventuellement une autre personne que la situation intéresse ? »

Quelqu'un des services secrets ? La question me brûlait les lèvres, mais je n'étais pas assez bête pour la poser, étant donné les circonstances.

« Je préférerais onze heures, c'est possible ? ai-je plutôt demandé. J'ai un cours à neuf heures.

— Non, ce n'est pas possible. Mais, si vous voulez, je peux contacter votre professeur pour lui expliquer qu'on a besoin de vous voir. »

Surtout pas.

« Ne vous donnez pas cette peine, je le lui dirai moi-même », ai-je répondu – surtout que le Pr Brown se fichait pas mal que ses étudiants assistent à ses cours ou non.

« Très bien, dans ce cas. Vous savez où nous trouver à Ballsbridge ?

— Oui, je sais.

— N'oubliez pas d'apporter votre passeport. »

Pour que vous puissiez me coller dans un avion sans autre forme de procès ?

« J'y penserai.

— Ne soyez pas en retard. »

J'ai raccroché, au bord de la panique. Ma première impulsion était de foncer au General Post Office, m'enfermer dans une cabine téléphonique à l'abri des oreilles indiscrètes et appeler mon père pour le supplier de me tirer de ce mauvais pas. Il pourrait sûrement faire quelque chose, avec tous ses contacts à la CIA... J'ai pris une profonde inspiration, et ça m'a suffi à comprendre que c'était une mauvaise idée. Si je lui demandais de l'aide, je devrais tout lui raconter – y compris ce que je préférais garder pour moi, notamment à propos de Peter et Carly. Qu'avait-elle raconté à la police ? Peut-être avait-elle réussi à se faire passer pour une pauvre naïve, une dilettante en politique qui s'était laissé entraîner dans des profondeurs bien plus sombres qu'elle ne le pensait. Maintenant que je connaissais les liens entre mon père et la CIA, je devais faire attention à ne pas me montrer trop bavarde avec lui. Peter lui avait-il parlé de Carly et de sa présence au Chili ? Je ne savais plus où j'en étais, et les enjeux étaient trop énormes pour que j'aie droit à l'erreur.

J'ai décidé de ne pas appeler mon père avant mon entretien avec le consul. En revanche, je tenais toujours à retrouver Ciaran à dix-huit heures, et il me serait impossible de faire comme si j'avais passé une journée normale. La veille au soir, nous étions tous deux trop fatigués pour que je me lance dans la longue histoire de Carly et du chaos qu'elle avait semé dans tant de vies. Le moment était venu de tout lui dire – et si, à la fin de cette saga, il prenait la décision de me planter là… eh bien, en toute honnêteté, je ne pourrais pas lui en vouloir.

Mais, lorsqu'il m'a aperçue au bureau des étudiants et qu'il a remarqué mon malaise, il a souri.

« Quoi, tu as découvert que ton père est en fait un prêtre défroqué ? »

Je n'ai pas pu m'empêcher de rire.

« En fait, il travaille pour la CIA.

— Elle est bien bonne.

— Sauf que c'est vrai. »

Il a compris à mon ton que ce n'était pas une blague.

« Pourquoi on n'irait pas discuter de tout ça au Neary's ? On ne connaît personne là-bas, et on pourra s'installer dans un box à l'abri des oreilles qui traînent. On dirait que tu as sacrément besoin d'un Bushmills ou deux.

— Plutôt quatre. »

En arrivant au Neary's, j'ai descendu un verre de Black Bush et fumé une cigarette, le tout en moins de trois minutes. Ciaran a eu la délicatesse de ne pas me presser. Au contraire, il m'a laissé le temps de me détendre. Et je me suis lancée. J'ai dû parler pendant trois bons quarts d'heure, mais il ne m'a pas interrompue une seule fois, se contentant de faire signe au barman quand nos verres étaient vides. Je suis restée d'une franchise quasi brutale, et je n'ai épargné personne dans mon récit, pas même moi. Pour finir, je lui ai dit que je comprendrais très bien qu'il veuille ne plus jamais m'adresser la parole.

« J'ai complètement merdé.

— Qu'est-ce que tu racontes ? Tout ce que tu as fait, c'est héberger cette folle avant de te rendre compte qu'elle avait de graves soucis. Au lieu de la mettre directement dehors, tu l'as emmenée au pub et tu as laissé ce gros charmeur de Sean la séduire. Et puis, le temps que tu reviennes de Paris, avec en tête toutes les horreurs que t'a racontées ton frère, elle avait quasiment emménagé chez lui. Qu'est-ce que tu aurais pu faire ? Prévenir Sean qu'elle était soupçonnée de meurtre ? Elle aurait sans doute cherché à se venger de toi. Et Sean aurait sans doute répété toute l'histoire à qui aurait voulu l'entendre ; la situation serait devenue intenable pour toi. Crois-moi, tu as bien fait de tenir ta langue. N'écoute pas cet imbécile de Sean. En bon Irlandais, il serait prêt à dire n'importe quoi pour ne pas admettre qu'il a réfléchi avec sa queue. C'est entièrement sa faute s'il est fiché chez les services secrets. Tu n'as rien fait de mal. »

Il m'a aussi formellement déconseillé d'impliquer mon père avant d'apprendre, grâce aux questions du consul américain et de la police, ce que Carly avait révélé ou non aux autorités. J'ai fait remarquer que le consul lui-même ne prendrait sans doute pas tout ce qu'elle lui avait dit au pied de la lettre.

« Tiens-t'en à ta version, a dit Ciaran. Elle a débarqué chez toi, tu t'es rendu compte qu'elle était folle, et tu as fait tout ton possible pour l'éviter. Point final. Le moins est le mieux, comme on dit. »

J'ai dormi chez lui cette nuit-là. Nous nous sommes levés tôt, et il a insisté pour me préparer un petit déjeuner complet : des œufs, du bacon, du boudin noir et des champignons, accompagnés de toasts généreusement beurrés.

« "La condamnée eut droit à un repas copieux", a-t-il plaisanté.

— Tu comptes m'offrir un bandeau et une dernière cigarette avant que je parte ?

— Mieux : je t'accompagne.

— Tu n'es pas obligé de te donner tout ce mal.

— Si. Et je t'attendrai devant l'ambassade, comme ça je pourrai organiser une émeute si tu ne ressors pas parce qu'ils t'auront jetée dans leur prison de haute sécurité pour femmes dangereuses qui hébergent d'autres femmes encore plus dangereuses.

— Me voilà rassurée. »

Faire le trajet en compagnie de Ciaran n'était pas seulement réconfortant : ça m'a aussi donné l'occasion de répéter mon texte. Ciaran m'a bombardée de toutes les questions que serait susceptible de me poser le consul tandis que nous traversions Merrion Square, longions le Canal, remontions Pembroke Street et ses grandioses maisons victoriennes et dépassions un hôtel moderne très laid, le Jury's, avant d'arriver à l'espèce de bouée en béton qu'était l'ambassade des États-Unis.

« L'architecte qui a conçu cette horreur mérite au moins un siècle de purgatoire, a fait remarquer Ciaran.

— Les bâtiments de ce genre sont une vraie gangrène à Dublin. »

Il a regardé sa montre.

« Allez, vas-y. Je vais faire un tour parmi les demeures cossues de Ballsbridge, où sont établis les plus grands cabinets d'avocats de la ville.

— Tu travailleras ici dans quelques années, alors.

— Sauf si je réussis à m'enfuir avant. Tu as une minute de retard, a-t-il précisé en m'embrassant une dernière fois.

— Je n'ai pas envie d'y aller.

— Je t'attendrai ici. Rappelle-toi : tu n'as rien fait de mal. »

D'une gentille bourrade, il m'a encouragée à gravir l'escalier. Une femme se tenait derrière le bureau de réception, et je lui ai expliqué que j'avais rendez-vous avec le consul McNamara avant de lui tendre mon passeport. Il n'y avait à l'entrée ni gardes armés ni détecteur de métaux, juste un homme ventru en costume assis sur un tabouret haut. Il ne m'a prêté aucune attention. La réceptionniste a passé un appel et m'a fait signe de patienter. Cinq minutes plus tard, la dame à qui j'avais parlé au téléphone la veille est apparue pour me guider jusqu'à une petite salle de conférences. Avec son accent de Cork assez prononcé (je savais de mieux en mieux distinguer les accents irlandais), elle s'est présentée sous le nom de Miss O'Connor.

« Le consul vous rejoindra dans quelques minutes. Merci d'être venue si vite. C'est le meilleur moyen de mettre tout ça derrière vous. »

Tout ça quoi ? Je ne savais pas à quelles difficultés m'attendre.

Je suis restée seule dans la salle pendant ce qui m'a semblé une éternité, et j'ai regretté de ne pas avoir pensé à apporter un livre. Était-ce une manœuvre délibérée

pour me déstabiliser afin que je réponde plus spontané-
ment à leurs questions ? Alors que je commençais à me
tordre les mains, de plus en plus nerveuse, la porte s'est
ouverte et deux hommes sont entrés. Le consul McNamara avait un sérieux problème de surpoids. Son visage
juvénile lui donnait l'air d'avoir tout au plus trente-cinq
ans, mais il devait peser dans les cent cinquante kilos :
son ventre débordait par-dessus son pantalon de costume bleu, et son triple menton a tressauté lorsqu'il s'est
approché de moi en me tendant sa grande main – un
contact déconcertant de douceur et de moiteur mêlées.
J'ai également serré la main du second homme, un inspecteur de police du nom de Quinlan. La mine sévère,
il portait une veste grise, une chemise à rayures grises
et marron, une cravate imprimée et des chaussures de
cuir : une tenue de flic qui semblait avoir été choisie
par sa femme. Du haut de sa cinquantaine, il me toisait
avec une suspicion toute professionnelle.

« Merci d'être venue aussi rapidement », a dit le consul
en me faisant signe de me rasseoir.

Tous deux se sont installés face à moi, et l'inspecteur
Quinlan a sorti un petit carnet noir et un stylo. Le consul
McNamara a posé un dossier devant lui. Quand il l'a
ouvert, j'ai aperçu une photo de moi et plusieurs pages
dactylographiées. Il a surpris mon regard.

« Vous vous plaisez à Trinity ? » a-t-il demandé avec
bonne humeur.

Je lui ai dit que je m'y sentais très bien.

« Mieux qu'à Bowdoin ? C'est une très bonne université. Mais il faut avouer que vous n'avez pas eu de
chance, avec votre ex-petit ami… »

Merde. Cet homme en savait un rayon à mon sujet.
L'inspecteur avait-il remarqué que je me tortillais sur
ma chaise ? En tout cas, il m'a adressé ce que j'en vien-
drais à appeler, au cours de l'heure suivante, l'un de ses

sourires pincés – un rictus sinistre qui semblait me dire : *N'espérez pas vous en tirer à bon compte.*

Ils sont entrés tout de suite dans le vif du sujet, exigeant de connaître tous les détails de ma relation avec Carly Cohen, depuis notre rencontre à Old Greenwich jusqu'à ce que je lui interdise de remettre les pieds chez moi après son apparition surprise sur le seuil de ma porte, quelques semaines auparavant.

« Vous l'avez donc présentée à votre concierge, monsieur Treacy, et vous avez laissé les choses suivre leur cours, a résumé l'inspecteur Quinlan.

— Elle m'a accompagnée au pub où j'avais l'habitude de retrouver Sean et un groupe d'amis. Ils se sont mis ensemble peu après ça.

— Vous saviez qu'elle était en fuite, que ses parents étaient bouleversés par sa disparition, au point que sa mère a mis fin à ses jours récemment, et pourtant vous n'avez jamais envisagé de leur passer un coup de téléphone pour leur épargner tout ce chagrin quand elle est réapparue ? »

Je m'étais préparée à cette question. Ma réponse a été simple.

« Dès le début, Carly m'a effrayée. Elle avait l'air instable, je ne savais pas vraiment comment elle réagirait si je décidais d'avertir ses parents. J'ai eu peur qu'elle n'essaie de se venger. Je me rends compte à présent que c'était une grave erreur. Si cela avait pu empêcher le suicide de sa mère, je m'en voudrais toute ma vie. J'aurais aimé ne pas la laisser prendre un tel ascendant sur moi, mais elle me terrorisait. »

Ils m'ont posé beaucoup de questions sur ce que je savais de ses activités politiques à Dublin. Là encore, je m'en suis tenue au minimum : je l'avais vue en compagnie des maoïstes de Trinity. Est-ce que je savais qu'elle était une sympathisante de la cause républicaine ? J'ai répondu que nous n'avions jamais discuté de politique irlandaise. Quinlan était au courant de ma « relation » avec un jeune homme de Belfast : quels étaient ses penchants politiques ? Le père de Ciaran était un universitaire, sa mère était productrice à la BBC, et il se tenait à l'écart des questions politiques, tout comme ses parents, ai-je répondu. J'ai senti que Quinlan me croyait. McNamara m'a demandé ce que je savais des activités criminelles de Carly après sa disparition aux États-Unis. J'étais résolue à feindre ma complète ignorance dans ce domaine.

« Vous voulez dire qu'elle ne vous a jamais parlé de ses exploits en Californie ? a insisté McNamara après que je lui ai répondu par la négative.

— Elle m'a dit qu'elle avait passé plusieurs années dans la baie de San Francisco, mais c'est tout.

— Et son séjour au Chili en compagnie de votre frère ?

— Nous n'avons passé qu'une seule soirée ensemble, lui ai-je rappelé. Et elle était tellement étrange, comme enragée, complètement ingérable... J'ai préféré ne pas entretenir la conversation sur ce sujet.

— Alors je suppose que, quand vous avez rendu visite à votre frère à Paris, vous n'avez pas du tout parlé d'elle ?

— Exactement.

— J'ai l'impression que vous ne nous dites pas toute la vérité, a objecté McNamara.

— Tout ce que mon frère m'a raconté, c'est qu'il était allé à Santiago, avait eu des problèmes avec le régime politique local, et qu'il avait dû quitter le pays en catastrophe.

— Mais le simple fait que votre père dirige une mine là-bas, et fréquente des membres éminents du gouvernement...

— Je ne me mêle pas de politique. »

Rester simple.

Qu'espéraient-ils apprendre de ma part qu'ils igno-raient encore ? Comme ils n'ont pas mentionné les acti-vités criminelles de Carly au Chili, ni sa relation avec mon frère, le plus prudent était de ne pas les aiguiller dans ce sens.

« Et elle ne vous a jamais parlé des Black Panthers ?

— Elle m'a dit qu'elle s'était enfuie après les violences dont elle avait été victime au lycée, qu'elle avait erré dans le pays...

— Vous saviez qu'elle s'était forgé une nouvelle iden-tité ? a demandé Quinlan.

— Non, je l'ignorais.

— Je ne vous crois pas. »

Je l'ai regardé droit dans les yeux.

« Monsieur, vous me parlez d'une personne dont la disparition a bouleversé tout le monde. Quand elle a débarqué chez moi sans prévenir, elle a envahi mon existence avec toute sa folie, toute sa rage venimeuse. Je l'ai mise dehors parce que ce qu'elle avait infligé à sa famille était monstrueux. Et elle m'a répondu que je n'étais qu'une bonne petite fille de province.

— Alors pourquoi, à ce moment-là, ne pas avoir télé-phoné à ses parents ou aux autorités pour leur signaler qu'elle était toujours vivante ? » a demandé McNamara.

Je m'étais également préparée à cette question.

« Je vous l'ai déjà dit, j'avais très peur de la réaction de Carly. »

Ma voix s'est brisée sur les derniers mots. Je détestais avoir recours à un tel mensonge. mais une autre question me taraudait – une question sur laquelle je n'avais mis le doigt que la veille au soir, en discutant au lit avec Ciaran : Et si mon père, à travers ses contacts à la CIA, avait été au courant de la présence de Carly à Santiago ? Lui aussi aurait pu révéler qu'elle était encore vivante. À ce sujet, Ciaran avait émis une hypothèse alambiquée :

« D'après ce que tu m'as dit, ton père a toutes sortes de projets et de buts cachés, qu'il ne confie à personne dans son entourage. Alors je ne serais pas surpris que ses contacts à Santiago l'aient mis au courant des activités de Carly, mais que lui et ses maîtres aient décidé de garder le secret sur sa présence et les ennuis qu'elle risquait de s'attirer. Tu n'as pas à t'en vouloir d'avoir gardé le silence. Ton père a fait la même chose. » Quoi qu'il en soit, ma petite comédie a eu l'effet escompté sur le consul et l'inspecteur de police. Ils ont échangé un regard, et j'ai compris qu'ils avaient décidé de me croire. McNamara a tout de même insisté une dernière fois.

« Vous n'avez jamais envisagé de contacter votre mère ou votre père… ?

— Imaginez qu'ils vous aient prévenus, et que vous soyez venus l'arrêter…

— On n'arrête pas les gens, ici, m'a coupée McNamara.

— À notre connaissance, elle n'a commis aucun crime dans ce pays, est intervenu Quinlan. Enfin, si elle avait continué à frayer avec des activistes… qui sait dans quelle folie elle se serait laissé entraîner ? Vous ne vous intéressez pas à la politique, c'est bien ça, mademoiselle Burns ?

— Pas du tout. Et je fais bien attention de ne pas m'en mêler, ici, en Irlande. Je ne veux pas d'ennuis. »

Quinlan m'a dévisagée avec froideur.

« J'espère bien. »

Ils m'ont posé quelques questions de routine sur les résidents de la maison, et m'ont demandé si, à mon avis, Sean Treacy devait être surveillé ou s'il était mêlé à des affaires qui le dépassaient. Je leur ai assuré que, selon moi, c'était indubitablement la seconde option qui correspondait le mieux à la situation de Sean. Ensuite, ils ont voulu savoir de quoi j'avais parlé avec mon frère lors de mon séjour à Paris (ils connaissaient tous les détails de mon voyage, et même que j'avais séjourné dans le même hôtel que Peter). Je me suis bornée à répondre : « Des affaires de famille. » Ils ont dû comprendre qu'ils ne tireraient rien d'autre de moi. J'avais toutefois moi aussi une question à leur poser.

« Est-ce que je risque de recroiser Carly Cohen en rentrant chez moi tout à l'heure ?

— Vous voulez dire : est-ce qu'elle est encore dans le pays ? a traduit McNamara. En ce moment même, elle est à bord d'un avion à destination de New York. Elle a accepté de son plein gré d'être rapatriée.

— Mais, même sans son accord, on l'aurait expulsée, a ajouté Quinlan.

— Elle sait qu'elle devra répondre à quelques questions du FBI à son arrivée et qu'elle risque d'être poursuivie. Nous avons prévenu son père de son retour. »

Savait-il qu'elle vivait dans le même immeuble que moi depuis plusieurs semaines ? Je n'ai pas formulé la question à voix haute, mais, d'après le regard que Quinlan fixait sur moi, il devait se douter de ce que je pensais.

« Une dernière chose, mademoiselle Burns. Mlle Cohen nous a été signalée par un appel anonyme. À votre avis, de qui émanait-il ?

— Aucune idée, monsieur.

— Évidemment. Vous avez laissé une tierce personne se charger de la sale besogne à votre place. »

Silence. J'ai soutenu son regard, car c'était sans doute le meilleur moyen de mettre fin à mon calvaire. Il a fini par céder.

« Vous n'avez pas l'intention de déménager dans les semaines qui viennent, j'espère ?

— J'ai des examens dans six semaines et j'aime bien mon appartement. Je n'ai aucune intention de quitter Dublin.

— On vous recontactera en cas de besoin », a ajouté McNamara.

Quand je suis ressortie, une petite voix dans ma tête répétait en boucle : « Bon, on s'en est bien tiré. » J'ai trouvé Ciaran assis sur un banc devant l'ambassade, plongé dans l'*Irish Times*, en train de fumer l'une des trois cigarettes qu'il s'autorisait chaque jour. J'enviais la discipline dont il faisait preuve sur ce point. J'ai regardé ses vieilles chaussures de cuir pointues (ses « brogues », comme il les appelait), le col remonté de son éternelle veste en tweed, ses cheveux noirs en bataille comme s'il sortait du lit, la barbe de deux jours qui assombrissait son intrigant visage anguleux. Quel bonheur de le voir là, qui m'attendait. Quel bonheur d'avoir cet homme dans ma vie.

Il s'est levé en me voyant approcher. Je l'ai immédiatement pris dans mes bras et embrassé longuement. Quand nous avons fini par nous lâcher, il m'a gratifiée d'un sourire incertain.

« Du coup, je suppose que tu n'iras pas en prison, et que tu ne seras pas expulsée du pays. Allez, viens, on va prendre une pinte quelque part ! »

Quand j'ai fait remarquer qu'il n'était que onze heures du matin, il a haussé les épaules.

« Tu viens de rassurer les autorités sur ton compte. Tu mérites une récompense, c'est-à-dire une pinte de Guinness dans l'établissement de mon choix. »

En l'occurrence, le bar d'un petit hôtel de Ballsbridge, le Merrion, où, selon lui, nous avions des chances de croiser Benedict Kiely. Comme Ciaran, Kiely était de l'Ulster : installé à Dublin, il écrivait des nouvelles très élégantes dont Ciaran m'avait prêté un recueil, *A Ball of Malt and Madame Butterfly*.

« C'est le genre d'écrivain auquel je voudrais ressembler », m'avait-il confié.

Je savais déjà, depuis notre première discussion, qu'il avait pour ambition d'écrire. Les nouvelles m'avaient beaucoup plu. Kiely avait une vision légèrement plus canaille que O'Faolain, et moins obsédée par la nature contradictoire de l'identité irlandaise. Je connaissais la vénération que vouait Ciaran aux écrivains qui avaient du style, et je l'ai suivi avec plaisir à travers les rues de Ballsbridge, quelque peu dénuées de leur superbe d'autrefois. Le Merrion, en retrait de Leeson Street, avait connu des jours meilleurs, mais il avait conservé une certaine atmosphère distinguée. Le velours rouge des banquettes du bar était troué de brûlures de cigarettes, les pintes deux pence plus cher qu'au Mulligan's, et les sandwichs que nous avons commandés en guise de déjeuner dataient de la veille, mais Ben Kiely était bel et bien assis à la table voisine. Rougeaud, avec un léger double menton, il avait la prestance d'un gentleman de la vieille école – je l'aurais bien vu faire partie d'un de ces clubs d'aristocrates qu'on retrouve souvent dans la littérature britannique. Son blazer, son pantalon de flanelle grise, sa chemise bleu sombre et sa cravate montraient qu'il était soucieux de donner de lui l'image d'un homme élégant. Malgré son teint de grand buveur, il avait un regard doux et bienveillant. Trois autres hommes d'âge mûr, tous en veste et cravate, étaient assis à sa table, et ils semblaient en être à leur deuxième ou troisième tournée matinale – à en juger par la conversation animée qui s'élevait de leur groupe au milieu d'un nuage de fumée. Ciaran a réussi à croiser le regard de Kiely, qui lui a adressé un signe de tête.

« Bonjour, jeune homme.

— Bonjour, monsieur Kiely.

— Vous me connaissez ? a remarqué l'écrivain, agréablement surpris.

— Mieux, je vous lis.

— Un grand merci à vous. Vous venez de la même région que moi, à vous entendre.

— Belfast, monsieur.

— Qu'est-ce qui vous amène à Dublin ?

— Je fais des études de droit à Trinity.

— Et votre charmante amie ?

— Je suis américaine, monsieur Kiely. J'étudie la littérature. J'ai adoré *A Ball of Malt and Madame Butterfly.* »

Il m'a adressé un sourire radieux.

« Je dois dire que vous avez très bon goût. Merci pour votre gentillesse. C'est une qualité rare dans les environs. »

Et, avec un signe de tête bienveillant, il est retourné à sa conversation.

Cet échange nous a mis, Ciaran et moi, dans un état proche de l'exultation. Rencontrer un auteur connu que nous admirions tous les deux... J'aurais voulu lui poser des dizaines de questions sur ses œuvres, son style. Ciaran semblait profondément touché que l'homme se soit montré si prévenant à l'égard de deux étudiants.

« Il a reconnu mon accent de l'Ulster, a-t-il murmuré, surexcité. Et il est resté modeste, contrairement à tant d'écrivains à Dublin. »

Mais les hommes avec qui il parlait étaient de véritables experts en ragots et en acrimonie. Pendant toute l'heure que nous avons passée assis là, à boire une pinte, puis deux, tandis que je fumais beaucoup trop (mais après tout, c'était ma récompense pour m'être bien tirée de l'interrogatoire du consul), nous avons entendu la majeure partie de leur conversation. J'ai ainsi eu l'occasion de découvrir que Ciaran pouvait se montrer très indiscret quand sa curiosité était éveillée ; il ne ratait pas une miette de ce qui se disait à la table voisine. Au bout de quelques minutes, il s'est penché vers moi pour me faire un rapide résumé de ce qu'il avait entendu.

« L'homme à la veste marron et aux cheveux mal peignés travaille pour la RTE, la grande radio locale, à la rubrique théâtrale. Celui en gris qui ressemble à un banquier de Carlow ou quelque chose de ce genre rédige les échos et fait des critiques de théâtre pour l'*Irish Independent*, un très mauvais journal, comme tu le sais. Et celui qui porte le blazer bleu est un courtier à la retraite. Il habite dans une jolie maison sur Marlborough Road, est veuf depuis peu, et comme il ne sait pas quoi faire de son temps, il est très content d'avoir été admis dans ce cercle hautement littéraire. »

À mon tour, j'ai laissé traîner une oreille inquisitrice – et j'ai été estomaquée (même après plusieurs mois passés dans cette ville) par la dureté et la virulence de ces hommes. Les propos du journaliste et du producteur de la RTE étaient particulièrement vitriolés, et sa véhémence et sa causticité grandissaient à chaque nouveau verre ; tantôt au sujet d'un dramaturge dont la dernière pièce montée à l'Abbey était désespérante, au dire du critique, tantôt au détriment d'une actrice de la compagnie de théâtre radiophonique qui, selon la rumeur, accueillait régulièrement un certain ancien ministre du Fianna Fáil dans son lit. Le courtier retraité a raconté qu'un des gouverneurs de l'Irish Central Bank avait « un léger problème hippique » et faisait actuellement l'objet d'une enquête à cause de la « comptabilité inventive » qu'il avait mise au point pour camoufler ses nombreuses dettes. Au milieu de ce déballage de ragots, Kiely tenait le rôle de maître de cérémonie, posant une question ou intervenant çà et là (« Je sais que Tom traverse une période un peu creuse, mais il est encore capable d'écrire de bonnes pièces ») afin de canaliser le déversement de bile de ses compagnons.

C'est ainsi que ça marchait, ici. Un petit pays au passé trouble, au présent ardu, à la psyché nationale hantée par des légions d'ombres et de soucis – sans compter le catholicisme fanatique qui prévalait dans la culture locale, au point d'obscurcir le jugement de bien des gens (une opinion que je n'aurais jamais osé exprimer de vive voix). En écoutant ces hommes, j'ai eu la confirmation de quelque chose qui grattait à la porte de ma conscience depuis plusieurs mois. J'avais beau m'être adaptée au caractère morne, humide et décrépit de Dublin, et m'être attachée à bien des aspects de la vie de cette ville, j'ai compris ce jour-là que, lorsque j'aurais terminé mes deux années à Trinity, une fois mon diplôme en poche, je repenserais avec émotion au temps passé en Irlande tout en remerciant la providence de ne pas être obligée d'y bâtir ma vie.

Une heure plus tard, alors que nous franchissions la grille de l'université, Ciaran a exprimé à haute voix mes propres réflexions :

« Tu sais ce qui m'a le plus frappé chez ces vieux garçons du Merrion ? Ils n'étaient tendres avec personne. C'était comme s'ils faisaient une compétition pour savoir lequel d'entre eux était le plus aigri. Dès que je termine mes études, je quitte cette île. Direction Londres. Je rentrerai dans un cabinet d'avocats, de force s'il le faut. Je finirai par prendre la robe. Et toi, tu pourras écrire des romans dans notre appartement de Primrose Hill ou de Camden pendant que j'irai à l'Old Bailey défendre la mauvaise graine. Ou les innocents accusés à tort.

— Qu'est-ce qui te fait croire que j'écrirai des romans ?

— Je *sais* que tu en écriras. Parce que, secrètement, tu en as envie. Et je sais qu'on finira par se marier, tous les deux. »

Était-ce une forme de demande ? J'ai dû pâlir, car Ciaran a passé un bras rassurant autour de mes épaules.

« Je ne cherche pas à te mettre la pression. Et ça ne me viendrait même pas à l'idée d'officialiser ce qu'il y a entre nous avant qu'on ait vécu ensemble quelques années, histoire de savoir dans quoi on se lance. »

Je n'ai rien répondu. J'étais en même temps stupéfaite et assez intriguée. Pour être honnête, j'avais compris depuis maintenant une bonne semaine que Ciaran n'était pas seulement une belle rencontre, c'était – à tout point de vue – une sorte d'homme idéal. Incroyablement intelligent, drôle, lettré, réfléchi. Il me laissait respirer, ne cherchait pas à s'imposer dans ma vie. Je n'avais pas l'impression qu'il essayait de me contrôler, ni moi, ni qui que ce soit. Bob avait toujours été persuadé qu'il n'était pas à ma hauteur, intellectuellement parlant, qu'il était, en quelque sorte, inférieur à moi (même si j'avais fait tout mon possible pour le détromper). Avec Ciaran, nos conversations pouvaient durer des heures, sur Samuel Beckett ou mon incapacité à comprendre le cricket (Ciaran faisait partie de l'équipe de Trinity), sur les révélations toujours plus rocambolesques du Watergate (l'affreux Spiro Agnew venait de renoncer à la vice-présidence à cause de divers scandales de corruption) ou l'influence grandissante de la chef du Parti conservateur britannique, Margaret Thatcher – ce qui, selon Ciaran, était de mauvais augure pour l'avenir politique du Royaume-Uni.

De mauvais augure. J'adorais sa tournure d'esprit, la richesse de son vocabulaire, son talent pour souligner avec finesse toutes les menues absurdités de l'existence. Un jour que nous descendions Grafton Street pour nous rendre au Bewley's, un homme nous a demandé une pièce pour une association portant le nom de Padre Pio.

« La moitié de l'Irlande est secrètement amoureuse de Padre Pio, m'a confié Ciaran. Parce que, entre autres choses, il était capable de saigner des mains et des chevilles à volonté, comme ce cher J-C.

— Je ne pense pas que J-C saignait à volonté, ai-je objecté. C'était sans doute en lien avec les clous plantés dans ses paumes et dans ses pieds.

— Ah, mais Padre Pio était un stigmatisé professionnel. Il savait quand ouvrir les vannes pour faire son petit effet sur les foules. Et saigner mieux que Jésus, ce n'est quand même pas rien. »

Je n'ai jamais donné de réponse à son étrange insinuation que nous avions un avenir ensemble. Sur le coup, je me suis contentée de l'embrasser sur les lèvres... sans rien ajouter. Il n'a d'ailleurs pas insisté, ni immédiatement, ni même après, pour savoir si j'avais réfléchi à sa proposition. C'était bien son style. Il déclarait ses intentions sans ambages, mais n'exigeait aucune réaction de ma part. En revanche, une quinzaine de jours après cette conversation, il m'a demandé si je serais partante pour rendre visite à ses parents à Belfast.

L'idée de franchir la frontière me mettait franchement mal à l'aise. Chaque fois que j'écoutais RTE sur le petit transistor que j'avais acheté, une nouvelle horreur s'était produite en Irlande du Nord : intimidation, explosion, assassinat, cadavre découvert avec une balle dans la tête... Mais quand j'ai fait part de ces doutes à Ciaran, il a souri.

« Ce sont surtout des règlements de comptes entre malfrats, avec, de temps à autre, un innocent pris entre deux feux. Dans l'ensemble, il n'y a pas tant de souci à se faire... pour tout te dire, le quartier de mes parents est aussi calme qu'un cimetière.

— C'est une blague locale ?

— Plutôt une comparaison mal choisie. »

Le week-end suivant, durant ma conversation bimensuelle avec ma mère, je n'ai pas évoqué mon intention de faire une virée dans une province considérée par le monde entier comme une zone de guerre. À la place, j'ai appris que Carly avait été arrêtée par le FBI dès son arrivée à l'aéroport, soupçonnée d'avoir pris part à un braquage de banque dans les environs d'Oakland, et que son père avait engagé un célèbre avocat de droit civil, William Kunstler, pour la défendre.

« Kunstler est une grande gueule gauchiste, a précisé ma mère, et il adore se faire remarquer. Alors je suis sûre qu'ils vont parfaitement s'entendre. La presse a beaucoup parlé de Carly depuis son retour, en particulier parce que le suicide de sa mère est si récent, et qu'elle aurait pu faire en sorte que les choses se passent autrement... »

Je n'ai rien dit. Ça ne lui a pas échappé.

« Je prends ça comme la reconnaissance tacite que, toi aussi, tu aurais pu faire quelque chose.

— N'essaie même pas de m'accuser de ça.

— Mais tu savais que Carly était vivante.

— C'est ce que j'ai expliqué aux gens de l'ambassade...

— Je sais ce que tu leur as expliqué.

— Et comment, je te prie ?

— Devine. Ton père a des taupes partout.

— Et toi, ça ne te dérange pas qu'il soutienne une dictature corrompue et cruelle ? Pire, qu'il l'appuie ?

— C'est la guerre. Une guerre froide, mais ça ne nous oblige pas moins à prendre parti pour des individus, des causes, qui parfois nous déplaisent.

— C'est avec ce genre de raisonnement que le totalitarisme gagne du terrain.

— Et Allende, ce n'était pas un dictateur, peut-être ?

— Papa t'a lavé le cerveau avec sa propagande, ai-je soupiré.

— Je suis parfaitement capable de me faire ma propre opinion, merci bien. Et tu es mal placée pour me donner des leçons. Je te rappelle que tu n'as même pas pris la peine de nous appeler pour nous dire que Carly était encore en vie.

— Tu es injuste.

— Il n'y a que la vérité qui blesse. Et la vérité, c'est que cette petite conne te faisait peur. Tu l'as dit aux gens de l'ambassade, et c'est revenu aux oreilles de ton père. Que sa fille n'est qu'une lâche qui... »

J'ai raccroché. Ou plutôt, j'ai violemment remis le combiné à sa place. Et je ne l'ai pas repris quand il a recommencé à sonner. J'étais si furieuse, si blessée, que je suis montée m'allonger sur mon lit. Pourtant, je savais que ma mère réagirait de cette façon. Ce qui me glaçait le sang, c'était le fait que mon père sache tout de ce que j'avais dit au consul de l'ambassade et à l'inspecteur de police. Et qu'on le lui ait répété.

Du coup, je n'ai pas été très surprise lorsque le téléphone a sonné une heure plus tard et que Sean a crié depuis le hall :

« Burns, c'est ton père. »

Depuis son interrogatoire, il avait pris l'habitude de m'appeler par mon nom de famille pour me signifier son mépris. Je n'avais pas parlé à mon père depuis les révélations que Peter m'avait faites sur son séjour au Chili. Et maintenant, avec ce qui venait de se passer...

Je suis allée répondre.

« Que me vaut cet honneur ? ai-je dit en guise de bonjour d'une voix suffisamment forte pour que toute la maison m'entende – ce dont je me moquais éperdument.

— Désolé de ne pas t'avoir appelée plus tôt.

— Oh, tu devais être trop occupé à soutenir des coups d'État. »

Il y a eu un silence.

« Cette ligne n'est pas sécurisée, a-t-il lâché. Si tu continues dans cette veine, je vais être obligé de raccrocher.

— Ta femme vient de me donner tous les détails de mon entretien à l'ambassade américaine. Devine qui lui a raconté tout ça ?

— Alice, je comprends que tu sois en colère. Mais je viens de te dire que la ligne n'est pas sécurisée. Et, franchement, je ne comprends pas de quoi tu parles.

— Oh, vraiment ? Cette conne prétend que c'est ma faute si Mme Cohen s'est suicidée.

— Cette pauvre femme allait mal depuis des années. Tu n'as pas à t'en vouloir. Même si…

— Même si quoi ? Si j'avais parlé, Mme Cohen ne se serait pas tuée, c'est ça ?

— Ça aurait pu lui donner une raison de vivre.

— Donc c'est ma faute. Tes contacts à l'ambassade ont dû te dire, pourtant, que j'étais dans une situation impossible vis-à-vis de cette folle… Tes amis de la CIA ne t'en ont pas parlé ? »

Clic. Il avait raccroché. Je me suis rendu compte que j'avais passé presque toute la durée de l'appel à crier ; en effet, Sean a aussitôt pointé la tête à la porte de sa studette pour me toiser avec dédain.

« Je comprends mieux. C'est toi qui as dénoncé Carly à un agent de la CIA qui travaille dans ton ambassade.

— Crois ce que tu veux.

— Je vais me gêner. »

Et il a claqué la porte.

Quand j'ai retrouvé Ciaran ce jour-là, il a tout de suite remarqué que quelque chose n'allait pas.

« Un coup de téléphone transatlantique, peut-être ? a-t-il supposé en me prenant dans ses bras.

— Mes parents devraient donner des cours sur l'art de la mauvaise foi.

— Ta mère veut te faire payer le fait que tu n'as plus besoin d'elle. Ça me rappelle une phrase d'un écrivain, John McGahern, je crois, qui dit qu'une mère casserait les bras et les jambes de ses enfants pour leur rester indispensable. Mais il parlait des mères irlandaises.

— Ça marche pour les mères juives aussi. »

Cinq jours plus tard, nous prenions le train pour Belfast. C'était une de ces rares journées ensoleillées à Dublin, et j'avais été ravie de marcher jusqu'à Connolly Station ; mais le train était vieux et ses wagons n'étaient pas chauffés. Lorsqu'une dame est passée en poussant un chariot rempli de choses à boire et à grignoter, Ciaran nous a achetés à chacun une mignonnette de Bushmills.

Nous avons traversé une ville sans intérêt du nom de Drogheda. Quarante-cinq minutes après notre départ, nous arrivions à Dundalk. Le crépuscule approchait. Ciaran m'a désigné une usine impressionnante où, selon lui, étaient fabriqués « la majorité des clous de cercueil du pays ». La ville de Dundalk subsistait essentiellement grâce à sa production de cigarettes.

« J'y suis allé deux ou trois fois. C'est très moche, et assez sinistre. Rien d'étonnant, puisque la frontière est proche. »

Quelques minutes plus tard, nous entrions en Ulster. Le nez collé à la vitre, je m'attendais à quelque chose de similaire aux photos de Checkpoint Charlie à Berlin. Mais il n'y avait ni mur ni miradors. Le train a ralenti, et j'ai aperçu quelques voitures blindées, aux flancs ornés de discrets Union Jack, dans une zone entourée de fil barbelé. Quatre soldats en tenue de camouflage se tenaient derrière des armes à feu montées sur des espèces de trépieds et pointées droit sur nous. Je croyais que tous les passagers seraient obligés de montrer leurs passeports, comme dans un vrai contrôle frontalier. Ciaran m'a expliqué que c'était généralement le cas quand on passait la frontière en voiture – et encore, si votre tête paraissait sympathique au garde, il vous faisait signe de passer sans autre formalité. Deux soldats sont montés à bord de notre wagon (des *squaddies*, comme les a appelés Ciaran, en précisant que c'était le nom qu'on donnait aux engagés volontaires de l'armée britannique). Ils portaient le même uniforme que leurs collègues à l'extérieur, un béret, un pistolet à la ceinture, et une mitraillette en bandoulière. L'un d'eux tapotait nerveusement la détente de son arme du bout du doigt. Ils ont remonté l'allée centrale en dévisageant chaque voyageur. Je ne m'étais encore jamais trouvée si près de soldats armés – encore moins dans une zone de guerre –, et ça a généré en moi une pointe d'angoisse, l'impression persistante que j'avais fait quelque chose d'illégal. Était-ce une sorte de tare familiale que de se sentir coupable à la moindre occasion ? L'un des soldats – la vingtaine, acné juvénile, dents de travers, crâne pratiquement rasé, une expression impassible plaquée sur le visage – a posé les yeux sur Ciaran et moi. J'ai croisé son regard, persuadée que si j'essayais de l'éviter il me trouverait immanquablement suspecte ; il a eu un mince sourire et s'est adressé à moi avec un accent qui m'a semblé très cockney (à moins que je n'aie vu trop de films avec Michael Caine).

« Comment ça va, ma belle ? »

Ciaran s'est raidi. Le soldat l'a remarqué, et il s'est tourné vers lui, l'air mauvais.

« J'ai dit quelque chose qu'il ne fallait pas, mon pote ? »

Les yeux baissés, Ciaran a lentement secoué la tête. Mais le soldat n'a pas voulu en rester là.

« Je n'ai pas bien entendu.

— Non, pas du tout, a dit Ciaran entre ses dents.

— On regarde les gens quand on parle. Sois poli. »

Il le provoquait. Ciaran savait qu'il n'était pas en position de force, et que, s'il ne cédait pas, la situation n'allait pas s'améliorer. Il l'a regardé droit dans les yeux.

« Pas du tout, *monsieur*. »

Le *squaddie* a hoché la tête.

« Qu'est-ce que vous allez faire à Belfast ?

— Voir mes parents.

— Ils font quoi, tes parents ?

— Mon père est prof à Queens, et ma mère est productrice à la BBC.

— Productrice de quoi ?

— Les informations du soir, monsieur, a répondu Ciaran, toujours entre ses dents.

— Qu'est-ce que tu fais à Dublin ?

— Je fais du droit à Trinity. »

L'autre a haussé un sourcil.

« Ça doit être sympa, Dublin, même si c'est loin de chez nous. »

Ciaran l'a fixé d'un regard étrange.

« Ce n'est pas facile d'être loin de chez soi. »

J'ai eu peur que le soldat ne le prenne mal, mais il n'a pas semblé considérer la remarque comme un affront. C'était typique de Ciaran et de ses manières de plaideur : réussir à se montrer franc sans paraître provocateur ni agressif. La poigne de fer dans le gant de velours. En surprenant une étincelle peinée dans le regard du soldat, j'ai saisi toute la peur et le mal du pays dissimulés derrière sa crânerie militaire. Il savait bien, au fond de lui, qu'il n'était qu'un pion insignifiant dans une situation de crise armée, que la moitié de la population de l'Ulster le considérait comme un envahisseur – et que, en tant que tel, il était une cible à abattre. Il avait le profil de ces jeunes en manque d'instruction qui voient l'armée comme une échappatoire au travail à l'usine, ou au chômage. Juste un gamin qui, tous les soirs, rêvait sans doute du jour où il pourrait enfin rentrer à la maison. Il s'est détourné pour reprendre son inspection du wagon – Ciaran était parvenu à désamorcer le conflit. Peu après, un coup de sifflet a retenti et j'ai vu par la fenêtre les soldats descendre du train. Second coup de sifflet. Le train s'est remis en marche. La nuit était tombée, mais il y avait encore des projecteurs braqués sur la voie et la campagne environnante, qui baignaient le paysage d'une étrange lumière blafarde. Quelques centaines de mètres plus loin, nous nous enfoncions dans l'obscurité.

Le chariot est repassé devant nous et Ciaran nous a acheté deux autres Bushmills. Il a descendu son gobelet en deux longues gorgées avant de secouer la tête comme pour exorciser un démon.

« Merde. Je déteste passer cette foutue frontière, a-t-il sifflé.

— Tu as bien géré la situation.

— Si tu veux dire par là que je ne me suis pas fait virer du train par un petit con de l'Essex à qui son uniforme confère une miette de pouvoir, alors oui.

— Ce n'était qu'un jeune mal dans sa peau. Tu as eu raison de ne pas l'humilier.

— Je ne cherchais pas à avoir raison. C'est ça, le problème, dans cette putain de province : tout le monde veut toujours avoir raison...

— C'est terminé, maintenant », ai-je murmuré avec l'impression de me comporter comme dans un roman à deux sous.

Ciaran a poussé un soupir excédé.

« Rien n'est jamais terminé, ici. Tu sais ce qu'a dit Einstein sur la folie ? Que c'est faire la même chose encore et encore en espérant que quelque chose change. L'Irlande du Nord applique ça à la lettre depuis l'extinction des dinosaures. »

Moins d'une heure plus tard, Belfast a fait son apparition : un paysage urbain semi-éclairé, hérissé de tours victoriennes et de clochers d'église, dominant un fouillis de petites maisons et de rues tortueuses. Conditionnée comme je l'étais pour voir dans cette ville un endroit dangereux, j'ai senti mon inquiétude monter d'un cran. Ciaran m'a pris la main.

« C'est seulement effrayant de loin. »

Son double nous attendait sur le quai de la gare, en veste de tweed vert foncé, pantalon de flanelle, chemise à carreaux, cravate et imperméable sombre. À quarante-six ans, John Quigg était un homme calme et posé, d'une gentillesse infinie. Il portait d'épaisses lunettes à monture noire. J'ai immédiatement ressenti entre père et fils une grande complicité et une affection profonde.

« Je suis impressionné que tu aies accepté de braver notre petite forêt ensorcelée pour le week-end, contre toute raison, a-t-il plaisanté pour me mettre à l'aise. Tes parents doivent se faire un sang d'encre.

— J'ai estimé préférable de ne pas leur en parler.

— Maintenant, je me sens doublement responsable de toi. Enfin, pour ceux qui habitent ici, le quotidien porte aussi bien son nom qu'ailleurs... bien que ponctué par quelques épisodes de *Grand Guignol* façon Belfast. Ta mère rentrera tard ce soir, a-t-il précisé en se tournant vers Ciaran. Deux officiers de la police royale ont été tués cette nuit près des Divis Flats. Et, comme je suis un cuisinier catastrophique, je me suis dit que j'allais commander quelques plats à emporter chez le meilleur indien de la ville... Si tu ne trouves pas trop étrange de venir en Irlande du Nord pour manger du curry. »

Je l'ai tout de suite bien aimé. Nous avons pris un de ces taxis noirs emblématiques, et, une fois à l'intérieur, il a demandé à Ciaran :

« Si on lui montrait le pub le plus célèbre de la ville ? »

C'est comme ça qu'on s'est retrouvés attablés au Crown, un endroit magnifique, tout de bois verni, de verre taillé et de pénombre victorienne, situé juste en face d'un hôtel hideux, l'Europa. Ciaran m'a déconseillé de prendre une Guinness, parce qu'elle était moins bonne qu'à Dublin. J'ai donc commandé une bière brune locale, que j'ai attendue en observant la clientèle – des hommes en costume, d'autres en bleu de travail, une poignée d'étudiants, et un barman à la musculature impressionnante qui surveillait d'un œil méfiant chaque nouveau venu entrant dans son établissement.

« La brune de Belfast n'est vraiment pas fameuse », a fait remarquer Ciaran après qu'on a trinqué à ma première visite à Belfast.

John a secoué la tête avant d'expliquer que la bière d'ici ressemblait à celle qu'on servait à Glasgow.

« Et elle est tout aussi immonde, a poursuivi Ciaran. Les Écossais sont doués en whisky, pas en bière.

— Dis tout de suite qu'Arthur G. t'a corrompu, a soupiré John, faisant référence au célèbre fondateur de la brasserie Guinness à Dublin, avant de me demander : Toi aussi, tu t'es laissé séduire par ce breuvage noir et épais ?

— Dublin devient tout de suite plus sympathique en sa compagnie.

— Belfast aussi, a ajouté Ciaran.

— Je ne suis pas non plus Dylan Thomas, Brendan Behan, ni ce pauvre Scott Fitzgerald, a dit John en riant. Je me suis toujours demandé pourquoi tous ces écrivains avaient un problème avec la bouteille.

— C'est sans doute lié à la solitude de leur métier, ai-je répondu. Ou au doute qui hante tout écrivain un peu ambitieux. Et puis, d'après ce que j'ai lu, une enfance malheureuse a l'air d'être un prérequis indispensable.

— L'un de vos meilleurs critiques littéraires, Malcolm Cowley, n'a pas tort quand il dit qu'on ne peut pas être un véritable salopard et bien écrire en même temps.

— C'est très vrai. Je le ressortirai.

— Fais-toi plaisir. Tant que tu ne reproduis pas mon imitation pitoyable de l'accent américain…

— Il est assez proche de celui de Humphrey Bogart, ai-je dit.

— Je vais prendre ça comme un compliment.

— Papa imite aussi très bien Ian Paisley, est intervenu Ciaran.

— Mais seulement à la maison. On ne sait jamais qui pourrait mal le prendre, dans le genre d'endroit où nous sommes.

— Quand papa était étudiant à Queens, le barman d'ici était particulièrement mal embouché… Un soir, un type complètement saoul était en train de malmener la fille avec qui il était. Les autres clients lui ont demandé d'arrêter, mais il les a ignorés, alors le barman l'a attrapé par le pull et lui a dit : "Choisis ta fenêtre… tu dégages." »

J'ai souri.

« Rappelle-moi de ne jamais provoquer un barman.

— Le mieux, c'est que, si tu demandes autour de toi, tu trouveras toujours quelqu'un qui affirmera avoir assisté à la scène, a ajouté Ciaran avec un clin d'œil à son père.

— Une histoire apocryphe n'en est pas moins amusante, a répondu John. Surtout quand elle illustre un aspect essentiel du caractère d'un lieu. »

Soudain, un rugissement de sirènes s'est élevé à l'extérieur. Ciaran est allé voir à la fenêtre.

« Éloignez-vous des fenêtres ! » a crié le barman.

Ciaran a obéi instantanément, imité par d'autres consommateurs. Quelqu'un a voulu sortir, mais le barman lui a ordonné de ne pas bouger tant qu'on ne savait pas ce qui se passait.

« J'ai vu des hommes du Royal Ulster Constabulary, la police locale, et des démineurs devant l'hôtel Europa, nous a dit Ciaran.

— La routine, a ironisé John. L'Europa, Alice, détient le record de l'hôtel le plus plastiqué d'Europe.

— Ciaran me l'a dit.

— Le plus plastiqué du monde, a corrigé celui-ci.

— Il y en a sans doute un ou deux autres ici et là qui ont connu pire. De toute façon, à côté de ce qui se passe dans certains endroits du monde, Belfast est un véritable paradis. »

Ciaran a eu un petit rire.

« Tu vois d'où je tiens mon habitude de prendre tout à la légère : c'est le professeur ici présent qui m'a tout appris.

— Tu es professeur de philosophie, c'est ça ?

— Le leader des existentialistes de Belfast, oui.

— Tu veux dire que Sartre ne possède pas un pied-à-terre en bas de la rue ? ai-je plaisanté.

— Il s'est enfui en courant quand il a vu qu'on ne pouvait acheter des Gauloises nulle part. »

J'ai envié Ciaran d'avoir un père si sympathique et spirituel, avec qui il pouvait discuter de tout et plaisanter sans retenue... et qui supportait d'être un peu bousculé, intellectuellement parlant.

« Quand Ciaran m'a appris qu'il était tombé sous le charme d'une Américaine intello, je me suis retenu de lui demander s'il n'y avait pas une contradiction dans le choix de ces termes... Ce qui montre à quel point je ne connais rien au monde. Surtout que j'ai passé ma maîtrise à Chicago, où il y a pléthore de gens brillants. C'est un plaisir de te rencontrer enfin. Ciaran a décidément beaucoup de chance. »

J'ai rougi, sincèrement touchée par le compliment. Ciaran m'a pris la main sous la table. Dehors, une détonation étouffée a retenti.

« Un attentat de plus contre l'Europa, a soupiré John. On dirait qu'on est coincés ici pour un petit moment. »

La police est entrée dans le pub quelques minutes plus tard – un agent a soulevé la visière de son masque de protection pour nous informer qu'il y avait eu une petite explosion à l'hôtel d'en face, que personne n'avait été blessé, que les dégâts n'étaient pas importants, et il nous a demandé de ne pas essayer de sortir tant que la zone n'aurait pas été sécurisée. Quand il a quitté le pub, deux hommes derrière nous ont entrepris d'analyser la nouvelle : la bombe devait avoir été déposée par l'IRA, puisqu'une réunion du Northern Ireland Office était prévue à l'hôtel Europa le lendemain. Son compagnon lui a rétorqué que l'IRA avait peut-être seulement décidé de faire savoir qu'elle était au courant du lieu et du jour de la réunion.

« On ne fait pas plus typique de Belfast que ça, a dit John. Une explosion mineure, et les gens du coin essaient de deviner qui est responsable et quel genre de message les poseurs de bombe cherchaient à faire passer. Bon, eh bien, maintenant qu'on est coincés ici, autant passer le temps avec une bonne bière. »

Quand la police nous a laissés partir, il était neuf heures du soir passées. Nous étions affamés. John s'est éclipsé à l'arrière du pub pour téléphoner.

« Mon ami Rajiv, au Bombay Palace, m'a promis un poulet tandoori entier, trois currys, des naans, des pappadums et tout un tas de chutneys qui seront prêts dans trente minutes, a-t-il annoncé en revenant à notre table. Ta mère vient de rentrer du travail, Ciaran, et elle est au courant pour l'Europa. Je lui ai dit que tu n'avais pas pris tes jambes à ton cou, Alice.

— J'ai grandi à New York, ce n'est pas la ville la plus paisible du monde.

— C'est pour ça que ton père a exilé toute la famille au Connecticut ? a demandé John.

— Je vois que Ciaran t'a déjà donné plein de détails.

— J'ai surtout posé plein de questions.

— Oui, mon père a insisté pour qu'on quitte la ville et ses dangers, parce qu'il n'en pouvait plus de tout ce stress... Même s'il s'en mord les doigts depuis. Ma mère aussi déteste le Connecticut. Elle le trouve trop homogène, trop petit-bourgeois.

— On dirait un roman de John Updike.

— L'échangisme en moins.

— C'est ce que tu crois ! » a lancé Ciaran.

Je me suis retenue de rire.

« Ma mère aimerait retourner dans l'Upper West Side de Manhattan.

— Mais maintenant que tous ses enfants ont quitté la maison..., a commencé John.

— Tu lui as vraiment tout raconté, ai-je dit à Ciaran.

— Sauf ce que j'ai jugé personnel ou inracontable.

— Je confirme, a dit John.

— Mes parents ne devraient pas vivre dans le Connecticut, mais ils y habitent. Et ils ne devraient pas être ensemble, mais ils le sont toujours. Maintenant, tu dois me prendre pour une de ces Américaines typiques qui racontent leur vie au premier inconnu qui passe.

— Pas du tout, c'est moi qui t'ai posé la question. » John m'a effleuré le bras avant de poursuivre.

« Tu es un peu dure avec toi-même, je trouve.

— Je suis complètement de ton avis, a précisé Ciaran.

— Qu'est-ce que j'y peux, je suis juive *et* catholique.

— Et puisque la culpabilité est la clé de voûte de tout talent artistique, tu es d'ores et déjà promise à un avenir radieux grâce à ce double patronage », a fait remarquer John. Parce que tu t'autocritiques en stéréo.

Et nous nous sommes de nouveau retrouvés dans un taxi noir. John m'a expliqué que ces taxis étaient neutres, mais que si, par exemple, on voulait se rendre jusqu'aux Divis Flats en passant par la très catholique Falls Road, un taxi normal nous déposerait en bas de Falls Road où il faudrait en prendre un deuxième qui desserve spécifiquement cette zone.

« Si tu aimes le tourisme terroriste, Falls et Shankill sont comme l'Arc de triomphe de Belfast », m'a soufflé Ciaran.

Le taxi s'est arrêté devant un restaurant indien. Pendant que John sortait chercher notre commande, j'ai pris le visage de Ciaran entre mes deux mains et je l'ai embrassé passionnément.

« Ton père est génial.

— C'est à lui que je dois cet accès de passion de ta part ?

— Très drôle. Mais voir à quel point vous vous entendez bien…

— C'est excitant pour toi ?

— J'ai très envie de toi, là, tout de suite.

— J'ai bien peur que ce ne soit pas vraiment possible.

— Alors plus tard.

— Mes parents vont peut-être nous donner des chambres séparées. En fait, j'en suis certain. Ma mère est un peu traditionnelle en la matière. Malgré son éducation et son ouverture d'esprit, elle ne tient pas à ce que son fils unique, son petit garçon, se laisse corrompre sous son toit par une Yankee.

— Qu'est-ce que tu lui as raconté sur moi ?

— À part que tu as grandi dans une commune dirigée par des prêtres défroqués et des carmélites libertines… rien.

— Tu devrais faire du théâtre, pas du droit.

— Ah, mais le droit est une forme de comédie. Connaissant ma mère, elle t'installera dans la chambre d'amis, à côté de la mienne, et ne nous donnera pas plus d'indications. Comme ça, elle pourra se dire qu'elle a respecté la bienséance, parce qu'elle ne nous aura pas encouragés à partager le même lit. Mais, une fois tout le monde couché, je viendrai frapper à ta porte et... »

La portière s'est ouverte et John nous a rejoints, chargé de deux sacs en papier brun pleins à craquer et fumants.

« La délicieuse cuisine de Rajiv. Et j'ai de bonnes bouteilles de vin bulgare à la maison pour accompagner ça.

— Ils font du vin, en Bulgarie ? a demandé Ciaran.

— Du vin bon marché, et éminemment buvable. »

Le taxi a redémarré. Après quelques virages, nous avons débouché sur une place verdoyante. De l'autre côté s'élevaient plusieurs tours gothiques.

« L'université », a annoncé John.

Une légère bruine s'était mise à tomber, brouillant le monde extérieur. Je distinguais à peine les solides maisons victoriennes et les bâtiments administratifs qui entouraient la place. Les petites rues avoisinantes étaient composées de maisons mitoyennes de deux ou trois étages. L'endroit était net et très calme, et j'avais l'impression que cette partie de la ville – ainsi que l'avait dit Ciaran – échappait à la querelle intestine qui sévissait dans le reste de Belfast. Nous nous sommes garés devant une étroite maison en brique à trois étages.

« Chez nous », a dit John.

Le domicile des parents de Ciaran était sans nul doute la maison la plus bibliophile que j'aie jamais visitée. Partout où je regardais, ce n'étaient que parquets sablés, murs peints d'un joli blanc cassé, confortable mobilier victorien, et des livres par centaines. Il y avait des étagères dans toutes les pièces – même dans les toilettes du rez-de-chaussée, où elles s'élevaient jusqu'à la citerne. L'entrée en était remplie du sol au plafond, trois murs sur quatre dans le salon comportaient des bibliothèques, et même la cuisine ne faisait pas exception. La chambre de Ciaran – dont les posters tapissant les murs allaient d'Oscar Wilde à Jim Morrison en passant par Benjamin Disraeli – contenait toutes ses lectures d'enfance et d'adolescence alignées sur des étagères, à côté d'une collection d'albums de jazz et de rock encore plus impressionnante que celle que j'avais déjà vue dans son appartement de Dublin.

J'ai tout de suite aimé cette maison dévolue à la culture, modeste, et où régnait un chaos maîtrisé. Au milieu de tout un tas de curiosités (dont une collection d'adorables matriochkas en bois) paressaient trois chats nonchalants et beaucoup trop bien nourris. Un feu de charbon ronronnait dans la cheminée du salon, et la vieille radio en bakélite de la cuisine laissait échapper les notes d'un concert du Royal Festival Hall de Londres diffusé sur la BBC Radio 3. La mère de Ciaran, Anne, nous attendait. La quarantaine, comme son mari, elle était jolie mais d'apparence sévère. Ce n'était pas quelqu'un d'extrêmement chaleureux, ce qui ne m'a pas empêchée de la trouver éminemment gentille et très intelligente.

« Voilà l'homme de la maison », a-t-elle lancé, souriante.

Ciaran lui a rendu son sourire, et elle l'a étreint brièvement avant de le détailler attentivement du regard.

« Tu as l'air de prospérer, mon fils.

— Venant de toi, c'est le plus beau des compliments.

— Ciaran trouve que je critique tout et tout le monde, a-t-elle précisé à mon intention. C'est un plaisir de te rencontrer, Alice.

— Tout le plaisir est pour moi, madame.

— Ne sois pas si formelle. Tu peux m'appeler Anne. »

Puis elle a déposé un baiser sur les lèvres de son mari.

« Je vois que John a pris la sage décision de laisser Rajiv cuisiner.

— Je n'ai pas caché à Alice quel piètre cuisinier je faisais.

— Une catastrophe nucléaire, même. Mais je ne t'ai pas épousé pour tes talents de cuisinier.

— Je te retourne le compliment. »

Ils ont échangé un sourire complice. C'était la première fois que je me trouvais en présence d'un couple de l'âge de mes parents qui me donnait l'impression de vraiment s'aimer. Même leur langage corporel et la manière dont ils se regardaient témoignaient d'une réelle proximité. Juste à côté de la cuisine se trouvait une salle à manger meublée d'une table ovale en acajou avec chaises assorties, et chacun d'entre nous a reçu une mission en vue de préparer le dîner : j'ai ainsi déniché les sets de table, les serviettes et les couverts, Ciaran a nourri les chats et John a ouvert le vin et rempli nos verres tandis qu'Anne disposait la nourriture indienne dans des plats et des bols. Enfin, nous sommes passés à table et avons arrosé notre repas de deux bouteilles de vin bulgare (effectivement très bon, pour quelqu'un comme moi qui n'a pas grandi en France). Les currys et leurs accompagnements étaient délicieux. Ciaran avait tellement de chance d'être né dans une telle famille. John et Anne étaient des gens passionnants. Anne, dont le métier consistait à préparer les informations de début de soirée sur la BBC Radio Ulster, était incollable sur ce qui se passait à travers le monde. L'édition de ce soir-là comportait un reportage sur le Chili : le régime de Pinochet avait commencé à prendre pour cible les intellectuels qui le critiquaient ouvertement. J'ai eu un instant de panique en me demandant si Ciaran avait parlé à ses parents du rôle joué par ma famille dans ce pays de cauchemar – mais Anne a poursuivi son récit en parlant de Pablo Neruda, le grand poète chilien, qui avait osé défier Pinochet ; Ciaran m'a pressé la main sous la table pour me signifier qu'il n'avait pas trahi ma confiance ni soufflé mot à quiconque de la présence de mon père et de mes deux frères à Santiago. Au cours du repas, Anne m'a interrogée sur une quantité de sujets : la politique étrangère de Nixon et Kissinger, les bombardements au Cambodge… Elle m'a demandé si le Président parviendrait selon moi à se dépêtrer du Watergate, et si le néo-conservatisme théorisé par Irving Kristol, Midge Decker et Ronald Reagan (« certes un peu simpliste, mais qu'on ne devrait sans doute pas sous-estimer ») donnerait le ton des années à venir. Elle semblait sincèrement intéressée par mes réponses, et, en excellente modératrice, parvenait à intégrer tout le monde dans la conversation. Lorsque John a digressé pour me poser des questions sur les clubs de jazz de New York, j'ai découvert qu'il était un fervent amateur de ce qu'il appelait lui-même la plus grande contribution des États-Unis au langage universel qu'est la musique, et qu'Anne et lui avaient, l'année précédant la naissance de Ciaran, passé l'été 1954 à Manhattan ; il avait ainsi pu écouter Charlie Parker à Birdland et Bill Evans et Dexter Gordon au Vanguard. « Dans ma prochaine vie, je serai new-yorkais », m'a-t-il affirmé, des étoiles dans les yeux

Comme on était vendredi soir, nous n'avions pas besoin de nous coucher tôt, et, après les deux bouteilles de vin, nous avons enchaîné sur de petits verres de Black Bush. La conversation s'est orientée sur la succession de Callaghan à Wilson au 10, Downing Street, puis sur un brillant romancier belfastois, Brian Moore, qui vivait à présent aux États-Unis et qu'il m'a été vivement recommandé de lire. Anne a ensuite assailli Ciaran de questions sur ce qu'il pensait, d'un point de vue juridique, de la disparition de lord Lucan (issu de la noblesse nord-irlandaise) après le meurtre de la gouvernante de ses enfants à Londres.

Il était tard quand Anne m'a accompagnée jusqu'à la chambre d'amis et m'a souhaité une bonne nuit en ajoutant qu'elle était ravie que je sois là. J'en étais arrivée au stade de la jalousie. Voilà donc ce qu'il était possible de ressentir dans une famille aimante et équilibrée ? Je savais pourtant, par Ciaran, que la vie de ses parents n'avait pas été exempte de problèmes – et qu'il y avait même eu une période, autour de ses treize ans, où ils avaient semblé sur le point de se séparer. Mais, bien qu'il n'ait jamais connu le détail de leurs griefs respectifs, ils semblaient clairement avoir laissé tout ça derrière eux, ou du moins réussi à aller de l'avant sans ressentiment ni regrets.

Comme promis, Ciaran a discrètement frappé à ma porte, et nous avons fait l'amour avec fougue mais sans bruit dans le petit lit double de la chambre. Un peu plus tard, blottie dans ses bras, j'ai tenté d'exprimer ce que je ressentais.

« Quand je vois à quel point tes parents sont cool et adorables, ça me rend triste. Cela me montre tout ce que les miens ont été incapables de m'apporter.

— Ils ont leurs défauts, comme tout le monde. Quand mon père est préoccupé, il peut devenir un peu distant. Et je te déconseille de mettre ma mère en colère. C'est un vrai dragon quand quelque chose ou quelqu'un ne lui plaît pas. À part ça, c'est vrai que j'ai plutôt de la chance de ce côté.

— Ils font aussi un très bon exemple de couple harmonieux.

— Parce qu'ils s'aiment encore, tu veux dire ?

— Exactement.

— C'est ça, le secret, non ? Rester amoureux.

— Je me demande si mes parents l'ont vraiment été un jour.

— Sûrement. Ou, au moins, ils se sont persuadés…

— … qu'ils ne pouvaient pas se permettre de faire les difficiles ?

— Mon père a dit un truc en parlant de l'Irlande du Nord, récemment, et ça m'est resté : "Que ce soit en famille ou en société, le malheur est un choix." »

Un frisson m'a parcouru l'échine.

« J'ai dit quelque chose qu'il ne fallait pas ? s'est inquiété Ciaran.

— Non, juste la triste vérité. »

Le lendemain, à notre réveil, une exquise journée de printemps s'annonçait. Pendant le petit déjeuner typiquement irlandais – œufs au plat, galettes de pommes de terre frites, boudin noir et blanc –, j'ai dit que j'aimerais visiter les coins de Belfast dont les touristes n'osent pas s'approcher. Anne et John ont échangé un regard, et Ciaran a lancé joyeusement :

« Papa peut te faire sa fameuse visite guidée de Shankill et Falls Roads.

— Pourquoi "fameuse" ?

— Un jour, une délégation de recteurs d'université venus d'Oxford, Cambridge, Durham et Édimbourg est arrivée à Belfast, a expliqué Anne, et le recteur de Queens a demandé au Roi philosophe ici présent de leur faire visiter la ville. Bien entendu, ils voulaient tous voir les zones de guerre…

— Ça ira, alors, ai-je dit, brusquement embarrassée.

— Non, non, ce n'était pas un reproche, Alice. On ne peut pas visiter Berlin sans passer par Checkpoint Charlie, et c'est pareil ici avec l'intersection de Falls Road et Shankill Road.

— Mais je ne voudrais pas que vous vous sentiez obligé…

« — Voilà, elle se sent coupable, maintenant, a dit Ciaran. Et quand Alice se sent coupable, elle n'ose plus mettre un pied devant l'autre.

— Bien sûr que je te ferai visiter, m'a assuré John. Ça ne me dérange pas du tout.

— Mais si c'est dangereux...

— Il y a le danger théorique et le danger réel.

— Comme l'a un jour fait remarquer Wittgenstein à Heidegger, a complété Anne avec malice.

— Ils ne se parlaient pas tant que ça, a répondu John.

— Surtout pas à propos de Falls et Shankill Roads. »

Ciaran aurait bien aimé venir avec nous, mais sa mère lui a demandé de l'accompagner chez sa sœur à Lisburn – à une demi-heure de route de Belfast. Elle était décédée récemment et Anne devait faire du tri dans ses affaires.

« Ma sœur Sheila avait deux ans de plus que moi, m'a-t-elle expliqué. Elle n'a jamais quitté Lisburn, où nous avions grandi, et ne s'est jamais mariée. Elle était directrice de collège, et une bonne partie de la ville la redoutait. Nous n'étions pas très proches, mais quand le cancer l'a emportée, il y a deux mois, ça m'a fait un choc. J'ai encore du mal à m'en remettre.

— Ciaran m'en a parlé. Je suis désolée.

— On ne s'attend jamais à ce genre de chose, à notre âge. Je repousse le moment d'aller chez elle depuis son enterrement, en février.

— Je sais qu'il ne faut pas dire de mal des morts, mais tante Sheila était une sacrée casse-pieds », a fait remarquer Ciaran.

À ma grande surprise, Anne a éclaté de rire.

« Tu es terrible, tu sais ça ? Sheila n'était pas juste casse-pieds. C'était la reine des casse-pieds. C'est ce qui rend toute cette histoire encore plus triste. »

Une heure plus tard, j'ai dit au revoir à Ciaran tandis qu'il tassait sa grande silhouette dans la petite Mini verte de sa mère.

« On sera rentrés à quatre heures au plus tard, a promis Anne. Faites attention à vous. »

En premier lieu, John m'a emmenée visiter l'université à pied. La température était douce, le ciel, un contraste de cumulus gris laissant parfois apparaître un peu de bleu. Le campus de Queens était compact, avec de nombreuses pelouses verdoyantes et très peu de dispositifs de sécurité.

« Depuis le début des Troubles, il n'y a jamais eu le moindre incident ici. On a échappé à bien des choses.

— J'espère que vous ne connaissez personne qui se soit fait tuer ou blesser.

— Personne de proche, Dieu merci. L'Irlande du Nord est un petit pays, à peine un million et demi d'âmes, alors tout le monde connaît quelqu'un qui connaît quelqu'un dont la vie a été détruite par une forme ou une autre de violence. La meilleure amie d'école d'Anne a perdu sa sœur et son mari dans un attentat à la voiture piégée. Le mari était un fidèle du Parti unioniste démocratique.

— Alors Anne avait des camarades protestantes à l'école ?

— Anne est protestante, presbytérienne jusqu'au bout des ongles. Ciaran ne te l'a pas dit ?

— Il a mentionné une fois votre mariage "mixte". »

John a ri.

« Tu ne pouvais pas savoir qu'en Irlande du Nord, un « mariage mixte » désigne un mariage entre un Prod et un Taig – le terme loyaliste pour dire « catholique ». Ciaran a eu une éducation neutre. Anne et moi avions déjà tourné le dos à nos Églises respectives avant même de nous rencontrer à Queens.

— Vous êtes ensemble depuis l'université ?

— Nous en sommes les premiers surpris. Mais on ne le considère pas comme acquis... enfin, plus maintenant.

— Vous avez de la chance d'avoir eu un mariage heureux.

— Comme l'a dit Nietzsche : "Il y a toujours un peu de folie dans l'amour. Mais il y a toujours un peu de raison dans la folie." Je crois que le bonheur montre le bout de son nez, de temps en temps. Les difficultés et la souffrance aussi. Par conséquent, empiriquement, un mariage heureux n'existe pas. Un bon mariage, en revanche, est un concept raisonnable... désolé, je digresse.

— Mais j'aime beaucoup ce que tu dis. En Amérique, tout le monde est obsédé par l'idée d'être heureux, d'avoir "une famille heureuse", "une vie heureuse". C'est une pression énorme.

— Ici, en Irlande, des deux côtés de la frontière, la tristesse est considérée comme notre juste châtiment pour avoir vu le jour dans un monde de péché et être trop faibles pour résister à la tentation. Le jansénisme catholique mélangé à la déprime presbytérienne du Nord. Ça affecte tous les aspects de notre vie, et ça limite énormément de choses. C'est pourquoi, dès qu'il aura son diplôme, j'espère que Ciaran partira. À Londres, voire encore plus loin. Sans vouloir me mêler de ce qui ne me regarde pas, j'espère aussi que tu seras à ses côtés. »

Le rose m'est monté aux joues.

« Pardon, je n'aurais pas dû dire ça.

— Au contraire. Je l'espère aussi.

— Bon, et maintenant, n'en parlons plus, sauf pour te dire qu'Anne et moi serons toujours là pour toi si tu en as besoin.

— Merci, John. Ça me touche énormément. »

Il m'a légèrement pressé le bras, et nous avons changé de sujet.

L'harmonie ordonnée de Queens et de ses dépendances résidentielles m'a fait forte impression. John m'a ensuite emmenée dans une libraire d'occasion près de la seule compagnie théâtrale de la ville, The Lyric, et a insisté pour m'offrir deux romans de Brian Moore (*The Luck of Ginger Coffey* et *Judith Hearne*), imprégnés selon lui de l'humanité morose de Moore et de sa nostalgie pleine de colère pour sa province natale.

« Tu as déjà vécu ailleurs ? ai-je demandé.

— J'ai fait mon doctorat à Cambridge. Et je t'ai déjà parlé de mes séjours à Chicago et à New York. Ensuite, j'ai trouvé un travail ici. L'été, on essaie de louer une petite maison sur la côte française, près de Bordeaux. C'est une petite maison de campagne toute simple, mais entre le soleil, la nourriture et le vin, on y est beaucoup mieux que sur la côte d'Antrim ou à Donegal. En dehors de ça... »

Il a haussé les épaules d'un air maussade, comme s'il regrettait de ne pas passer plus de temps à explorer le monde. Je n'ai pas insisté, et je l'ai suivi jusqu'à sa Morris Minor blanche. Il s'est excusé pour le fatras de papiers, de dossiers et de livres qui encombraient la banquette arrière.

« Je suis en train de finir mon livre, qui parle de l'influence de Montaigne sur l'existentialisme de Sartre... Enfin, quand je dis "finir", il me faudra encore deux ou trois ans. C'est le problème, une fois qu'on est titularisé : il n'y a plus grand-chose qui nous encourage à écrire, à pousser notre pensée plus loin, ni même à imaginer d'autres possibilités de vie.

— Mais tu continues à lire, quand même ?

— Évidemment, a-t-il répondu en démarrant. À lire, à réfléchir, à parler... mais pas à écrire.

— Trois sur quatre, ce n'est pas si mal.

— Tu es trop gentille, Alice. »

Nous sommes passés devant les tanks de l'armée britannique et les voitures blindées qui protégeaient l'entrée des locaux de la BBC ; John m'a expliqué qu'Anne devait passer par là tous les matins et considérait maintenant que ça faisait partie de son décor quotidien. Nous avons remonté Shankill Road, un alignement de maisons basses tristes, petites, étroites, souvent en mauvais état et défigurées par des graffitis. John a précisé que, étant donné ses origines religieuses, il n'était pas censé se trouver là – « Mais on est samedi matin, et les gars de l'armée républicaine ne se déplacent pas en Morris Minor, alors, si on nous arrête, tu n'auras qu'à dire quelques mots et montrer ton passeport… Tu l'as sur toi, n'est-ce pas ? »

Je lui ai fait signe que oui.

« Quand ils verront que tu es américaine, ils nous ficheront la paix. Pareil quand on passera sur Falls Road. Mais, de toute façon, il y a peu de chances qu'on vienne nous chercher des noises.

— Je te fais entièrement confiance. »

Quand je lui ai désigné une grande main rouge peinte sur un mur de brique, John m'a appris que c'était le symbole de l'UVF : l'équivalent paramilitaire protestant de l'IRA. Nous avons croisé des patrouilles de l'armée britannique et des gangs de jeunes à l'affût d'un mauvais coup. La plupart des cheminées exhalaient de la fumée. Le quartier était crasseux, noir de suie, et, à en juger par les slogans *Keep Ulster British* inscrits sur les murs, une colère menaçant d'exploser à tout instant avait prospéré sur le terreau de la pauvreté.

Deux coins de rue plus loin, nous avons débouché sur une place encombrée de tanks, de voitures blindées et de soldats.

« Voici la fameuse intersection dont je t'ai parlé. »

Un espace étroit ménagé entre les véhicules permettait aux voitures de passer. Tandis que nous avancions au ralenti, un groupe de gamins de Shankill derrière nous s'est mis à nous lancer des insultes, comme si le seul fait de franchir cette ligne de démarcation faisait de nous des ennemis. Un ballon de baudruche a éclaté sur notre pare-brise, le couvrant d'un liquide clair. J'ai sursauté.

« Qu'est-ce que c'est que ça ? ai-je demandé, abasourdie.

— De l'urine. »

Plusieurs soldats britanniques nous regardaient d'un air méfiant. Un *squaddie* a toqué à la vitre pour arrêter la voiture et a demandé à voir nos papiers. John lui a montré sa carte de Queens University, et moi mon passeport.

« Qu'est-ce qui vous a donné l'idée d'amener une Yankee ici ? a-t-il demandé avec un lourd accent écossais.

— C'est une de mes étudiantes, elle prépare une thèse sur les Troubles.

— Alors vous êtes au bon endroit. On dirait bien que ces petits cons vous ont lancé un de leurs ballons à la pisse. Avec votre nom de famille, vous devriez être plus tranquille de l'autre côté. »

Et il nous a fait signe de passer. Une dizaine de mètres plus loin, un autre groupe d'hommes nous a encerclés ; mais ceux-là ne portaient ni uniformes ni badges officiels. Ils étaient en anorak, et les cagoules qui leur couvraient le visage ne laissaient apparaître que des yeux vides de toute expression et des lèvres crispées.

« Ne t'inquiète pas, m'a chuchoté John. Ce n'est pas aussi grave que ça en a l'air. »

L'un des hommes cagoulés a tapoté la vitre. John l'a abaissée avant de le saluer poliment. Nous avions tous les deux nos papiers à la main. L'homme a saisi la carte de John, l'a examinée en détail, puis la lui a rendue en signifiant d'un geste que nous pouvions continuer. En redémarrant, John s'est tourné vers moi.

« Avec O'Connell comme deuxième nom, je n'ai jamais de difficulté à passer de ce côté-ci.

— C'est un nom catholique ?

— Et aussi parce qu'un certain Daniel O'Connell a reçu le titre de grand libérateur après ses batailles contre les Anglais à la fin du XIXe siècle.

— C'est un de tes ancêtres ?

— Pas du tout. Mais les gens d'ici n'ont pas besoin de le savoir. »

Devant nous, la rue exhibait une pauvreté choquante. Et en ce qui concernait le dénuement, Shankill Road n'était déjà pas en reste, une pincée de tension sectaire en prime. Mais Falls Road était encore pire. L'impression de désolation me prenait à la gorge : des maisons pratiquement en ruine, des trottoirs défoncés, les eaux usées et les égouts se déversant à même la rue, et partout la propagande tricolore : *Dehors les Anglais, Une seule Irlande*, aux côtés de portraits extrêmement réalistes de martyrs républicains brutalisés ou tués par les « forces d'occupation ». J'ai compté beaucoup d'enfants. Comme on était samedi, ils jouaient dans la rue, les filles avec des landaus pour poupées, les garçons avec des ballons, tandis que les adolescents des deux sexes fumaient en se lançant des regards soupçonneux. Un groupe de jeunes hommes à l'air patibulaire, tous armés de matraques et de bâtons, semblait faire la loi dans les environs. Des versions plus âgées se tenaient à chaque coin de rue, la mine sinistre, le regard méfiant, et suivaient notre voiture des yeux en parlant à voix basse. Le genre d'hommes auxquels il ne fallait surtout pas se frotter.

« On n'aura pas de problèmes, ici ? » ai-je demandé, tout en me disant que ça n'avait aucun sens de parler à voix basse.

John m'a souri.

« Ils ne t'entendent pas, dehors. Et non, on n'aura pas de problèmes. Et puis, c'est toi qui as voulu venir ici. »

Je ne pouvais pas le nier. Même si l'atmosphère dans certains coins de Dublin – en particulier au nord du centre-ville, assez pauvre – pouvait être inquiétante, ici tout me donnait l'impression de me trouver dans un camp militaire, ou plutôt paramilitaire. Les milices faisaient régner l'ordre et rendaient la justice dans ce quartier où la police locale ne s'aventurait que rarement. Il y avait une violence palpable dans l'air – même derrière les vitres fermées de notre voiture, qui m'a soudain paru beaucoup trop britannique pour un endroit comme celui-ci. À mesure que nous avancions se profilaient devant nous les tristement célèbres Divis Flats, un lotissement public d'apparence lugubre et déprimante qui me rappelait de manière frappante des photos de l'architecture stalinienne, morne et grisâtre, en vogue derrière le Rideau de fer : de grandes barres de huit étages dominées par une unique tour, telle une forteresse de béton édifiée à la va-vite par un architecte inconscient du chaos communautaire qu'il s'apprêtait à engendrer.

« En haut de la Divis Tower, celle qui dépasse, là-bas, il y a un poste de commandement de l'armée britannique. Le seul moyen d'y accéder, c'est par hélicoptère. »

Et John nous a amenés au pied du premier bâtiment. Là, un autre groupe de jeunes, leurs visages dissimulés par des foulards comme dans un vieux western, s'est approché de la voiture, et leur chef a cogné à la vitre avec ce qui ressemblait à un maillet en bois pour attendrir la viande. Je me suis figée. John m'a fait signe de rester calme et a baissé la vitre. L'adolescent – même avec son foulard, je voyais bien qu'il n'avait pas plus de seize ans – est allé droit au but.

« Qu'est-ce que vous foutez là ?

— Je montre à cette étudiante américaine à quoi ressemble la vie par chez nous.

— Tu te prends pour un guide touristique, connard ?

— Je vais vous expliquer... »

Le type, à qui le ton mesuré de John ne faisait pas grande impression, a donné un coup sec sur la portière. J'ai tressailli.

« Je m'en tape de tes explications. File-moi ton permis, tout de suite. »

Soudain nerveux, John a sorti son portefeuille et lui a donné son permis de conduire. Le gamin l'a examiné, les yeux plissés ; de toute évidence, il ne savait pas quoi en faire. Deux de ses camarades sont venus en renfort, et ils ont mené un bref conciliabule avant que leur chef se retourne vers nous.

« La fille, là, c'est une foutue Yankee ?

— Ouais, je suis une foutue Yankee », ai-je répondu d'une voix forte.

J'avais pris un risque en leur parlant sur ce ton, mais ç'a eu l'effet escompté. Le jeune s'est raidi et a lancé un regard à ses compagnons. Le plus grand d'entre eux a indiqué qu'il valait mieux laisser tomber, sur quoi John s'est vu restituer son permis de conduire.

« Foutez le camp d'ici. »

Ils se sont éloignés.

« Tu en as assez vu ? » a demandé John.

J'ai hoché la tête. Il a redémarré et fait demi-tour.

Un quart d'heure plus tard, de retour dans le calme quartier de l'université, nous nous sommes remis de nos émotions dans un restaurant italien qui faisait de très bons spaghettis à la carbonara. John a insisté pour commander une bouteille de vin rouge.

« Pour sceller ton baptême du feu.

— Je l'ai bien cherché. »

Silence.

« C'est la dernière fois que je joue les guides touristiques dans ces quartiers, a-t-il lâché.

— Merci beaucoup de m'avoir amenée là-bas. Au moins, je n'aurai plus jamais envie d'y retourner.

— Moi non plus – et pourtant, j'habite à quelques rues à peine. J'étais très content que Ciaran soit accepté à Trinity, ça lui permet d'échapper à tout ça.

— Mais vous, pourquoi rester ici ?

— À ton avis ? On a chacun un travail stable et raisonnablement bien payé. On est chez nous, ici. Si j'étais plus jeune… »

Je me suis retenue de lui faire remarquer qu'il n'avait que quarante-six ans. Ce n'étaient pas mes affaires. Mais il a compris à quoi je pensais.

« Tu te demandes pourquoi Anne et moi ne cherchons pas un moyen de partir ?

— Non, pas du tout.

— Mais si, et tu as raison de te poser la question. On serait sans doute mieux ailleurs, mais on est têtus comme des mules. C'est dans cette province de malheur qu'on a grandi, qu'on s'est rencontrés, qu'on est tombés amoureux et qu'on a décidé de passer notre vie ensemble. À nos yeux, l'Ulster représente parfaitement la formule consacrée aux mariages : pour le meilleur et pour le pire. »

Le vin est arrivé. Le serveur a rempli nos verres, et John a levé le sien.

« Bienvenue dans la famille… si tu le veux bien.

— Avec grand plaisir. »

Cette nuit-là, j'ai répété à Ciaran ce que m'avait dit son père. Il a semblé très surpris, non par cette incursion de son père dans sa vie amoureuse, mais parce qu'il n'avait pas l'habitude de donner son avis sur ce genre de chose.

« Ma mère aussi te tient en très haute estime, et, crois-moi, ce n'est pas facile de lui faire bonne impression. Tu crois que tes parents m'apprécieront autant, quand tu me les présenteras ?

— S'ils ne sont pas en train de se jeter des insultes à la figure, oui, je suis sûre qu'ils t'aimeront beaucoup. Et mes frères aussi, surtout Peter.

— Et Adam ?

— On n'a jamais été très proches, et il est vraiment différent de moi et Peter. Mais il a un bon fond, même s'il me donne toujours l'impression d'être une âme perdue et soumise à notre père. Il a passé sa vie à essayer de se montrer à la hauteur des attentes paternelles.

— Ton père aussi m'a tout l'air de quelqu'un d'abîmé par la vie.

— Peter a dit un truc très juste sur lui, une fois : qu'il est né avec une voix autoritaire dans la tête qui le force à mener une vie dont il ne veut pas.

— Ça doit quand même bien l'amuser de jouer les agents de la CIA...

— Tu n'en as jamais parlé à tes parents, n'est-ce pas ?

— Tu m'as demandé de garder ça secret.

— Je t'adore.

— Pourquoi ?

— Les gens qui tiennent parole sont rares dans mon entourage, et je ne parle même pas de ma famille. »

Je l'ai attiré contre moi avant de m'endormir entre ses bras.

Ses parents ne nous ont pas dérangés avant midi le lendemain. En me réveillant dans ce lit étroit, encore blottie contre Ciaran, je me suis dit que je n'aurais jamais cru avoir un jour autant de chance. Je n'aurais jamais cru me sentir autant aimée un jour ; une partie de moi demeurait persuadée que je n'en étais pas digne, et je craignais qu'en ouvrant mon cœur je ne m'expose à d'inévitables blessures. Pourtant, Ciaran me montrait chaque jour qu'il comprenait et acceptait mes peurs. Il savait apprivoiser cette face cachée de moi qui s'obstinait à me prédire l'échec de tout ce que j'entreprenais, quand bien même tout semblait indiquer le contraire. Étais-je prête à lier mon destin à celui de quelqu'un d'autre, si tôt dans mon existence ? Avec Bob, la réponse avait été non. Mais Ciaran n'était pas *quelqu'un d'autre*. Il était cette personne rare qui entre dans une vie et vous montre que l'amour existe. Pour la toute première fois, grâce à lui, je ne me sentais plus seule.

Pendant le petit déjeuner, la conversation a porté sur nos examens, qui auraient lieu quelques semaines plus tard. John, qui voyait bien que je me faisais un sang d'encre à l'idée de jouer toute mon année sur quatre épreuves de trois heures, m'a demandé si je regrettais le système américain.

« Bien sûr, ai-je répondu. Là-bas, au moins, on ne met pas tous nos œufs dans le même panier.

— Mais au pays des Yankees, a rétorqué Ciaran, les étudiants n'ont pas le temps de souffler, entre le contrôle continu, les rendus, les examens de mi-semestre… Ici, on est presque en vacances tout le temps, sauf pendant six semaines de bachotage et de panique intense.

— Tu ne prends jamais de vacances, ai-je répliqué avant de me tourner vers John et Anne. C'est un vrai bosseur.

— On sait, a répondu sa mère, mais il aime prétendre le contraire.

— Ce n'est pas ma faute si je rêve secrètement d'être Jack Kerouac.

— Je ne te le souhaite pas, est intervenu John. Il a fini bouffi et alcoolique. Enfin, sa vie était intéressante. *Sur la route* est probablement le roman le plus surfait de l'histoire de la littérature.

— Je préfère Ginsberg, ai-je dit.

— Et tu as bien raison. « Howl » est l'une des œuvres majeures de la littérature d'après-guerre. C'est le Walt Whitman de notre temps.

— Burroughs est encore meilleur, a protesté Ciaran.

— Je vote Ginsberg, ai-je dit. Il décrit beaucoup mieux l'Amérique comme un enfer de débilité.

— Ce n'est pas plutôt Saul Bellow qui parlait d'"enfer de débilité" ? » a demandé John.

Anne m'a adressé un sourire d'excuse.

« Cette maison est le théâtre d'une compétition intellectuelle sans fin.

— Je pense qu'Alice fait largement le poids », a affirmé Ciaran.

Une heure plus tard, nous étions de retour à Central Station. Anne a insisté pour attendre le train avec nous. Au moment de nous dire au revoir, elle a eu un geste totalement inattendu : elle m'a serrée fort dans ses bras en me glissant à l'oreille :

« Merci de rendre Ciaran aussi heureux. »

Pendant le voyage, j'ai demandé à Ciaran quels projets il avait pour l'été suivant. Je savais qu'on lui avait proposé un stage dans un cabinet d'avocats à Dublin, mais, étant donné que ce serait son dernier été d'étudiant, il envisageait de partir à l'aventure en Europe.

« J'ai un vieux copain de Belfast qui a un super plan sur l'île de Naxos, en Grèce : tous les étés, il tient le bar de son père.

— Je n'ai pas suivi. Comment un mec de Belfast peut avoir un père propriétaire d'un bar en Grèce ?

— Son père tenait le seul restaurant grec de Belfast. Quand les Troubles ont commencé, il a vendu, il est retourné à Naxos et y a acheté un local. Il s'est aussi arrangé pour que Spyros aille faire ses études à Oxford au lieu de rester en Irlande du Nord. Je lui ai écrit il y a quelques semaines pour lui demander si on pouvait passer le voir cet été, et j'ai eu sa réponse juste avant de partir, vendredi. Il a un petit gîte à côté du bar, et il veut bien nous le prêter pendant deux semaines. On n'a qu'à trouver un vol pas cher pour Athènes, prendre le ferry jusqu'à Naxos, passer deux semaines là-bas, et ensuite on verra ce qu'on aura envie de faire. Ça te dit de passer l'été à errer sur le continent ? Si on rentre à Dublin mi-septembre, on aura un peu de temps avant la reprise des cours.

— Je peux savoir pourquoi tu ne m'en as pas parlé avant ?

— Ne te fâche pas, s'il te plaît.

— Je ne suis pas fâchée. Tu me fais rire.

— Parce que tu savais que je voudrais te mettre devant le fait accompli ?

— Quelque chose dans le genre. Je n'ai rien prévu pour cet été, et il n'est pas question que je rentre au pays de mes parents, du Watergate et des guerres interminables. Ça me dit bien, de voyager... et si c'est avec toi, alors je n'hésite plus. »

Ciaran s'est penché pour m'embrasser.

« Je savais que j'aurais un mal fou à te convaincre. »

Une heure après notre départ de Central Station, le train a ralenti pour passer le point de contrôle de l'armée britannique à la frontière. Mais, cette fois, personne n'est monté à bord : nous ne faisions que retourner en Irlande du Sud. Et, tandis que nous traversions le no man's land devant Dundalk, la police irlandaise n'a même pas montré le bout de son nez. Comme si le pays tout entier préférait ignorer l'existence de cette frontière.

De retour à Dublin, nous nous sommes jetés à corps perdu dans les révisions. J'ai eu droit à un certain traitement de faveur de la part de mes professeurs : comme je n'étais arrivée qu'en janvier, chacun m'avait préparé un sujet d'examen spécial ne portant que sur les cours du second semestre. Mais il y avait tout de même quelque chose de vertigineux dans l'idée qu'une douzaine d'heures de rédaction déciderait de mon sort académique pour toute l'année suivante. J'ai passé huit heures par jour à la bibliothèque et j'ai dormi chez Ciaran presque toutes les nuits : son lit était plus grand, l'appartement était merveilleusement calme la nuit, et je pouvais me réveiller à ses côtés chaque matin. De plus, à Pearse Street, Sean s'entêtait à me battre froid et un nouvel arrivant s'était installé à mon étage. Il s'appelait Macdara, et était ce que ma voisine Sheila appelait un *headbanger* – il adorait la musique *metal* et écoutait Black Sabbath à fond quelle que soit l'heure de la journée ou de la nuit. En dehors du General Post Office, où il travaillait huit heures par jour (« Pas étonnant que la poste soit aussi naze dans ce pays », avait fait remarquer Sheila), ce « foutu bouseux » du comté de Leitrim passait son temps cloîtré dans sa studette avec une provision de cannabis et ses albums de hard rock. Les plaintes pour tapage pleuvaient, et même s'il s'excusait systématiquement d'écouter sa musique à un tel volume, il ne s'était pas calmé après que Sean avait menacé de l'expulser (ce que, légalement parlant, il avait peu de chances de réussir à faire sans avoir recours à une action en justice... et ce rusé fumeur de joints le savait pertinemment). En tout cas, j'ai été plutôt contente d'avoir un autre endroit où aller, surtout pendant une période aussi stressante.

Ciaran possédait une fabuleuse radio à ondes courtes qui parvenait à capter le BBC World Service et The Voice of America. Je suis devenue accro à leurs bulletins d'informations de dix-huit et dix-neuf heures, qui rapportaient avec une grande rigueur l'évolution de l'enquête de la commission judiciaire du Sénat sur les agissements de Nixon. Même si la BBC se montrait plus analytique, j'étais impressionnée par le ton direct de The Voice of America. Ils avaient fait la liste détaillée des péchés de Trick Dick, et annoncé sans état d'âme au monde que les États-Unis s'apprêtaient à révoquer leur Président. Certes, d'un certain point de vue, c'était une radio de propagande – mais j'admirais sa volonté de dévoiler les stratagèmes machiavéliques d'une Maison-Blanche qui se permettait d'interpréter les lois à son avantage, sans que personne ne songe à sanctionner ces crimes. Ciaran partageait ce sentiment.

« Les gauchistes sur les marches du réfectoire peuvent hurler à l'impérialisme américain autant qu'ils veulent, mais tu imagines la *Pravda* ou Radio Moscou tenir de tels discours sur Brejnev ou Kossyguine ? a-t-il déclaré un soir qu'il écoutait les infos avec moi. Ça n'arriverait jamais. Ton pays est peut-être plein de fous de la gâchette – quoique je sois mal placé, en tant que Belfastois, pour critiquer le danger que représentent les armes à feu –, mais au moins vous ne laissez pas vos dirigeants s'en tirer impunément s'ils agissent de manière criminelle. Au moins, vous leur faites rendre des comptes… la plupart du temps. »

Je ne passais plus que rarement à Pearse Street, essentiellement pour récupérer mon courrier et voir si j'avais reçu des appels. À mon grand soulagement, de la part de mes parents, c'était silence radio. J'ai quand même reçu un jour une longue lettre tapée à la machine par Peter.

Coucou, Alice,
Je suis toujours à Paris, et j'essaie de coucher sur le papier tout ce qui s'est passé au Chili. Ce ne sera pas un roman, plutôt un récit de non-fiction sur les événements dont j'ai été témoin là-bas, dans le style des Armées de la nuit, *de Normal Mailer, donc un peu romancé. J'habite encore à La Louisiane. La semaine dernière, j'ai reçu une lettre surprise*

de papa : il a contacté Yale Divinity, et ils veulent bien me reprendre à l'automne prochain. En attendant, au cas où je voudrais rester à Paris quelques mois de plus, il m'a envoyé un mandat international de mille dollars. Mille dollars ! Je vais pouvoir tenir au moins quatre mois avec ça. Est-ce qu'il l'a fait pour soulager sa conscience, ou pour se faire pardonner ? Je ne sais pas. Et je m'en fous. J'ai encaissé l'argent. Je n'ai pas encore décidé si je voulais retourner à Yale, mais j'ai la ferme intention de terminer mon livre avant le 4 juillet – je pourrai encore mieux célébrer l'indépendance une fois débarrassé de ça. Et s'il me reste quelques sous, j'irai peut-être prendre le soleil dans une région pas trop chère, comme la Sardaigne.

J'ai d'autres nouvelles de la maison : maman m'a écrit pour me dire que Carly a plaidé coupable à son procès en Californie. En échange de son témoignage contre ses anciens copains Black Panthers, ils l'ont laissée partir avec un froncement de sourcils et une petite tape sur les doigts. Cette fille a le chic pour se sortir de n'importe quelle situation. Il y a des gens comme ça, qui sèment la zizanie partout autour d'eux, pourrissent la vie de tous ceux qui font l'erreur de les approcher, et arrivent systématiquement à s'en tirer quand même. Je m'en veux encore d'avoir été assez bête pour fricoter avec elle.

Dans sa lettre, maman m'a aussi raconté que tu lui as raccroché au nez la dernière fois. Tout ça parce qu'elle t'a reproché de ne pas avoir dénoncé Carly plus tôt. Si c'est vraiment toi qui as prévenu la police, je te félicite d'avoir eu ce courage. Il fallait que quelqu'un le fasse. N'écoute pas les remontrances de maman : malheureusement pour elle, elle n'a rien de mieux à faire.

Tu es la bienvenue à Paris quand tu veux,

Bises,

Peter

Béni soit mon grand frère, si complexe et si intéressant. Il avait ses défauts – qui n'en a pas ? –, mais c'était le seul membre de ma famille sur lequel je pouvais vraiment compter. Et il m'avait montré qu'il était possible de fuir la folie de nos parents. Je lui devais tant de choses. J'ai glissé une feuille blanche dans ma machine à écrire, j'ai commencé à lui répondre. Le résultat a été une lettre de cinq pages où je lui donnais les dernières nouvelles : j'étais tombée profondément amoureuse, et de quelqu'un qu'il ne manquerait pas d'apprécier. Je lui ai aussi parlé de mon inquiétude pour lui après les horreurs survenues au Chili, et du fait que nous avions tous deux hérité de bien des *meshugas*, avant de lui confier qu'il était l'un des points d'ancrage les plus constants de mon existence, et que j'avais pour lui un respect et un amour immenses. Je voulais qu'il le sache. Et qu'il sache aussi, dans un autre registre, que je révisais maintenant dix heures par jour et que j'étais terrifiée à l'idée de ne pas obtenir la moyenne.

J'ai relu ma lettre avant de l'apporter au bureau de poste d'Andrews Street. Puis je suis retournée à la bibliothèque me plonger dans mes livres. Ciaran aussi travaillait comme un dingue. La plupart du temps, on se retrouvait quelque part pour dîner vers dix-huit heures, et on retournait réviser jusqu'à la fermeture de la bibliothèque à vingt-deux heures – ensuite, on s'accordait une pinte au Neary's. Voilà à quoi a ressemblé notre vie pendant trois semaines entières, avec la discipline insensée que nous imposait le système d'évaluation de Trinity. J'ai commencé à aller nager une heure par jour dans la piscine du campus pour tenter de dissiper le stress qu'éveillait en moi cette seule et unique chance de valider mon année.

Les examens ont commencé le 8 juin. J'ai fait le trajet avec Ciaran depuis son appartement jusqu'à l'entrée secondaire de l'université, sous une pluie diluvienne ; là, je l'ai étreint longuement avant de lui avouer que j'étais terrifiée. Il m'a certifié que tout se passerait bien. Il semblait persuadé que ma peur provenait de tous les jugements négatifs que j'avais subis en grandissant, et qui auraient développé chez moi une hantise de l'échec comme confirmation définitive du verdict de ma mère – « Je t'aime, mais ce que tu es ne me plaît pas du tout. » Vingt minutes plus tard, face à mon premier énoncé de la semaine, le soutien de Ciaran m'a permis d'attaquer les questions du Pr Brown sur sir Philip Sidney avec une confiance et un plaisir inattendus.

Le surlendemain, je me demandais encore si j'avais réussi ou non à répondre aux questions complexes du Pr Norris sur *Les Morts*, de Joyce, mais j'étais à peu près sûre d'avoir bien démontré que son *Portrait de l'artiste en jeune homme* appartenait au genre du roman de formation. Mes dissertations sur O'Faolain et O'Connor m'avaient paru satisfaisantes, et je me sentais relativement confiante concernant mes connaissances dans le domaine des auteurs romantiques anglais.

C'était le problème de ces folles journées d'examen – précédées par des semaines entières de révisions et d'angoisse : j'étais si absorbée par le travail qu'il m'était difficile d'évaluer correctement mon degré de réussite. Ciaran ressentait la même chose : il avait trouvé son épreuve sur les procédures de transfert de propriété extrêmement difficile, et se sentait incapable de dire s'il s'en était bien sorti ou non. Mais rien de tout cela ne nous a empêchés, en sortant de l'université le 19 juin, d'aller arroser notre liberté retrouvée autour d'un savoureux déjeuner italien au Trocadero. Le repas a duré trois bonnes heures. Enfin, ce cauchemar académique était derrière nous, l'été commençait dans moins d'une semaine, et nous avions dégoté deux billets d'avion pour Athènes avec escale à Amsterdam, ce qui nous avait donné l'idée de passer quelques jours dans cette illustre ville hollandaise. Pendant le déjeuner, j'ai sorti de mon sac le guide des Pays-Bas acheté la veille pour montrer à Ciaran le petit hôtel bon marché que j'avais repéré près de la gare centrale, avant de lui proposer une excursion d'une journée à Delft ; j'avais aussi eu des échos d'une pension sympathique dans le quartier de la Pláka à Athènes, et…

« Tu ne serais pas en train de surcompenser le stress de ces dernières semaines, toi ? a-t-il demandé avec un sourire.

— Tu me connais beaucoup trop bien. »

Il s'est penché pour m'embrasser, avant de commander une deuxième bouteille de rouge. Il était quatre heures et quart, et nous devions prendre le train pour Belfast à six heures moins dix, car nous avions décidé de passer le week-end chez ses parents. Cette deuxième bouteille me paraissait de trop, et j'ai proposé à Ciaran de nous arrêter là et d'attraper un taxi pour Connolly Station afin de prendre le train de cinq heures moins dix à la place. Mais il était d'humeur festive : on méritait bien de se cuiter avant de monter vers le Nord.

« Je me laisse tenter, alors, ai-je dit en lui prenant la main.

— Parfait.

— On a drôlement de la chance, tous les deux.

— Je suis bien d'accord. »

Nous sommes sortis du restaurant à cinq heures et quart, la démarche légèrement hésitante, pour nous diriger vers O'Connell Bridge avant d'obliquer sur Talbot Street. J'ai regardé ma montre. Cinq heures vingt-sept, et je mourais d'envie de fumer. J'ai avisé une boutique au coin de la rue.

« Tu veux bien me donner deux minutes ?

— Va donc t'acheter ta drogue », a rétorqué Ciaran, tout sourire.

Je l'ai laissé m'attendre dehors. À l'intérieur, une femme tenait la jambe au caissier en lui racontant ses problèmes avec sa voisine, qui passait son temps à crier après son mari en le traitant d'abruti, le plus souvent après minuit, ce qui empêchait tout l'immeuble de dormir...

Cinq heures trente. J'attendais mon tour depuis trois minutes, et elle ne faisait pas mine de finir son histoire.

« Excusez-moi, ai-je dit, mais j'ai un train à prendre... »

Elle s'est tournée vers moi comme si je débarquais de la planète Mars.

« Qu'est-ce qu'une Américaine comme toi vient fiche dans le coin ?

— Comme je l'ai dit, je vais à la gare.

— Bien sûr, il ne faudrait pas que Sa Seigneurie rate son train.

— Madame, s'il vous plaît », a dit le vendeur.

Il m'a regardée, tout sourire.

« Qu'est-ce qui vous ferait plaisir ? »

Je lui ai souri à mon tour.

« Un paquet de... »

Je n'ai jamais achevé ma phrase. Le monde autour de moi a explosé, une détonation si assourdissante, si effroyable, qu'elle résonnerait encore dans ma tête des semaines plus tard. Des flammes et des éclats de verre ont déferlé. J'avais le dos tourné à la porte, et le souffle de la déflagration m'a projetée en avant, droit contre une étagère. Tout est devenu noir. Le silence m'a avalée. Quand je suis revenue à moi, j'ignorais combien de temps j'avais perdu connaissance. Que s'était-il passé ? Je me suis redressée, chancelante. Le magasin n'était plus que ruines carbonisées. La femme, à genoux près de moi, avait le visage lacéré par des éclats de verre, et le caissier gisait au sol, la cage thoracique déchiquetée, tandis qu'une flaque de sang rouge sombre s'étalait autour de lui, gagnant mes chaussures.

Je voulais hurler. Je n'ai pas pu. Une torpeur glacée s'était emparée de moi, au point que lorsque j'ai senti quelque chose d'humide dans mon dos, touché mon épaule et regardé mes doigts couverts de sang, je n'ai pas compris tout de suite que j'étais blessée.

Encore une fois, j'ai tenté de crier. Un seul mot a franchi la barrière de mes lèvres :

« Ciaran… »

Mes jambes menaçaient de se dérober sous moi. J'ai titubé à travers les décombres fumants jusqu'à la rue.

« Ciaran… »

J'ai essayé de crier son prénom, de fixer mon regard sur la dévastation en face de moi. Il y avait des gens allongés partout. J'ai baissé les yeux, suffoquée par l'épaisse fumée. À mes pieds, une tête m'a rendu mon regard. Le hurlement contenu en moi s'est libéré d'un coup. Je suis tombée à genoux. Le monde a de nouveau viré au noir.

Ciaran.

À suivre…

Déjà paru

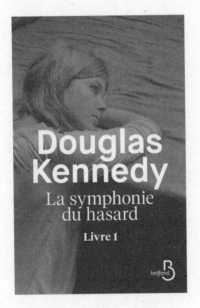

9 novembre 2017

À paraître

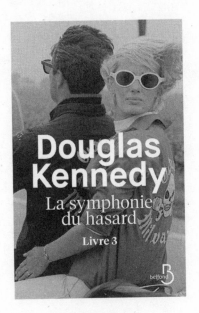

3 mai 2018

Composition et mise en pages
Nord Compo à Villeneuve-d'Ascq